# LE LIVRE
# DE LA LUMIÈRE

ALEXANDRA SOLNADO

# LE LIVRE
# DE LA LUMIÈRE

## Interrogez le Ciel et il vous répondra

*Préface et traduction de l'anglais (américain)
par Ginette Reno*

Titre original
*The Book of Light : Ask and Heaven Will Answer*

« Quand vous croyez que vous avez déjà les réponses
la vie vient et change les questions. »

Anonyme

« Voici le livre qui vous offre de nouvelles réponses
à vos dernières questions. »

Jésus

# SOMMAIRE

# PRÉFACE

Je suis en Floride, dans ma librairie préférée. Dans la partie que j'aime le plus, la spiritualité, la psychologie moderne, et l'ésotérisme. Je suis assise et je demande une faveur à Dieu : « Trouve-moi un livre. »

Pendant que j'examine les étagères remplies de livres pour voir s'il y en a un qui m'attire, je continue à parler à Dieu. Je lui dis que je sais fort bien qu'il a l'éternité devant lui, mais pas moi. Je veux bien rester assise une heure ou deux, mais cette fois-ci qu'il ne me fasse pas attendre trop longtemps.

Tout à coup je vois un livre avec des couleurs que j'aime, or et blanc. Je le prends, je regarde le titre, Le Livre de la Lumière, et je me mets à le lire. Demandez et le Ciel vous répondra. D'accord, donc, je commence à lui poser des questions. On doit choisir deux symboles, un premier et le second, il est très important pour le choix de la réponse de ne pas mêler le premier au second. Je suis surprise des réponses. Alors je remercie le Ciel et je vais payer à la caisse.

Depuis j'ai bien dû en acheter une dizaine. À mes enfants, à mes amis, et moi ça en fait bien deux que j'use à la corde. Si vous les voyiez... Ils sont soulignés, avec plein de choses écrites sur les pages. Plein de nourriture. Donc j'ai contacté l'auteure pour en faire la traduction. Je ne suis pas traductrice, je n'ai pas le verbe être, je suis une chanteuse. Mais quel plaisir j'ai eu à le traduire !

J'ai appris plein de nouveaux mots. Autant en anglais qu'en français. J'ai devant moi trois dictionnaires. Un de français, l'autre d'anglais, et un autre dans les deux langues qui me donne la signification immédiate du mot que je cherche. J'ai aussi un dictionnaire des synonymes en français et en anglais.

Le fait d'avoir lu toutes les réponses m'a aussi fait un bien énorme. J'avais l'impression par moments d'être directement liée à Jésus.

Au fond, je ne vais pas me gêner en vous disant que pour moi, c'est la Sainte Trinité. Le Père, le Fils et le Saint-Esprit.

11

*N'ayez pas peur, je ne suis pas une freak du bon Dieu. J'en ai tellement eu besoin. Un jour un ami me l'a apporté sur un plateau d'argent, en me disant que Dieu m'aimait comme un fou. J'ai eu tant besoin de sentir son amour pour moi. Je suis une itinérante affective. Il n'y a pas un être humain qui puisse m'aimer comme j'en ai eu besoin, mais rassurez-vous, je vais mieux, beaucoup mieux.*

*J'ai été mal élevée, le mot le dit : mal élevée. J'ai justement regardé dans le dictionnaire (élever : porter à un niveau supérieur). Moi j'ai été domptée. On me disait : « Je vais le casser, ton caractère. » Ils ont réussi dans certains domaines, mais pas partout. Alors j'ai un instinct du tonnerre. Méfiez-vous, parfois je suis comme un animal. D'ailleurs, pour moi, nous vivons tous dans la jungle, la Terre est un asile de fous. Où l'on essaie seulement de s'en sortir. Bref, ce livre me fait beaucoup de bien. Je souhaite que vous en tombiez amoureux. Merci à Alexandra Solnado et à Michel Lafon, l'éditeur.*

Ginette Reno,
officier de l'Ordre du Canada,
chevalier de l'Ordre national du Québec,
chevalier des Arts et des Lettres en France

# INTRODUCTION

Vous êtes la raison-même pour laquelle j'ai écrit ce livre.

Combien de fois avez-vous douté ? Combien de fois m'avez-vous parlé sans vraiment croire que je pourrais vous répondre ? Combien de fois m'avez-vous contacté sans succès ?

Ce livre est pour vous. Pour vous, qui lisez ces mots en ce moment même. Mon intention est de communiquer avec vous afin de vous aider à gérer vos angoisses.

Ce sont des textes de lumière qui vont vous remplir d'énergie. J'espère que cela vous aidera à surmonter les problèmes fondamentaux auxquels vous faites face dans votre quotidien.

Je veux combler la distance entre nous.

Pour chaque question vous devez choisir deux symboles qui sont dans ce livre. Ces symboles viennent de l'alphabet araméen, la langue que je parlais lorsque j'étais ici, sur Terre, il y a deux mille ans.

Au point où les deux symboles se rencontrent (voyez la table des symboles) vous trouverez un message, en rapport avec la question que vous avez posée. Ce sont mes commentaires sur la situation.

Ceci n'est pas juste un livre, c'est un livre sur la communication avec le Ciel. Lorsque vous choisissez vos deux symboles, vous avez besoin de comprendre et de croire que tout a une raison. Et moi, au Ciel, j'utiliserai mes messages pour vous apprendre de grandes choses.

Parlez-moi, et je pourrai vous répondre à travers ces textes. Ce langage symbolique vous est envoyé pour que vous puissiez réviser vos intentions, mais, plus important encore, c'est ma façon de vous faire sentir mon énergie. Lisez les textes lentement et attentivement, ouvrez votre cœur afin que je puisse entrer, afin que vous « ressentiez » la réponse au lieu de la « penser ».

Avant de choisir les symboles, concentrez-vous sur moi. Essayez de calmer votre esprit. Respirez profondément trois fois. Puis concentrez-vous sur moi. Ouvrez votre cœur et recevez mon énergie.

Ensuite, concentrez-vous sur l'une de vos inquiétudes. Ne posez aucune question, ne demandez rien. Pensez seulement à ce problème. Comment voulez-vous qu'il soit réglé ? Je vais aborder le problème avec un point de vue du Ciel. Là-haut, nous avons une sagesse spirituelle avec une vue d'ensemble sur votre existence.

Je commenterai votre demande. Parfois je vous mettrai en garde, parfois je vous ferai des éloges. Ne soyez pas trop inquiet de ces réprimandes. Je ne suis pas fâché contre vous. Je veux simplement vous aider à trouver votre chemin.

Quand vous recevez un éloge de ma part, tirez-en le maximum, mais ne le laissez pas vous monter à la tête. Méfiez-vous de votre ego.

Vous êtes sûrement sur le bon chemin, mais si vous adoptez un comportement suffisant, votre ego ne tardera pas à prendre le contrôle.

L'arrogance est le moyen le plus utilisé par l'ego pour vous convaincre que vous êtes meilleur que les autres, meilleur que vos frères. C'est loin d'être spirituel, et cela freine l'évolution.

Si je vous réprimande, essayez d'écouter sans vous sentir coupable. La culpabilité n'existe pas. Lorsque vous faites une erreur, vous pourrez toujours la réparer demain. Le plus important est que vous fassiez vos choix selon qui vous êtes et non selon ce que les autres attendent de vous.

Lorsque je vous fais des éloges, vous pouvez vous sentir heureux, vous pouvez vous sentir extrêmement heureux, mais gardez les pieds sur Terre, restez humbles. Vous êtes tous égaux. Personne n'est meilleur qu'un autre. Différent peut-être, mais jamais meilleur.

Ne posez pas la même question plus d'une fois dans une journée. Attendez le lendemain. Le temps est un bon mentor et demain vous découvrirez peut-être que ce sujet est porteur d'une énergie différente.

Si pour certaines raisons vous posez la même question plusieurs fois, plusieurs jours, et que les informations que vous recevez se contredisent, cela signifie que le problème sur lequel vous vous concentrez est complexe et double, qu'il renferme de fortes oppositions et nécessite donc deux fois plus d'attention.

Enfin, n'oubliez jamais que vous pouvez toujours compter sur moi si vous doutez. Parlez-moi, posez-moi des questions. Si vous m'avez sollicité sans vraiment croire que je vous répondrai de manière claire et intelligible, vous avez maintenant ces textes de lumière que j'ai préparés pour vous.

Vos questions ne resteront jamais plus sans réponse. Je serai toujours là pour répondre à vos interrogations sur la vie, à n'importe quelle heure du jour ou de la nuit. J'espérais être plus près de vous pour vous guider, et heureusement, nous avons réussi. Il ne nous reste plus qu'à commencer.

Je suis prêt à entrer dans votre vie. J'espère que vous recevrez mes enseignements aussi bien que vous m'avez reçu.

JÉSUS

# COMMENT OBTENIR LES RÉPONSES DU *LIVRE DE LA LUMIÈRE*

Pour poser une question :

- Cherchez un endroit confortable et asseyez-vous.
- Si c'est possible, mettez une musique apaisante et de l'encens.
- Visualisez une lumière blanche qui envahit votre corps.
- Visualisez une lumière blanche qui envahit les symboles.
- Concentrez-vous sur une personne ou une situation.
- *Le Livre de la lumière* analysera l'énergie de la situation en question puis en fera le commentaire.
- Dans ce livre, Jésus répond à toutes les questions qui lui sont posées. Ses réponses ne sont pas objectives, ses commentaires vont surtout vous aider à trouver vous-même vos réponses. Souvenez-vous que personne au Ciel n'empiète sur notre libre arbitre. Ils peuvent vous guider et vous éclairer, mais quand vient le moment, vous seul prenez les décisions définitives concernant chacun de vos problèmes.
- Ne posez jamais la même question deux fois dans la même journée. Si vous voulez en savoir plus, essayez le lendemain.
- Prenez le temps de choisir vos symboles en tenant compte de la situation ou de la personne.
- Allez à la page de la table des symboles. Le premier symbole doit être choisi dans la colonne verticale, le second dans la colonne horizontale.
- Au point où les deux symboles se rencontrent, vous trouverez un numéro relié à votre question.
- Lisez le message trois fois pour en saisir le sens et voir comment il s'ajuste à votre question.
- Si un message apparaît plus d'une fois pour différentes questions, c'est parce qu'il s'applique à votre vie en général, à votre être, à votre personne.

# POUR FABRIQUER LES PIÈCES

Si l'édition du livre ne contient pas les pièces, il y a quelques options pour les faire soi-même :

1. Visitez le site www.alexandrasolnado.net où vous trouverez les symboles. Imprimez-les et découpez-les.
2. Soyez créatif et dessinez vous-même les symboles. Référez-vous pour cela à la première page du livre pour voir à quoi ils ressemblent. Vous pouvez aussi les découper sur cette page.

# CHOISIR LES SYMBOLES

Choisir les symboles est un rituel.

C'est un mouvement à l'extérieur des limites du temps.

Cela prend un millième de seconde de sélectionner le symbole.

C'est le temps dont j'ai besoin pour mettre les choses en ordre, pour transférer les vibrations, pour remettre les signes à leur place, pour que tout se passe comme cela est censé se passer.

Avant de choisir les symboles, concentrez-vous sur votre cœur et sur le sujet que vous voulez me soumettre.

Plus votre concentration sera profonde, plus vous serez lié à l'Univers, et par conséquent, plus la communication avec ses messages sera grande.

L'acte de choisir les symboles est déjà la question en soi. La réponse réside dans la conjonction de ces symboles.

Les scientifiques disent que la conjonction des symboles relève toujours du hasard.

Je dis que c'est toujours magique.

La force de la Terre se trouve dans la sélection de ces pièces.

C'est un acte de volonté qui démontre l'énorme désir d'évolution de l'homme. Ces symboles vont apparaître comme ils doivent apparaître.

Pour que je puisse vous répondre.

Poser une question à cet ouvrage, *Le Livre de la Lumière*, c'est accepter le message que vous recevrez. Cela ne sera pas toujours ce que vous voulez entendre.

Et comme je ne mens pas, les réponses que vous recevrez pourront être douces ou amères, selon la vérité qu'elles expriment.

J'aimerai toujours ceux qui ont le courage d'entendre la vérité.

JÉSUS

# TABLE DES SYMBOLES

Une fois que vous avez choisi le premier symbole, trouvez-le sur la ligne verticale. Choisissez ensuite le deuxième symbole et trouvez-le le sur la ligne horizontale. Au point où les deux symboles se rencontrent, vous trouverez le numéro du message qui est la réponse inspirée du Ciel.

SECOND SYMBOLE

PREMIER SYMBOLE

| | S1 | S2 | S3 | S4 | S5 | S6 | S7 | S8 | S9 | S10 | S11 | S12 | S13 | S14 | S15 | S16 | S17 |
|---|---|---|---|---|---|---|---|---|---|---|---|---|---|---|---|---|---|
| S1 | | 1 | 2 | 3 | 4 | 5 | 6 | 7 | 8 | 9 | 91 | 92 | 93 | 94 | 183 | 184 | 185 |
| S2 | 10 | | 11 | 12 | 13 | 14 | 15 | 16 | 17 | 18 | 95 | 96 | 97 | 98 | 186 | 187 | 188 |
| S3 | 19 | 20 | | 21 | 22 | 23 | 24 | 25 | 26 | 27 | 99 | 100 | 101 | 102 | 189 | 190 | 191 |
| S4 | 28 | 29 | 30 | | 31 | 32 | 33 | 34 | 35 | 36 | 103 | 104 | 105 | 106 | 192 | 193 | 194 |
| S5 | 37 | 38 | 39 | 40 | | 41 | 42 | 43 | 44 | 45 | 107 | 108 | 109 | 110 | 195 | 196 | 197 |
| S6 | 46 | 47 | 48 | 49 | 50 | | 51 | 52 | 53 | 54 | 111 | 112 | 113 | 114 | 198 | 199 | 200 |
| S7 | 55 | 56 | 57 | 58 | 59 | 60 | | 61 | 62 | 63 | 115 | 116 | 117 | 118 | 201 | 202 | 203 |
| S8 | 64 | 65 | 66 | 67 | 68 | 69 | 70 | | 71 | 72 | 119 | 120 | 121 | 122 | 204 | 205 | 206 |
| S9 | 73 | 74 | 75 | 76 | 77 | 78 | 79 | 80 | | 81 | 123 | 124 | 125 | 126 | 207 | 208 | 209 |
| S10 | 82 | 83 | 84 | 85 | 86 | 87 | 88 | 89 | 90 | | 127 | 128 | 129 | 130 | 210 | 211 | 212 |
| S11 | 131 | 132 | 133 | 134 | 135 | 136 | 137 | 138 | 139 | 140 | | 141 | 142 | 143 | 213 | 214 | 215 |
| S12 | 144 | 145 | 146 | 147 | 148 | 149 | 150 | 151 | 152 | 153 | 154 | | 155 | 156 | 216 | 217 | 218 |
| S13 | 157 | 158 | 159 | 160 | 161 | 162 | 163 | 164 | 165 | 166 | 167 | 168 | | 169 | 219 | 220 | 221 |
| S14 | 170 | 171 | 172 | 173 | 174 | 175 | 176 | 177 | 178 | 179 | 180 | 181 | 182 | | 222 | 223 | 224 |
| S15 | 225 | 226 | 227 | 228 | 229 | 230 | 231 | 232 | 233 | 234 | 235 | 236 | 237 | 238 | | 239 | 240 |
| S16 | 241 | 242 | 243 | 244 | 245 | 246 | 247 | 248 | 249 | 250 | 251 | 252 | 253 | 254 | 255 | | 256 |
| S17 | 257 | 258 | 259 | 260 | 261 | 262 | 263 | 264 | 265 | 266 | 267 | 268 | 269 | 270 | 271 | 272 | |

Voici mon livre, *Le Livre de la Lumière*.
Dans la lumière repose la sagesse universelle,
les archétypes des expériences profondes vécues sur Terre.
Je vous enverrai une inspiration,
profonde mais simple,
à la fois réelle et mystique.
Mon message ne sera pas le même
pour tout le monde.
Chacun de vous qui choisira des symboles,
en attente d'une réponse,
obtiendra le message dont il a besoin à ce moment précis.
La dynamique du Ciel est toujours parfaite.
Il n'enverra pas aux gens
plus qu'ils ne sont capables de supporter.
Seuls ceux qui ont la force
de changer leur vie le feront.
Comment cela fonctionne-t-il ?
C'est simple, comme tout ce qui vient du Ciel.
Vous choisissez deux symboles.
Vous recevrez une réponse de la lumière
basée sur le nombre que vous avez obtenu.
*Le Livre de la Lumière* est mon livre.
C'est ma voix.
C'est la réponse que je me languissais
de vous donner.

JÉSUS

# 1

## Le début

L'action divine commence dans la lumière.
Elle commence par une lumière supérieure.
Une lumière qui vient du Ciel.
Un Ciel qui est représenté par un canal.
Quand le canal est ouvert, cela signifie que les choses sont sous contrôle, et que la lumière peut triompher des ténèbres.
C'est ainsi que les choses se passent.
L'énergie doit être à sa place pour atteindre l'harmonisation des opposés.
Quand les forces du yin dominent notre être, cela veut dire que l'ascension peut avoir lieu et qu'il s'agit d'une question spirituelle.
L'ascension est ce à quoi aspirent tous les êtres humains, et une bonne moitié de leurs vies aura toujours besoin de soins spirituels.
Quand le yang prend le dessus, cela veut dire que la densité augmente encore et que vous devez faire de votre mieux pour ne pas perdre votre capacité interne à vous orienter.
Ceci est une explication temporaire. Nous reprendrons contact très prochainement.

JÉSUS

# 2

# Flotter

Cette question a déjà été portée devant le conseil des dieux. Elle a déjà été présentée à la réunion des êtres de lumière. Cette question a été traitée et approuvée par la plus haute énergie.

L'homme approuve.

Le Ciel approuve.

L'homme s'est conformé à la volonté du Ciel. Tout est en parfaite communion.

Mais pour pouvoir avancer avec ce contrat, nous avons besoin de l'inspiration du créateur. Chacune des connexions est la bienvenue et même nécessaire si ce projet doit être mené à bien. À partir de maintenant nous avons écouté le Ciel et suivi les souhaits des énergies, mais le projet n'a pas été achevé. Cela exige plus d'informations, cela requiert plus d'inspiration. De là-haut, naturellement.

Cherchez les signes, ne forcez pas les choses. Essayez de comprendre dans quelle direction va le courant.

Flottez. Maintenant c'est important de maintenir la tête hors de l'eau. De respecter la fréquence des vagues, de comprendre les raisons du Ciel.

Quand vous aurez finalement tout compris, vous pourrez commencer, mais seulement lorsque vous aurez atteint ce point.

Tout le monde sera satisfait du résultat.

Vous ouvrirez la voie ici-bas.

Et nous, là-haut, nous bénirons vos actions.

JÉSUS

# 3

# Perte

Tout ce qui arrive dans l'Univers a une raison. Les mouvements énergétiques du cosmos sont parfaits. Ils permettent d'avancer à travers les pertes et les gains, l'attachement et le détachement. Les choses de la vie vous sont envoyées lorsque vous avez conquis quelque chose au Ciel.

Mais les choses que vous obtenez doivent être utilisées et appréciées. Les gens ne devraient pas s'attacher à elles.

Si vous vous attachez à quelque chose ou quelqu'un, vous ne comprendrez pas pourquoi vous devez les perdre quand le moment viendra.

Vous pensiez que cette chose ou cette personne vous appartenait. Vous pensiez que c'était pour toujours.

Si vous comprenez que tout, dans la vie, vous est prêté, quand le temps viendra de perdre ce que vous avez conquis, vous resterez calme parce que vous saurez qu'autre chose vous aidera à poursuivre votre évolution.

Si vous croyez que cette chose ou cette personne vous appartient, quand l'heure du départ arrivera, vous vous verrez comme une victime critiquant ceux qui vous l'ont enlevée, et vous serez en colère.

La colère est une faiblesse, une non-acceptation de l'ordre naturel des choses.

Regardez bien les choses. Essayez de comprendre pourquoi vous avez attiré cette perte. Si vous n'êtes pas capable de comprendre et finissez dans la colère, chacune des actions que vous entreprendrez sera teintée de cette colère.

Conséquemment, cela ne sera pas en harmonie avec le Ciel.

Et vous n'allez rien résoudre.

Essayez de comprendre ce qui vous motive pour aller plus loin, la colère ou l'acceptation.

Un être qui accepte est un être protégé par le Ciel.

JÉSUS

# 4

# Inaction

Tout le Ciel a parlé. Il a dit ce qu'il veut, et il a montré pourquoi il est ici.

Les connexions sont achevées. Les liens sont faits.

Une grande préparation a permis de s'assurer que cette question puisse avancer. Et elle le peut parce qu'elle reflète la volonté de la lumière.

Pourtant les êtres humains continuent d'être inactifs. Ils n'avancent pas. Ils ont peur, ils ont honte ou croient que des informations leur échappent encore. Ils continuent d'attendre des signes. Tous les signes ont été donnés. Il est temps d'agir.

Tout comme là-haut, il y a un temps pour tout en bas. Un temps pour s'épanouir. Si l'homme n'agit pas, ce temps passera et tout perdra son éclat et ratera son départ.

Ne laissez pas ce temps passer, ne craignez rien. Ne restez pas immobile. Allez. Avancez. Faites ce qui doit être fait. C'est tout.

Le Ciel vous aidera pour le reste.

Il y a un temps pour attendre et un temps pour l'action. Maintenant c'est le temps de l'action.

Ne le laissez pas passer.

JÉSUS

# 5

# Délivrance

L'homme attend patiemment les instructions du Ciel. Il a complètement confiance dans le Ciel. Il a appris quelle voie suivre, et il a appris comment protéger cette voie.

L'homme qui se donne complètement au Ciel se facilite beaucoup la vie. Il cesse d'expérimenter la perte et arrête de se battre pour tout. Sa vie est une rivière qui coule tranquillement.

Il s'est engagé dans sa mission, et il réussit sa mission. Son chemin n'a plus de secrets parce que la peur n'existe plus. Il n'y a que confiance et délivrance.

Les réincarnations successives ont enseigné à l'homme comment ne plus se battre et se laisser porter.

Quand les choses vont bien, il continue son chemin.

Quand quelque chose ne va pas, il s'en remet au Ciel.

Cette délivrance est votre lumière, votre lumière qui brille. Tout est à sa place.

L'homme lâche prise, le Ciel commande, et les deux continuent leur voyage en harmonie.

JÉSUS

# 6

# But

Lorsque vous étiez là-haut avant de vous réincarner, on vous a donné une mission.

Toutes les âmes sur la Terre ont reçu une mission. Avoir un but dans la vie fait partie de l'expérience.

La survie en elle-même n'est pas un objectif spirituel.

Travailler seulement pour accumuler une fortune n'est pas un objectif spirituel non plus.

Expérimenter, par exemple, est un but. Traverser certaines expériences pour découvrir les limites et l'étendue des capacités de votre esprit, cela est un objectif.

Quoi qu'il en soit, dès leur naissance, les gens ont tendance à se focaliser sur leur propre survie.

Les valeurs spirituelles les plus importantes sont annulées au nom de la survie. Au nom de la survie, nous méprisons notre vraie raison d'être.

Rien n'arrive si vous n'avez pas un but dans la vie. Même dans ce cas, rien de spirituellement valable ne pourra arriver si vous ne portez votre attention que sur un profit matériel.

Regardez à l'intérieur de vous-même et interrogez-vous sur ce qui motive chacune de vos initiatives. Quel en est le but et quelle cause sert-elle ? Comment aide-t-elle l'humanité et les gens autour de vous ?

Pourquoi faites-vous cela ? Est-ce pour vous, pour vous sentir plus complet ? Est-ce pour un profit matériel ou émotionnel ?

Regardez dans votre cœur et ressentez.

Et vous trouverez la réponse.

JÉSUS

# 7

# Harmonie

La Terre est sur la Terre et le Ciel est dans le Ciel. Il y a un temps favorable pour tout. Il y a toujours une manière appropriée de faire les choses.

L'homme reçoit, le Ciel donne.

L'homme comprend ce qu'il a à faire, ensuite seulement il le fait. Il n'a pas d'ego, pas de culpabilité et pas de peur.

Sa confiance dans le Ciel est libératrice. La foi l'aide à comprendre l'imprévisible. L'acceptation rend plus doux les passages difficiles.

J'aime voir comment tout est en harmonie une fois que les choses sont à leur place.

Succès, chance, et inspiration.

Le Ciel se manifeste à travers les signes. Vous en êtes conscients et vous êtes capables de lire ces signes. Tout entre dans l'ordre. Tout est justifiable.

Nous vous souhaitons bonne chance.

Voici le chemin, continuez.

Vous serez bénis.

JÉSUS

# 8

# Mouvement

Vous êtes en harmonie avec le Ciel et le Ciel est en harmonie avec vous.

Nous parlons et vous êtes capable de nous entendre. Quand vous avez la volonté d'être en harmonie avec le Ciel, les bénéfices ne pourront être que positifs et durables.

Pareil au flot d'une rivière qui ne souhaite pas changer son cours mais va où la destinée l'emporte.

C'est votre vérité. Vous allez là où vous devez aller et vous êtes heureux comme cela. C'est une attitude sublime. Et le Ciel vous en remercie. Tout ira pour le mieux.

Quoi qu'il arrive, ce sera toujours la meilleure chose pour vous.

JÉSUS

# 9

# Distance

Lointain est le temps où les choses s'écoulaient. Il était une fois une personne heureuse qui avait fait beaucoup de plans pour sa vie. À cette époque le professeur Agostinho da Silva[1] disait : « Ne faites aucun plan pour votre vie pour ne pas ruiner les plans que la vie a faits pour vous. »

Voici le sentiment. Voilà le consensus.

Le bonheur existait il y a longtemps mais maintenant il est tellement loin. Ne blâmez pas les autres. Ne blâmez pas le Ciel et ne nous blâmez pas.

Vous êtes entièrement responsable de la tristesse que vous ressentez. Il n'y a aucune culpabilité, mais vous êtes responsable. Vous avez créé une distance entre le Ciel et la Terre.

Vous ne nous entendez pas vous parler et vous croyez donc que vos actions sont justifiées.

Nous parlons à travers la pluie qui tombe. À travers les rayons du soleil. Et aussi au travers des obstacles que nous plaçons devant vous pour que vous nous remarquiez.

Il vous faut raccourcir la distance entre nous. Levez les yeux. Reconnaissez-nous. Et notre gratitude sera éternelle.

Rien n'a de sens si le Ciel et la Terre ne sont pas en communion.

JÉSUS

---

1. Agostinho da Silva (1906-1994) était un philosophe, essayiste et écrivain portugais.

# 10

# Conviction

L'arme la plus puissante qu'un être spirituel possède est sa conviction du chemin qu'il prend. Quand un être sait où il est, pourquoi les choses arrivent et comment apprendre d'elles, sa destinée devient radieuse et resplendissante.

Cette conviction qu'il est sur le bon chemin attire une énergie sans fin. Et lorsque ce chemin est parcouru avec l'habilité d'un roi, lui aussi est de plus en plus convaincu de sa victoire.

La méditation sera toujours la clé.

La réponse est la conviction.

Même si parfois la route ne semble pas harmonieuse, vous devez utiliser le chaos pour vous reconnecter et venir au Ciel pour avoir des informations.

La vie deviendra alors prospère et riche.

JÉSUS

# 11

# Compensation

La compensation est une réaction aux peurs qui sont profondément enracinées. Vous avez peur, donc vous essayez de composer avec ce sentiment.

Pourquoi ne pas faire face à votre peur et pourquoi ne voulez-vous pas la ressentir ?

Pour vivre une émotion, on doit être capable de la laisser disparaître.

Chaque fois que votre peur de vivre une émotion vous force à opter pour quelque chose d'autre, c'est évident que cela ne vous aide pas.

Si vous choisissez de faire quelque chose qui vous réconforte plutôt que de vivre la gêne que vous ressentez, c'est évident que cela n'est pas en harmonie avec le Ciel.

Si vous vous sentez mal, gardez ce sentiment. Ressentez la douleur et pleurez autant que vous en avez besoin.

Soyez assuré qu'à la fin la lumière suivra.

En atteignant les profondeurs de votre être intérieur vous recevrez l'illumination par tous vos sens.

Après avoir atteint ce qu'il y a de plus profond en vous, vous vous sentirez beaucoup mieux. Cependant, si vous souhaitez encore faire quelque chose, si l'envie persiste, allez-y, faites-le.

JÉSUS

# 12

# Prendre en charge

Il y a un temps dans la vie où il faut prendre en charge.

Non pas à chaque occasion, mais quand il est temps, on ne peut pas y échapper.

Prendre en charge signifie agir. Mais il n'est pas seulement question d'action. Cela veut dire qu'il faut agir mais aussi pousser les autres à l'action, organiser des armées, mettre en place des stratégies... et aller de l'avant.

Il n'y a pas de place pour le cœur ici. Ni pour le sentimentalisme.

Vous faites juste ce que vous avez à faire.

C'est une des nombreuses facettes de la question. Tout n'est pas exact. Tout n'est pas définitif. Les demandes du Ciel poussent habituellement à se reconnecter, à ressentir, à avoir du cœur et de l'intuition.

Le Ciel vous demande rarement de réunir des armées et d'attaquer simplement parce que le moment est venu. Le temps a passé.

Maintenant... c'est le moment.

JÉSUS

# 13

# Culpabilité

La culpabilité c'est l'ego.

Et qui êtes-vous ? Qu'est-ce qui sur Terre vous fait croire que vous êtes indispensable ? Qu'est-ce qui vous fait penser que le monde ne tournera pas sans vous ? Que la vie ne va pas continuer sans vous ?

La culpabilité est la tentative inconsciente d'une personne pour obtenir du pouvoir et devenir indispensable.

Ceux qui se sentent coupables sont habituellement quelque part en train de faire quelque chose, croyant qu'ils devraient être ailleurs en train de faire autre chose. C'est la raison pour laquelle ils se sentent coupables. Ils vivent dans un conflit permanent. Ils ne sont pas apaisés et empêchent les autres de l'être.

La personne qui se sent coupable souffre mais a une énorme tendance à blâmer les autres.

Elle pense : « Si je ne peux pas faire ce que j'aime faire, les autres ne le peuvent pas non plus. Si je dois rester sur mes gardes pour ceci ou cela, et si je dois faire des choses que je n'aime pas faire, alors il doit en être de même pour les autres. »

Pourquoi exigez-vous autant de vous-même ?

Pourquoi exigez-vous autant des autres ?

La culpabilité vous empêche de vivre, elle vous empêche de vous regarder vous-même.

C'est une chose de vous blâmer pour quelque chose que vous avez fait, c'en est une autre de vous blâmer pour quelque chose que vous auriez dû faire, et encore une autre de vous blâmer parce que vous ne répondez pas aux besoins des autres.

Pensez à ceci, cela devrait vous aider :

Quand telle ou telle personne souffre, elle fait face à ses besoins ; consciemment ou inconsciemment elle a choisi cette situation afin que cette leçon – consistant à trouver les solutions à ses problèmes – lui permette d'évoluer.

Consciemment, elle veut ou a besoin que vous preniez soin d'elle, mais seulement jusqu'à un certain point. Il vient un temps où votre attention excessive finit par lui porter préjudice. Vous devez vous préoccuper de votre propre évolution. Si vous vous blâmez éternellement pour ce que vous n'avez pas fait, vous ne pourrez pas vous concentrer sur votre propre évolution.

Il est très important de se reconnecter, de méditer. De là-haut vous serez capable de prendre de la distance avec vous-même et de voir la vie différemment. Vous comprendrez alors que toute forme de dépendance est une prison. Ceux qui sont dépendants sont emprisonnés. Ceux qui ressentent de la culpabilité sont emprisonnés. Venez au Ciel ressentir la légèreté de la liberté.

JÉSUS

# 14

# Énergie

S'élever veut dire monter au Ciel. Monter au Ciel en esprit pendant que votre corps reste sur Terre. Est-ce possible de faire cette expérience durant votre existence, alors que vous êtes toujours vivant ?

Oui, bien sûr. Lorsque votre conscience s'élargit complètement et voyage sur le chemin du Ciel, elle ouvre le canal pour que l'énergie descende. L'énergie descend alors et envahit totalement le corps physique. Elle change la fréquence et balaie le malheur.

Elle commence à vibrer.

Grâce à l'énergie du Ciel, l'homme est capable de changer tous ses paradigmes, en bas sur Terre. Il change son style de vie. Il commence à émettre une nouvelle fréquence.

On appelle cette fréquence « essence ».

Cette fréquence attire l'abondance.

Cet être s'est élevé.

JÉSUS

# 15

# Sentiment

L'homme est extrêmement proche d'un tournant. Tout s'effondre. Tout semble au bord de la ruine.

Étirer ses émotions jusqu'à la limite est le plus puissant des sentiments.

C'est ce qui fait le plus mal. C'est ce qui vous fait sentir que vous approchez de la fin.

Ressentez, ressentez complètement chaque goutte de votre sang, chaque goutte de sueur. Après avoir fait face à ce tourment – après avoir enduré la purification de toutes ces émotions, après la diminution de votre douleur – vous connaîtrez un sentiment de paix qui sera libérateur.

Un être vit ses émotions jusqu'à la limite.

Il souffre et il pleure non pas parce qu'il est attiré par la douleur, mais parce qu'il ne pourra pas chasser cette douleur tant qu'il ne se sera pas laissé aller à la ressentir.

Un être expérimente toutes les émotions qu'il doit vivre et ce n'est qu'après avoir surmonté son chagrin qu'il peut lever la tête et commencer un nouveau voyage.

C'est la raison de la perte. Elle est là pour vous arrêter.

Vous arrêter pour ressentir…

Vous arrêter pour vous permettre de ressentir toutes vos émotions et vous faire avancer dans votre voyage, une fois que la leçon a été apprise.

Quand vous arrivez à un carrefour dans votre vie, les leçons apprises vous donneront l'opportunité de choisir la voie qui sera le plus en accord avec ce que vous êtes vraiment…

JÉSUS

# 16

# Rêve

Vous êtes irréaliste.

Toute expérience propose l'harmonie entre deux opposés. Et vous ne choisissez qu'un seul de ces deux côtés.

Vous rêvez. Et nous, au Ciel, aimons les rêves.

Vous désirez des choses et nous, au Ciel, défendons ceux qui ont de l'espoir et des désirs.

Vous n'avez pas encore réalisé que vous avez besoin de réconcilier le Ciel et la Terre.

Tous les rêves ont besoin d'une fondation solide.

Parfois le rêve est une forme de fuite. Plus vous rêvez plus vous fuyez la réalité.

Et vous ne faites que rêver.

Ici au Ciel nous ne sommes pas contre le rêve. Mais vous ne pouvez pas que rêver. Arrive un moment où vous devez essayer de réaliser ce rêve.

Souvenez-vous qu'un rêve devenu réalité est de l'évolution. Un rêve qui est seulement rêvé et suivi d'autres rêves est un moyen de fuir.

Que choisissez-vous ?

JÉSUS

# 17

# L'argent

L'argent est énergie. Et les gens utilisent leur énergie comme ils l'entendent. Ils la dépensent. Ils la dépensent sagement ou pauvrement, pour eux ou pour les autres. Cette énergie est vôtre, et c'est votre libre arbitre qui règne, vous dictant quoi faire. Je crois que nous nous comprenons jusqu'ici.

Cependant, lorsqu'il s'agit de récupérer cette énergie, de reprendre cette énergie, les choses deviennent un peu plus compliquées.

Vous avez besoin et vous voulez de l'argent, non ? Je comprends, mais essayez de suivre mon raisonnement.

Pourquoi achetez-vous des choses ? Pourquoi dépensez-vous de l'argent pour certains articles ? C'est parce que vous avez envie de dépenser de l'argent ?

Je crois que la réponse est non.

Avez-vous envie de signer un chèque et de donner de l'argent pour que la personne en face puisse avoir une vie meilleure ?

Non, je ne crois pas.

Se peut-il que cette personne veuille une nouvelle voiture et ait besoin de votre argent pour l'acheter ? Est-ce pour cela que vous achetez certains articles ?

Encore une fois la réponse est non.

Alors voyons. Vous n'achetez pas les choses juste parce que vous avez envie de dépenser de l'argent, ni parce que vous souhaitez que cette personne ait une vie meilleure, et encore moins pour l'aider à s'acheter une nouvelle voiture.

Non, je crois que ce ne sont vraiment pas les bonnes raisons.

Vous souhaitez acheter quelque chose parce que cet objet contribuera à rendre votre vie plus belle d'une façon ou d'une autre, non ?

N'ai-je pas raison ?

D'accord. Pensez-y.

Vous n'utilisez pas votre argent pour rendre meilleure la vie d'une autre personne, mais bien pour améliorer la vôtre. Cependant lorsque vous pensez à gagner de l'argent, vous inversez complètement ce système.

Si je vous demande aujourd'hui de me dire honnêtement pourquoi vous voulez et avez besoin de gagner de l'argent, vous me répondrez naturellement :

« J'ai besoin de gagner de l'argent parce que je veux avoir de l'argent, parce que je veux améliorer ma vie et m'acheter un jour une nouvelle voiture.

« Ce que je gagne ne répond pas à mes besoins. J'ai donc besoin de gagner plus. »

Et ceci est l'énergie que vous envoyez dans l'univers.

En résumé : vous ne dépenseriez jamais d'argent pour aider les autres à améliorer leur vie mais vous aimeriez que quelqu'un en dépense pour améliorer la vôtre. Vous ne dépenseriez jamais d'argent pour aider quelqu'un d'autre à acheter une nouvelle voiture mais vous aimeriez bien que quelqu'un en dépense pour vous en acheter une.

Ne voyez-vous pas que vous souhaitez que les autres fassent pour vous ce que vous ne feriez pas pour eux ?

Réalisez-vous que cela ne marchera jamais ?

Néanmoins vous êtes prêt à dépenser votre argent pour quelque chose qui va rendre votre vie meilleure. C'est la raison pour laquelle vous le dépensez. Les autres font la même chose.

Mais plutôt que de vous focaliser sur le fait de gagner de l'argent, dirigez votre attention sur ceci :

« Comment puis-je aider les gens à améliorer leur vie de différentes façons ? »

C'est quand vous vous mettez à travailler sur quelque chose (un produit, une idée, une mission, etc.), parce que vous savez que cela va améliorer votre vie, que vous commencez à gagner de l'argent.

N'oubliez pas. L'argent est une énergie que vous échangez. En soi, il ne vaut rien.

Si vous ne faites que désirer cette énergie, elle s'enfuit. Si vous avez quelque chose de bien à échanger pour l'obtenir, elle viendra vers vous.

Cessez de penser à l'argent et portez votre attention sur toutes les manières possible de contribuer à améliorer la vie des gens : non seulement vous recevrez de l'argent, mais vous vous sentirez épanoui et fier de ce que vous avez fait.

Et peut-être qu'ensuite vous vous rendrez compte que vous n'avez pas vraiment besoin d'une nouvelle voiture après tout.

JÉSUS

# 18

# Émotion

L'émotion est le moteur de la vie. Une expérience sans émotion n'est pas une expérience. C'est simplement de la matière en mouvement. Et la matière en mouvement n'a aucune importance. Même le vent met la matière en mouvement. Cela ne requiert pas d'intervention humaine.

Nous avons besoin des humains pour que les expériences soient vécues avec des sentiments, pour donner de l'âme aux choses.

Et le sentiment que les gens donnent aux choses ou aux événements libère une énergie qui est sans limite. L'émotion fait tourner le monde, elle fait se mouvoir les personnes dans le monde.

L'émotion fait grandir les enfants et prospérer les projets. Elle réduit les distances et permet la vie.

Quelles sont les questions qui méritent notre attention ? Celles qui éveillent nos émotions. Lorsque votre âme n'est pas dans ce que vous faites, vous êtes comme une pierre qui attend que le temps passe, qui attend la mort, pour avoir la chance de renaître un jour avec une conscience différente, avec un but différent, avec une émotion différente.

Est-ce que le sujet qui occupe vos pensées en ce moment-même remue vos émotions ? Quelles sortes d'émotions ? Quelle partie de vous-même est impliquée ?

Méditez. Fermez les yeux, respirez, et demandez-vous ceci :

« Quelle part de moi-même est-ce que je mets dans cette expérience, mon esprit ou mon cœur ? Est-ce que j'ai tout réglé dans le moindre détail ou est-ce que tout part d'un profond désir ? » Si vous choisissez la seconde réponse, allez de l'avant…

JÉSUS

# 19

# S'ouvrir

Commencez à vous ouvrir, surtout votre cœur. Chaque nouvelle situation dans la vie vous demande d'ouvrir un peu plus.

De vous ouvrir à de nouvelles opportunités et d'arrêter d'être pris dans vos attentes.

Le monde a beaucoup plus à vous offrir que vous ne pouvez l'imaginer. Mais vous avez besoin d'ouvrir votre esprit, et plus important encore, votre cœur.

Ouvrez-vous pour pouvoir apprendre, pour recevoir plus, pour éviter de devenir stagnant, en faisant seulement les choses que vous connaissez déjà et qui vous sont familières.

Ouvrez-vous, ouvrez-vous à tout, ouvrez-vous au monde. Ouvrez votre esprit et déployez vos capacités. Ne restez pas enfermé dans la même routine.

Tout d'abord, ouvrez votre cœur. Vous devez privilégier votre cœur. Votre cœur vous permettra de détecter les défauts, les tromperies, et les bonnes opportunités.

Ce sera votre cœur qui intuitivement discernera ce qui est bon ou mauvais pour vous.

Ce n'est qu'une fois que vous aurez compris quelle est votre voie que vous pourrez avancer.

Votre lune éclairera alors les champs que vous traverserez et les champs eux-mêmes vous nourriront dans vos moments d'hésitation.

Ouvrez-vous au Ciel. Ouvrez-vous à la Terre et apprenez que tout, absolument tout dans l'univers est dévoué à l'infini.

JÉSUS

# 20

# Santé

Votre santé doit venir en premier lieu. Et cela ne veut pas dire que votre santé physique. Votre santé spirituelle est aussi importante.

Malgré ce besoin de faire les choses, d'abattre les barrières, de surmonter les obstacles, et de repousser vos propres limites, il est important que vous considériez ceci :

« Si j'ai un corps faible qui peut tomber malade à n'importe quel moment (pensez-y même si vous êtes en parfaite santé), si je suis limité physiquement, c'est le signe que je dois respecter mon corps et savoir quand m'arrêter. »

Savoir quand il faut agir est déjà difficile, mais savoir quand s'arrêter est encore plus difficile.

Quand le corps ne tient plus, quand l'esprit nous souffle qu'il n'est plus capable d'avancer, cessez d'être têtu et cessez d'insister sur les choses que vous ne pouvez pas physiquement et spirituellement réaliser.

Arrêtez-vous. Regardez en vous. Allez loin en vous-même.

Restez là, restez simplement où vous êtes.

Lâchez vos élans et vos illusions.

Restez seul avec vous-même.

Restez-y jusqu'à ce que la vie vous appelle encore une fois, pour une série de combats qui, sans aucun doute, se dérouleront plus facilement maintenant que vous êtes mieux armé.

JÉSUS

# 21

# Expérience

Vous devez faire ce que vous devez faire. Il vous faut traverser ce qu'il est nécessaire pour vous de traverser.

Tout ce qui se présente à vous dans la vie doit être expérimenté et vécu pleinement.

Si vous essayez de fuir les choses, vous n'allez que retarder cet épineux voyage qu'il vous est demandé de vivre.

Quand vous attirez un événement, une personne ou une situation dans votre vie, quand la confrontation a lieu, c'est parce qu'il est temps pour vous de vivre cette expérience, selon vos capacités, au niveau le plus profond.

Si vous n'aviez pas voulu ou pas cru pouvoir en passer par là, vous auriez anticipé des événements et fait des choix qui auraient produit des résultats différents.

Et ce faisant, vous auriez attiré à vous d'autres situations. Mais ceci est la situation que vous avez attirée et c'est maintenant que vous devez l'expérimenter.

Voulez-vous des conseils ?

Ne fuyez pas. Vivez ce qu'il vous faut traverser, apprenez de cette expérience et ensuite allez de l'avant.

Utilisez cette opportunité pour expérimenter au maximum, pour aller aussi loin que vous pouvez aller. Cette situation est maintenant votre mentor. C'est ici que vous allez apprendre. C'est ici que vous allez évoluer.

Et quand la souffrance sera passée, quand vous aurez appris votre leçon, regardez le Ciel et vous verrez qu'une nouvelle étoile y a été placée en votre honneur. Et je vous suivrai, vous protégeant partout où vous irez.

JÉSUS

# 22

# Un bon choix

Notre essence est le noyau de chacun d'entre nous. Notre essence est cette partie de « nous » que nous plaçons dans les choses. Celles que nous faisons, celles que nous pensons, et surtout celles que nous choisissons.

Que veut dire faire le bon choix ?

Les gens sont toujours à distinguer ce qui est bien ou ce qui est mal.

Faire le bon choix signifie choisir ce qui est en harmonie avec notre essence – en ne pensant à rien d'autre, sans considérer les autres possibilités, sans rien analyser.

Seulement cela et cela uniquement.

Un choix fait en harmonie avec notre essence véritable est toujours bénéfique parce qu'il incarne ce que nous sommes en esprit.

Un bon choix peut refléter ce que vous êtes dans votre essence. En tant que tel, sans se soucier des conséquences, c'est un choix qui vous permettra d'évoluer.

Un mauvais choix est celui qui est pris pour un certain nombre de raisons dont aucune ne tient compte de votre essence. Évidemment quand cela arrive, nous, au Ciel, ne pouvons pas vous protéger. C'est *contra naturam* – cela va à l'encontre de l'ordre naturel des choses.

La réponse à la question qui vous a amené ici est la suivante : où est votre essence, cette partie la plus profonde de votre être, votre sentiment le plus intense ?

Fermez les yeux, pensez au problème qui vous tracasse et posez-vous ces questions :

« Où devrais-je placer mon cœur et mes sentiments aujourd'hui ? Où devrais-je placer mon essence ? »

Si votre réponse est « ici », alors vous pouvez aller de l'avant.

JÉSUS

# 23

# Abondance

Le sentier originel est toujours un chemin d'abondance. Si vous ne vous trouvez pas dans une situation d'abondance, cela signifie l'une des deux choses suivantes : soit vous n'êtes pas sur votre chemin originel, soit quelque chose ne va pas dans le chemin que vous avez pris.

Si c'est le cas, arrêtez-vous. Méditez, élevez-vous. Il y a sûrement quelque chose qui vous retient. Vous n'êtes pas en harmonie avec vos croyances. Vos pensées et vos réflexions vous bloquent. Vous n'êtes pas libre. Vous n'êtes pas complètement libre.

Vous devez apprendre ce qui suit.

L'ego vous fait croire que le plus opportun dans la vie est ce qui vous facilite les choses et n'entraîne pas une situation où vous serez rejeté.

Le terme « politiquement correct » a été inventé pour cette raison.

Être politiquement correct, c'est se conformer aux pensées et croyances les plus dominantes de la société. Ainsi personne n'est offensé et vous ne serez pas rejeté par les autres ou par la société.

De cette manière vous serez accepté, intégré dans la société – et vivrez emprisonné à jamais. Emprisonné parce que être « politiquement correct », ce n'est pas ce que vous êtes. Emprisonné parce que vous n'êtes pas capable de penser, de croire, ou d'agir en accord avec votre vrai moi.

Ainsi, énergétiquement altéré, vous continuez votre chemin gaiement vers le bord de la falaise.

C'est évident que vous finirez par n'attirer que la perte. C'est évident que vous finirez par n'attirer que des restrictions. Le chemin vers la liberté est un chemin vers l'abondance.

Osez être ce que vous êtes réellement.
Et votre vie brillera deux fois plus grâce à l'audace dont vous aurez fait preuve.

JÉSUS

# 24

# Acceptation

Quelle est la raison de notre venue ici sur Terre ?

Se procurer et accumuler des possessions matérielles ? Avoir une profession ? Obtenir du pouvoir ? Gagner du prestige ?

Rien de tout cela.

Nous sommes venus sur Terre pour nous occuper de nos émotions, afin de ressentir les choses.

Nous sommes venus sur Terre pour tout expérimenter, pour expérimenter les deux faces de la dualité, et certaines expériences sont plus agréables que d'autres.

Pourquoi nous a-t-on appris que souffrir est bon pour nous ?

Est-ce parce que nous devons souffrir ?

Non. C'est parce que nous acceptons toutes les bonnes situations que nous vivons, mais tentons de rejeter celles qui le sont moins (celles que nous ne pouvons pas changer) mais que nous avons également besoin d'expérimenter.

Dans la réalité la leçon qu'il est nécessaire d'apprendre n'est pas qu'il est bien de souffrir, mais que nous avons besoin d'accepter et de vivre l'expérience du malheur, exactement de la même façon que nous acceptons et vivons l'expérience du bonheur.

Ce n'est que lorsque vous êtes prêt à expérimenter les deux extrêmes du même concept que vous pouvez clore le sujet et passer à l'étape suivante.

Par conséquent, vous devez accepter chacune des expériences qui se présentent à vous, quelle que puisse être cette expérience. Si vous n'êtes pas capable de changer le cours des événements, restez comme vous êtes, ne fuyez pas la douleur. Ne fuyez pas la souffrance, acceptez-la. Faites en l'expérience.

Autorisez-vous à ressentir les choses pleinement. Pleurez si c'est nécessaire.

Ce n'est qu'en agissant ainsi que vous arriverez à mettre cela derrière vous et à continuer votre voyage.

JÉSUS

# 25

# Engagement

Quand un homme fait ce qu'il doit faire, on appelle cela un engagement.

Lorsqu'un homme choisit de prendre ses responsabilités divines, comme être ce qu'il est et se connaître assez lui-même pour faire des choix en accord avec ce qu'il est venu faire sur Terre, plutôt que de satisfaire ses responsabilités matérielles qui l'éloignent de ce qu'il est, on appelle cela engagement.

Vous avez pris un engagement vis-à-vis de moi, cette entité supérieure d'origine sacrée, et vis-à-vis de tous ceux qui vous protègent et vous guident ici au Ciel.

Mais vous avez pris aussi un engagement vis-à-vis de vous-même, de votre être le plus profond qui vous parle d'une manière si intime de ses peurs et de ses passions.

Voici votre engagement.

Vous apprendrez à l'honorer pour que votre présence sur Terre ait du sens.

Vous apprendrez comment honorer chaque partie du pacte que nous avons conclu, dans lequel vous avez accepté d'honorer l'énergie pure du Ciel pendant votre séjour en bas, dans la densité de la Terre.

Vous n'avez jamais cessé de croire.

Vous n'avez jamais cessé d'exister.

Vous avez toujours choisi d'écouter la voix de l'intuition, qui révèle aujourd'hui où vous serez dans un moment que vous ne pourrez jamais atteindre.

Cette voix sage qui vous guide sur votre chemin ne deviendra claire qu'une fois notre marché conclu. Qu'une fois votre promesse d'engagement faite.

Je vous attends là-haut.
Méditez.
Ensemble nous jurons que plus jamais vous ne direz ou lèverez la main pour dire ou faire quoi que ce soit qui entrerait en conflit avec ce que vous êtes vraiment.

JÉSUS

# 26

# Plénitude

La plénitude, c'est l'art de naviguer à travers les cieux. C'est l'art de laisser la densité se drainer, puis de monter aux cieux. C'est probablement le plus sublime de tous les arts. Les artistes devraient pratiquer cela un peu plus... mais peut-être ne le devraient-ils pas.

C'est un choix, c'est toujours un choix que vous faites.

La plénitude est un espace que nous créons à l'intérieur de nous-même pour apprendre à voler, à voler partout où la vie nous porte.

La plénitude est entière et magique. La plénitude est l'harmonie qui existe entre les choses, incluant l'ego et l'instinct. C'est lorsque la dualité gagne et que tout est en harmonie.

C'est lorsque vous avez rempli la mission de la journée et que vous pouvez ajouter cette journée à ce que vous avez déjà accompli.

La plénitude c'est quand vous entendez un chien aboyer, un enfant pleurer, mais que vous restez à cette place, tout au fond, où vous avez trouvé votre vraie nature.

La plénitude assure la continuité du monde tel que Dieu l'a fait.

Elle flotte sur une bouée vers l'infini pour apporter des nouvelles fraîches au Ciel.

« Ici nous avançons, réalisant les choses que nous avons accepté de faire.

Chacun fait sa part. »

Nous faisons la nôtre.

Nous souhaitons que cela fonctionne, que cela se termine avec succès afin que vous soyez bientôt l'un des nôtres. La plénitude c'est savoir qu'un jour vous deviendrez un être de lumière à nouveau et que vous serez heureux de revenir à la maison.

La plénitude c'est savoir qu'un jour le temps prendra fin et que nous serons prêts pour le prochain voyage.

Tout arrivera en temps voulu.

Le chemin est encore long.

Mais nous avons déjà commencé à préparer le festin.

JÉSUS

# 27

# Estime de soi

Les choses ne sont pas toujours ce qu'elles semblent être. Ce qui au début semble être une bonne chose pour vous peut se révéler ne pas être l'expérience à laquelle votre esprit est préparé à vivre ici sur Terre. Il y a certaines questions que vous devez vous poser :

Qu'est-ce qui me motive ?

Pourquoi est ce que je veux faire ceci en particulier ?

Pourquoi est-ce que je me sens seul ?

Pourquoi est-ce que je veux être accepté ? Pourquoi est-ce que je veux être valorisé ?

C'est maintenant que vous devez vous poser ce type de questions.

Rien de ce que les autres peuvent vous donner, que ce soit de l'attention, de l'acceptation, de la reconnaissance, de l'appréciation, ou du prestige – tous ces attributs qui sont extérieurs à vous – ne remplira jamais cet énorme vide en vous : votre manque d'estime de soi.

Et vous essayez en vain de plaire à tous ceux qui sont autour de vous, espérant que leur gratitude et leur reconnaissance vous aideront à renforcer votre amour et votre estime de soi.

Soyons clair une bonne fois pour toutes.

Ce que vous pensez de vous-même, autrement dit votre estime de soi, n'est pas déterminé par ce que les autres peuvent vous dire, vous faire ou vous donner. Ce n'est pas déterminé par ce que vous pouvez gagner ou obtenir, en aucun cas ce n'est déterminé par ce que vous pouvez acquérir.

L'amour de soi et gagner en estime de soi est toujours déterminé par un nombre de facteurs qui viennent de l'intérieur, jamais l'inverse. Ce que vous pensez de vous-même est plus une question d'être que de faire ou d'avoir.

Être, c'est simple. Cela veut dire être calme et silencieux en atteignant la partie la plus profonde de votre être. C'est ressentir, encore et encore, jusqu'à ce que vous soyez capable d'intérioriser ce que vous ressentez.

Au début ce sera un sentiment étrange, mais vous vous y habituerez. C'est après tout un lieu complètement inhabité. Mais, lentement, quand vous pourrez arrêter vos pensées et aller à l'intérieur de vous-même, jusqu'au centre de vos émotions, vous commencerez finalement à comprendre ce que « être » veut dire. Être, c'est ressentir. Le reste est une chanson et une danse que l'ego fait afin de vous éloigner de ce que vous êtes, de votre moi intérieur, qui est là où se trouve votre essence véritable.

Votre estime de soi se trouve dans l'être.

Tout ce que vous essayez de faire ou d'obtenir pour gagner de l'estime de soi ne servira à rien et sera inefficace et vous finirez seulement par être désillusionné, frustré, et constamment dans le doute.

Une fois que vous aurez atteint qui vous êtes vraiment, l'amour inconditionnel du Ciel, comme par magie, se déversera dans votre vie.

Et si vous croyez déjà que le Ciel est magique, cela ne fera que renforcer cette croyance.

Venez à ma rencontre. Venez à la rencontre de vous-même.

JÉSUS

# 28

# La force

La force de l'homme est soumise à la force du Ciel. L'homme a besoin d'apprendre que sans notre énergie il n'est rien. Il ne sert à rien de tirer sur la corde car elle vous ramènera toujours dans la direction la plus forte.

Si ce que vous essayez de faire possède la force de l'Univers, c'est merveilleux.

Tout fonctionnera sans difficultés, tout s'écoulera, les choses se laisseront porter par le courant.

Elles donneront l'impression d'avancer d'elles-mêmes.

Si ce que vous essayez de faire possède votre seule force, eh bien…

Qui croyez-vous être en prenant toute les forces de l'Univers sur vos épaules ?

Si l'Univers décide de ne pas collaborer avec vous, la charge est bien trop lourde à porter pour vous seul.

Demandez au Ciel de vous aider et laissez-le vous aider.

Vous devrez aller là où le vent se dirige.

Si vous vous apercevez que les choses ne bougent pas d'elles-mêmes, n'avancez pas plus loin.

Ne forcez pas le futur. Il est déjà là, qui vous attend, et il ne changera pas de direction simplement pour vous plaire.

JÉSUS

# 29

# Le chemin

Tous les chemins mènent à la mer. Mais il n'y a qu'un seul chemin qui mène au bonheur, et il est unique et spécial. La meilleure façon de reconnaître le chemin sur lequel vous devriez être est de vous connecter à la partie la plus profonde de votre être et de travailler sur vos émotions. Chaque nouvelle découverte apporte une indescriptible tranquillité et une paix intérieure.

Mais quand l'homme suit son instinct animal, il ne veut rien de plus que subvenir à ses besoins afin d'être accepté, avoir du pouvoir et obtenir encore plus.

Il ne fait pas cela pour son bien-être mais pour être accepté extérieurement.

Le besoin d'être accepté par la société ne devrait pas être prioritaire sur votre acceptation de vous-même.

Nous souhaitons tous être acceptés. Être accepté par les autres est d'une grande importance, mais cela n'est pas aussi important que de s'accepter soi-même.

Quel que soit le chemin que vous souhaitez suivre, votre chemin originel est le seul vrai chemin.

Jusqu'à ce que ce chemin originel apparaisse, vous pouvez suivre d'autres chemins, mais ne les suivez pas avec confiance et conviction.

Ce sont simplement des chemins que vous devez suivre, mais ils ne sont pas *le* chemin.

Faites attention. Ne les confondez pas avec le vrai chemin que vous devez prendre.

Il n'y a qu'un chemin originel et vous savez que vous l'avez trouvé quand vos jambes commencent à trembler, quand votre cœur bat fort et que vos émotions refont surface. Votre corps vous le fera savoir quand vous l'aurez trouvé ; vous avez juste besoin de faire attention aux signes.

Jusque-là, en attendant que votre corps saute de joie, criant : « C'est ici que je me sens chez moi », voyagez sur ces différents chemins, apprenez d'eux mais ne vous laissez pas tromper…

JÉSUS

# 30

# Insatisfaction

Lorsqu'une personne se sent insatisfaite, elle sent dans son cœur que quelque chose ne va pas. Il y a toujours au fond un sentiment d'incertitude.

C'est le sentiment de vouloir quelque chose, le sentiment que quelque chose n'est pas complet et que vous avez besoin de trouver ce qui manque. Ainsi, tel un vaillant chevalier, vous vous lancez à la poursuite de ce maillon manquant, et vous ne vous reposez pas avant de l'avoir trouvé, même si cela vous prend des milliers d'années.

Ce sentiment que quelque chose est toujours manquant jette une ombre sur tout le reste.

Cet incessant besoin de plénitude, cette tentative de se sentir bien, c'est ce qui fait courir cette personne. Et elle ne se reposera pas avant d'avoir accompli tout ce qu'elle croyait devoir faire.

Cet état d'agitation, le sentiment qu'il reste toujours quelque chose à faire, est ce qui pousse les gens à être constamment en mouvement, ce qui ne manquera pas ensuite de les rendre encore plus insatisfaits.

Plus une personne agit pour ne pas se sentir insatisfaite, plus les autres vont lui en demander, sachant qu'elle est toujours disponible pour faire les choses. Cette pression constante apporte de plus en plus de culpabilité et de plus grandes insatisfactions car vous ne pouvez pas tout faire, n'est-ce pas ?

Avez-vous besoin de tout faire ? N'est-il pas temps de vous arrêter et de regarder à l'intérieur de vous-même pour trouver la cause de vos insatisfactions ?

Ce n'est pas cela qu'on appelle la plénitude. La plénitude ne court pas. Elle ne se précipite pas. Elle ne se fuit pas elle-même. La personne qui est entière ne se sent pas obligée de faire les choses, parce qu'elle sait que pour exister, elle a seulement besoin de se concentrer sur le fait d'être.

En ne pensant pas à ce qu'il y a à faire, en se concentrant sur l'« être » plutôt que sur le « faire », elle pousse inconsciemment les autres à faire les choses et se libère des fardeaux et de la culpabilité.

En résumé : plus vous vous concentrerez sur le fait d'« être » et êtes capable de reconnaître que vous n'avez pas besoin de « faire » pour « être », moins les autres auront d'exigences envers vous, moins vous vous sentirez coupable et plus vous pourrez vous concentrer sur ce dont vous avez le plus besoin tout de suite : être, tout simplement.

En ce moment, des sentiments de culpabilité et d'urgence vous paralysent.

Détachez-vous, coupez les cordons, et laissez-vous être. Et observez le monde qui se met à vos pieds.

JÉSUS

# 31

# Passion

Célébrez la mer, car elle fait partie de ce que je suis et de ce que je connais.

Quelle que soit votre passion, parce que la passion n'a pas de nom, vivez-en chaque moment.

Quel que soit ce que vous aimez faire, ce qui vous passionne, faites-le.

Mettez-y autant de cœur que vous pouvez. Faites-le avec passion, en y mettant autant de sentiment que pour quelque chose que vous considérez comme étant valable.

Si vous rencontrez un jour un homme qui surveille la mer pour qu'elle ne soit pas contaminée ou qu'il n'y ait plus de victimes, vous verrez à quel point il est consciencieux et prend sa tâche au sérieux. Il n'est jamais négligent. Il vit sa vie pleinement. Là réside sa grande passion.

Maintenant, c'est votre tour.

Faites quelque chose de passionnant.

Mettez votre cœur et votre âme dans tout ce que vous faites, même dans les tâches les plus ordinaires.

Qu'importe ce que vous choisissez, mais vous devez choisir quelque chose. Tout comme l'homme qui surveille la mer.

Choisissez quelque chose et mettez-y tout ce que vous êtes. Donnez-vous totalement. Rendez-le éternel. Placez-y cette force invisible qui vient de l'intérieur et qu'on appelle la vie. Mettez tout cela dans cette action.

Décidez ce que vous voulez faire et engagez-vous complètement.

C'est à cet instant, un moment plein de promesses, que votre âme devient complète.

À ce moment précis vous « êtes ».

Il est ce qu'il est parce qu'il surveille la mer. Surveiller la mer l'aide à être la personne qu'il est.

Son choix est fait et comment il agit définit son être.

Tout comme cela définit ce que vous êtes en ce moment même.

JÉSUS

# 32

# Rejet

Je vais partager un secret avec vous.

Tout le monde a un karma de rejet.

Le rejet est la partie la plus commune du karma dans le cercle des karmas.

De nos jours, c'est un des principaux karmas que la plupart des gens ont, et plus précisément, c'est le karma que tout le monde a.

Ceux qui naissent aujourd'hui sont ici pour expérimenter ce karma. Non seulement pour l'expérimenter mais, si possible, pour le dépasser.

Cependant, ce n'est pas toujours ainsi que les choses fonctionnent. Ils ne sont pas toujours capables de le faire.

Regardons de plus près.

Pensez au comportement de la plupart des gens dans la société actuelle.

Ils s'efforcent de vivre en fonction des attentes des autres.

S'ils croient que les autres veulent qu'ils soient forts, ils se montreront forts en toute situation.

Ils ne sont pas forts. Ils prétendent l'être pour faire plaisir aux autres.

Pourquoi ont-ils besoin de plaire aux autres ?

Pour ne pas être rejetés, bien sûr.

Le karma du rejet.

Une personne fera tout pour ne pas être rejetée.

C'est pourquoi les gens s'efforcent de vivre en fonction des attentes des autres.

Maintenant, imaginez qu'une personne décide de vivre l'expérience d'être rejetée, et en acceptant de vivre cette expérience, arrête de vouloir faire plaisir aux autres et cesse de vivre en s'efforçant de répondre à leurs attentes.

Imaginez que cette personne décide d'admettre qui elle est vraiment, qu'elle arrête de répondre aux attentes, et choisisse simplement d'« être ».

D'être, dans toute sa plénitude.

Qu'arrivera-t-il ensuite ?

Seule et abandonnée par les autres, cette personne va finalement se regarder et comprendre la peur, cette énorme peur qui réside dans son cœur.

C'est cette peur qui doit être purifiée. Telle est la mission.

Purifier cette peur pour que nous arrivions finalement à nettoyer le karma du rejet.

Nous avons besoin d'accepter le rejet, de ressentir, de sentir profondément la douleur de ne pas être apprécié, de ne pas être accepté, de sentir cette douleur puis de la purifier chaque fois qu'elle apparaît.

Après, à mesure que cette obscurité disparaîtra, un grand Être émergera, un être humain rempli d'amour à partager avec les autres.

Pas un amour qui, par peur d'être rejeté, s'efforce de répondre à toutes les attentes, mais un amour libre, profond et inconditionnel, parce qu'il appartient à quelqu'un qui a trouvé son âme pour l'éternité.

JÉSUS

# 33

# Dilution

Qu'est-ce qu'un processus spirituel ?

Que signifie vivre un processus ?

Vivre un processus spirituel signifie que vous acceptez de vous diluer dans l'eau.

La dilution est un ordre puissant donné par l'âme.

L'âme se dilue dans l'Univers. Elle se dilue en énergie.

Et c'est par ce processus de dilution que l'âme devient une partie du tout, une partie de l'Univers.

Le secret de la communion réside dans cet acte de dilution.

En raison de leur comportement et de la vie qu'ils mènent dans la densité, ici sur Terre, les êtres humains sont loin d'être prêts pour la dilution.

Ils croient qu'ils sont matière, ils ne savent pas qu'ils sont énergie.

Si seulement ils savaient qu'ils sont énergie, car la matière n'est qu'une couche extérieure qui sert à soutenir le travail d'une personne sur ses faiblesses, dans les limites de son corps physique...

Si seulement ils savaient que leur côté énergétique est ce qu'ils ont de plus puissant...

Si seulement ils savaient que la dilution physique et spirituelle est la seule et unique façon de découvrir la dimension de son âme et d'être capable de fusionner...

Si seulement ils savaient que l'accord qu'ils ont signé avant de s'incarner requiert qu'ils se diluent en énergie pour qu'ils puissent accomplir avec succès cette fusion qui leur redonnera leur unité.

Si seulement ils savaient...

Et comment vous diluez-vous pour ne faire qu'un avec votre âme ?

C'est facile.

Se diluer veut dire permettre aux choses d'arriver le moment venu.

C'est aussi savoir qu'il y a un temps favorable dans l'Univers et que les gens ne devraient pas bloquer ce qui doit arriver.

Par exemple, si quelqu'un que vous appréciez vous blesse, autorisez-vous à pleurer. Pleurez de tristesse. Pleurez parce que vous avez attiré une personne qui est si malheureuse qu'elle est prête à blesser ceux qui l'aiment. C'est tout.

En faisant cela, vous allez vous diluer dans les émotions que vous ressentez. Jamais, au grand jamais, vous ne devez refouler votre douleur.

Progressivement, vous vous ferez à l'idée que la vie a ses moments de joie et de tristesse et si vous êtes conscient de ces émotions, la vie s'écoulera plus facilement.

Ressentez, ressentez, ressentez.

Mais la plupart des gens ne font pas cela. Ils ne s'autorisent pas à diluer leurs émotions négatives.

Ils se mettent en colère et deviennent furieux, ils accusent les autres et s'endurcissent, avançant dans la vie avec des nœuds dans le cœur à cause de ces émotions qu'ils n'ont pas acceptées.

Comme je dis toujours, vous n'êtes pas obligé d'accepter le fait que les autres vous blessent, mais vous avez vraiment besoin d'accepter que vous devez vivre les émotions que ces expériences suscitent en vous.

Vous passez d'une vie à une autre en refusant de ressentir, en refusant de vivre vos émotions, en refusant ce processus de dilution.

Et ce faisant, vous n'atteignez jamais la dimension de l'âme.

Vous n'êtes jamais capable de vous libérer de la matière.

Et vous ne vous élevez jamais.

JÉSUS

# 34

# Gentillesse

La gentillesse est un signe qui vient d'un niveau supérieur. Être amical signifie émettre l'énergie de l'acceptation en direction d'une autre personne.

Tout ce qui est accepté se transforme en énergie positive.

Chaque fois qu'une énergie dense reçoit l'acceptation, soit elle se dissout, soit elle est déplacée.

Quand cela arrive tous les troubles disparaissent, seule la paix subsiste.

La colère est une énergie de non-acceptation, la paix est une énergie d'acceptation.

À chaque événement de votre vie, à chaque échec, demandez-vous : où n'ai-je pas fait vibrer l'énergie de l'acceptation ? Qu'est-ce qu'il me faut encore accepter ? Qu'est-ce que j'ai besoin de transformer ?

C'est l'ego qui n'accepte pas.

Cependant à partir du moment où l'énergie est transformée, le cœur s'ouvre et reçoit tellement d'amour que vous êtes inévitablement dans le besoin de le partager avec les autres.

C'est ce que vous appelez, ici-bas, la gentillesse.

C'est lorsqu'une personne s'est délestée d'un poids, a accepté ses limites, fait le deuil d'une perte, s'est ouverte aux cieux, a reçu de l'amour, et qu'elle émet maintenant une vibration de gentillesse.

Cela émane simplement d'elle. Elle traite chaque personne croisée sur son chemin comme une âme.

Lorsque les âmes marchent main dans la main, le voyage devient beaucoup plus facile.

JÉSUS

# 35

# Évolution

Le vrai sens de l'évolution n'est pas dans la tristesse.

Il n'est pas non plus dans la souffrance, ni dans l'abondance, ni dans la joie ou la restriction.

Le vrai sens de l'évolution ne peut être trouvé dans aucune description simpliste des émotions humaines.

Le vrai sens de l'évolution est dans l'évolution elle-même. Étant donné que l'évolution n'a pas de forme, pas de mot, pas de limite, et qu'elle est négligée par la plupart des gens… le vrai sens de l'évolution est qu'elle est ce qu'elle est quand elle arrive.

On ne peut la réduire à un moment en particulier ou à un sentiment.

On ne peut la cataloguer d'aucune manière.

Donc, pour atteindre la vraie signification de l'évolution, il faut identifier les sentiments sur lesquels il nous est nécessaire de travailler.

Ces sentiments ont un nom, ils peuvent être mesurés et verbalisés et sont très réels.

La tristesse est l'un de ces sentiments. Chaque fois que je me sens extrêmement triste, je fais face à une émotion sur laquelle je dois travailler.

Pourquoi la tristesse ?

La rage n'est pas un moyen d'évolution. Mais la tristesse en est un.

La haine n'est pas un moyen d'évolution. Mais la tristesse en est un.

La culpabilité n'est pas un moyen d'évolution. Mais la tristesse en est un.

Alors que devez-vous faire ? Vous devez tout transformer en tristesse.

Nous dirigeons toujours notre rage sur quelqu'un ou quelque chose. Cependant, vous devez être capable de comprendre que vous êtes le seul responsable de tout ce qui vous arrive dans votre vie et que vous attirez chacune de vos expériences comme un moyen pour rester en contact avec votre tristesse et débloquer le karma émotionnel que vous avez apporté avec vous et qui vient d'une autre vie…

Si vous pouvez saisir ces lois fondamentales, vous arriverez à comprendre que cette rage, cette haine, cette culpabilité sont des émotions primaires que d'habitude vous dirigez sur les autres afin d'éviter de vous occuper de votre propre tristesse.

Une fois que vous êtes conscient de cela, vous commencez à transformer la rage, la haine et la culpabilité en une tristesse totale. Une tristesse qui est complètement pure.

Ce faisant, vous commencez à arriver au vrai sens de l'évolution.

La tristesse, dans sa forme la plus pure, est magique. Elle est alchimie. Elle change la vie et elle change les gens.

La tristesse va au plus profond du nœud karmique et le défait. Seule la pure tristesse – l'émotion qui se libère de la rage, de la peur, de la violence, de la densité – est vraiment libératrice. Après la tristesse, tout semble différent.

Une fois qu'une personne a expérimenté autant de douleur qu'elle peut en supporter, elle est libre. Elle n'aura plus peur de la douleur. Elle ne sentira plus la rage, car la rage est un moyen d'éviter la douleur que la tristesse crée.

Elle ne sentira plus la haine, car la haine est un moyen d'éviter la douleur que la tristesse crée.

Elle ne sentira plus la peur, la culpabilité, la jalousie, la solitude ou l'anxiété.

Elle ne sentira jamais plus rien d'autre que de la tristesse. Et selon la théorie des opposés, après la restriction – si elle est vécue de manière appropriée – viendra l'abondance.

Après la tristesse vient la paix, la joie et le bonheur.

Prenez note.

Vous ne devez pas rechercher la tristesse. Soyez joyeux quand vous le pouvez.

Mais si votre cœur est blessé ou douloureux, s'il est tendu ou légèrement déchiré, alors cessez tout ce que vous êtes en train de faire.

Et quelle que soit la forme que prend cette douleur – car pour vous empêcher de ressentir la douleur, votre ego essaiera de vous faire croire que ce sont les autres qui vous ont blessé ou que vous vous êtes blessé vous-même – vivez-la.

À cet instant, tout s'arrêtera.

Restez seul avec votre tristesse. Mettez les autres de côté. Oubliez ce qu'ils auraient dû faire ou ce que vous auriez dû faire.

Laissez-vous aller simplement à ce sentiment de tristesse.

Laissez-vous aller simplement à ce sentiment de tristesse.

En étant triste, vous acceptez la liberté, vous acceptez la douleur et vous acceptez la vie telle qu'elle est.

Vous acceptez la réalité.

Vous acceptez l'évolution.

JÉSUS

# 36

# Lumière

Nous ne pouvons voir que ce que nous voulons voir. Nous ne pouvons pas vivre dans l'illusion.
Nous devons faire face à la réalité. Nous devons voir les choses comme elles sont.
C'est la raison pour laquelle j'aime les gens qui demandent de « la lumière » quand ils prient.
Éclaire-moi que je puisse voir clairement les choses comme elles sont.
Donne-moi la lumière
Cette lumière où vivent les anges,
Cette lumière qui éclaire le chemin
Cette lumière qui transforme les hommes
Et les rend spéciaux.
Donne-moi la lumière
Cette lumière qui dissipe mon sentiment d'étrangeté
Et rétablit ma vraie nature.
Cette lumière qui éclaire mes pas.
Cette lumière qui redonne un sens à ma vie, des directions à suivre.
Cette lumière au bout du tunnel,
Qui offre un grand nombre de possibilités,
Cette lumière, la couleur de la paix, la couleur d'une nation.
Cette lumière qui vit dans le Ciel.
Cette lumière donne un sens plus grand
à ma vie ici sur Terre
Lorsque vous vous sentez triste, rappelez-vous que vous avez peut-être besoin de lumière. Dites cette prière avec le cœur ouvert pour que la lumière puisse pénétrer en vous et changer votre vie.

JÉSUS

# 37

# Communication

Qu'est-ce qui est le plus important pour vous ?

Dire ce qui doit être dit ou essayer de faire comprendre à la personne ce que vous essayez de lui dire ?

Exprimer votre point de vue sans se demander si cela pourrait blesser les autres ?

Pensez-y : quand vous donnez votre avis de manière abrupte aux autres, vous ne prenez pas en compte le fait qu'ils vont se mettre sur la défensive ou se fermer complètement car vous les avez blessés. Ils vont simplement arrêter de vous écouter et ne pourront plus comprendre ce que vous leur dites.

Je persiste à dire que vous devez rester qui vous êtes, sans détours ni concessions.

Mais pour être votre moi véritable, vous avez besoin de vous faire comprendre des autres. De cette manière, vous évitez de créer des malentendus, de l'intolérance et de la violence autour de vous.

Donc, voici le défi : soyez qui vous êtes avec tout votre cœur.

Ensuite, utilisez votre esprit pour communiquer cela aux autres d'une façon qui les aidera à vous comprendre et à vous accepter.

S'ils comprennent, très bien, ce sera plus facile pour vous d'être vous-même.

S'ils ne comprennent toujours pas après tous vos efforts et votre diplomatie…

S'ils souhaitent toujours que vous soyez différent…

Alors il est temps de taper du poing sur la table et de leur montrer que vous ne cesserez pas de suivre le chemin que votre âme met devant vous chaque jour.

JÉSUS

# 38

# Désir

Avez-vous remarqué que la majorité des gens veulent toujours quelque chose ?

« Ce que je veux vraiment en ce moment, c'est trouver une maison comme ceci ou comme cela. »

« Je veux faire ceci ou cela, de telle façon ou de telle autre. »

Et lorsque les choses n'arrivent pas, les gens ont tendance à renforcer ce « désir » : « J'aimerais vraiment… »

Ils croient de tout cœur que « vous obtenez ce que vous souhaitez », et ils « veulent » des choses de façon violente et radicale.

Répondez-moi :

Si « vous obtenez ce que vous souhaitez », pourquoi ce qu'ils « souhaitent vraiment » n'arrive-t-il pas ? Pourquoi les gens ne s'arrêtent-ils pas un moment pour réfléchir aux choses qu'ils désirent vraiment ?

C'est simple. Ils veulent que les choses leur arrivent parce qu'ils ne sont pas heureux dans la situation dans laquelle ils se trouvent.

Alors l'ego « élabore » un plan : si telle chose m'arrivait, je pourrais me sortir de cette situation. Et voilà, la stratégie est définie. À partir de maintenant tout ce que vous avez besoin de faire est de vraiment « désirer » quelque chose.

Et si je vous disais que cette expérience embarrassante vous est envoyée par l'Univers et que vous devriez la vivre au lieu de la fuir ?

Et si je vous disais que cette douleur et cette gêne ne vous quitteront que lorsque vous serez prêt à vivre cette expérience et à vous autoriser à avoir mal et à pleurer si nécessaire ?

Et si je vous disais que vous ne pourrez pas résoudre les choses à moins que vous n'acceptiez cette gêne ?

Et si je vous disais que même si vous choisissez de vivre cette expérience gênante, ce qui viendra après ne sera peut-être pas du tout ce que vous attendiez ?

Pensez-y.

JÉSUS

# 39

# Pardon

Nous avons encore besoin de pardonner.

Il y a encore un besoin de pardon.

Mais le pardon n'est pas une petite affaire ; pardonner est crucial, délicat, difficile et indestructible.

Le pardon demande de la compréhension.

Pour pouvoir pardonner, vous devez comprendre les deux positions.

Et vous devez pardonner aux deux positions.

Vous ne pouvez pardonner aux autres que si vous pouvez vous pardonner à vous-même.

Et personne ne se pardonne à lui-même à moins qu'il ne sente que je lui ai pardonné ; seul quelqu'un qui a expérimenté ce sentiment puissant et libérateur du pardon, seul quelqu'un qui se sert du Ciel pour se libérer de la culpabilité est capable de se pardonner à lui-même et peut ensuite pardonner aux autres.

Tout le reste n'est que pure invention.

Vous croyez avoir pardonné. Vous pouvez même agir comme si vous aviez pardonné.

Vous pouvez même dire ouvertement que vous avez pardonné, mais avant que vous ne vous soyez libéré de la culpabilité par la vertu du Ciel, avant que vous ne vous soyez pardonné complètement et que vous ayez compris que tout ce qui vous a été fait ou que vous avez fait faisait partie du plan…

… Ce plan intelligent et sacré qui est constitutif de votre vie…

Si tous ces éléments ne sont pas réunis, alors comment pouvez-vous pardonner ?

Comment pouvez-vous soulager quelqu'un de sa culpabilité ?

La personne qui pardonne, qui sait comment monter au Ciel pour recevoir le pardon, qui ne se prive pas des choses parce qu'elle croit qu'elle ne les mérite pas ou ne devrait pas les accepter… qui peut sentir au plus profond de son cœur l'énergie de l'amour inconditionnel : « Je vous aime pour ce que vous êtes, pour tout ce que vous avez fait et pour tout ce qui vous a été fait. J'aime votre âme… »

La personne qui est capable d'atteindre ce niveau d'évolution saura comment aimer une âme qui n'est pas la sienne, elle saura comment pardonner et aimer inconditionnellement.

Elle aimera non seulement ce qu'est cette personne, mais surtout ce que cette personne a choisi d'être.

Car vous pouvez pardonner à quelqu'un seulement si vous êtes capable d'aimer les choix qu'il a faits.

Sans jugement.

Comme vous pouvez le constater, le pardon n'est pas le début du processus.

Le pardon en est la fin.

JÉSUS

# 40

# Pleurer

Pleurer est notre manière de reconnaître notre impuissance, de faire tomber nos défenses et d'accepter que nous sommes désarmés.

Lorsque vous pleurez, vous acceptez qu'il y ait des choses que vous ne pouvez pas faire. Vous acceptez que vos désirs puissent ne pas vous être destinés, du moins pour l'instant.

Il y a des choses que votre ego veut. Il veut que vous obteniez ce que vous souhaitez ; il veut que vous ayez des possessions ; il veut que les choses arrivent au moment où vous le décidez et qu'elles se déroulent comme vous le voulez. Au fond, tout ce que l'ego recherche est le confort.

L'âme ne fait pas cela. Elle sait que chaque fois que les choses fonctionnent comme nous le voulons, nous nous emmurons un peu plus, nous augmentons notre densité et commençons à perdre notre connexion.

En fait, il se peut que les choses se passent comme nous le voulons. Cependant, si c'est le cas, c'est parce qu'elles « doivent » arriver, parce qu'elles nous sont destinées et parce que spirituellement le moment est propice.

Si c'est ainsi, c'est merveilleux. Cela veut dire que votre désir est connecté à votre âme et est en accord avec l'Univers. Mais si ce n'est pas le cas, si vous projetez des désirs qui ne se réalisent pas, alors vous devez :

Être conscient que spirituellement, le moment n'est pas encore venu pour que votre désir se réalise.

Être conscient que vos désirs sont une manière de fuir une contrariété interne.

Vous autoriser à pleurer pour pouvoir vous libérer de cette contrariété interne.

Si vous complétez ces trois étapes, votre expérience aura été profitable. Votre préjudice aura un sens.

Comme vous le savez, nettoyer le karma, c'est donner un sens à votre souffrance, c'est apprendre pourquoi vous deviez perdre. Le karma est nettoyé lorsque vous avez complété ces trois étapes.

En pleurant, vous élargissez votre conscience.

Vous élargissez votre conscience en vous mettant en relation avec vos émotions, et quand vous pleurez, vous vous connectez à vos émotions.

Pleurez.

Mais ne pleurez pas de colère, juste parce que les choses ne se sont pas passées « comme vous le vouliez ». Si elles ne se sont pas passées ainsi, c'est parce qu'elles ne le devaient pas.

À la place, autorisez-vous à pleurer parce que vous êtes triste qu'elles ne soient pas arrivées, que votre temps ne soit pas encore venu.

Ne vous victimisez pas en pleurant parce que vous croyez que les autres sont malveillants ou parce qu'ils vous ont blessé.

Personne ne vous a blessé. Nous attirons tout ce qui nous arrive.

Vous avez besoin de comprendre quelle sorte d'énergie émane de vous, pour comprendre pourquoi vous attirez ces situations.

À la place, pleurez parce que vous émettez de la densité, du mécontentement, de la rage, ou de la colère, ou simplement parce que vous émettez une énergie qui ne vous appartient pas.

Pleurez, tout simplement. Pleurer, comme beaucoup le croient, ne signifie pas attirer à soi des énergies négatives. Au contraire, pleurer c'est chasser l'énergie négative qui est dans votre cœur.

Elle est peut-être là depuis des siècles ; peut-être qu'aujourd'hui elle aura finalement l'opportunité de se libérer.

Pleurez.

Et soyez heureux.

JÉSUS

# 41

# La dimension spirituelle

Chacun a son côté secret. Un côté caché, une partie latente.

Un lieu enterré au fond de lui-même où seuls ceux qui croient à leur existence cosmique peuvent entrer, où seuls ceux qui sont attentifs, fragiles et sans défense peuvent entrer.

L'entrée est permise seulement à ceux qui désirent se mettre en relation avec leurs émotions, sans tenir compte des risques inhérents que cela implique ; pour ceux qui sont prêts à accepter l'inconnu ; pour ceux qui acceptent la douleur dans toute son ampleur, tout comme ils acceptent la lumière qui transcende ; pour ceux qui acceptent la dualité absolue, et pour ceux qui acceptent que le bien et le mal font partie de la même sphère et qui n'aspirent pas à vivre des jours de bonheur quand ils sont confrontés à la douleur.

Ces jours-là n'arriveront qu'après l'expérimentation de la douleur.

Chaque personne a une dimension spirituelle. Pour y accéder, vous devez purifier vos pensées, écouter de la musique, et être.

Simplement être.

Restez simplement là, en écoutant de la musique, et en la laissant faire vibrer les fondations de la vie. C'est-à-dire la laisser vibrer à travers vous, sans pensées, sans sentiment. Seulement en étant.

Et une barrière magnétique s'ouvrira sur un nouveau monde de conscience. Restez dans ce monde. Restez-y et construisez, rassemblez et renforcez cette vibration.

Et chaque jour il vous sera plus facile d'y accéder, de vider de votre tête toutes les pensées, et de vibrer tout simplement.
Soyez simplement.
Cela n'est que le début.

JÉSUS

# 42

# L'amour inconditionnel

Aujourd'hui nous allons parler de l'amour inconditionnel. C'est l'amour interdit. C'est l'amour auquel tout le monde aspire, que tout le monde veut atteindre.

C'est un amour qui ne s'intéresse ni à vos croyances, ni à vos comportements, ni à votre condition, votre religion, votre milieu ou votre environnement.

C'est un amour complet, un amour sans peur et sans jugement. Il n'a pas de mémoire ou de sentiments de revanche.

C'est un amour absolu.

Il aime simplement, et c'est tout. Il aime pour la seule raison d'aimer. Il aime sans réserve.

Peu importe qui vous êtes, peu importe ce que vous faites, les conséquences que vous attirez, ou comment vous vivez votre vie, je serai toujours là.

Toujours prêt, toujours entier, vous aimant comme vous êtes. Pour ce que vous choisissez d'être dans cette vie.

Mon amour n'est soumis à aucune condition, aucune restriction, j'aime tout simplement.

C'est ma façon de vous protéger, de vous guider, de vous comprendre et de vous éclairer.

La vie vous enseigne des leçons, et je vous aime. Ensemble, la vie et moi-même, travaillons main dans la main pour vous guider pendant la durée de votre passage sur Terre.

Ouvrez votre cœur. Laissez mon amour entrer. C'est seulement lorsque vous aurez reçu mon amour inconditionnel et senti que vous êtes protégé par le Ciel que de l'amour pourra émaner de vous.

Que de l'amour de soi émanera de vous – ce qui vous permettra inévitablement de vous pardonner et de vous accepter tel que vous êtes vraiment –, que de l'amour pour les autres émanera de vous – ce qui à son tour apportera encore plus d'amour –, que de l'amour pour la Terre et les animaux émanera de vous, ce qui prolongera le séjour de l'humanité sur Terre.

Ouvrez votre cœur. Reconnectez-vous à vos émotions.

Juste pour un moment, cessez de penser, de courir, de voler sans savoir dans quelle direction vous allez ni pourquoi.

Arrêtez-vous. Regardez dans votre cœur et ouvrez-le. Laissez-moi entrer, lentement, un pas à la fois. Laissez-moi entrer et rester là.

Et vous allez voir comment tout devient plus clair. Comment tout se transforme en lumière.

Et j'aurai une raison de plus pour rester ici. Et cette raison, c'est vous.

JÉSUS

# 43

# Restriction et abondance

La nature est abondante.

Il y a une grande quantité d'eau, beaucoup d'arbres, de fleurs et de plantes.

Il y a tellement de poissons, tellement d'espèces différentes, tellement de gens et tellement de terres.

La Terre est vaste, et si ses ressources sont utilisées correctement, il y en a largement assez pour tout le monde.

Les gens peuvent littéralement tout avoir.

Alors pourquoi n'ont-ils pas tout ?

Même s'il n'est pas facile de comprendre cela, la vérité est que les êtres humains n'ont pas ce dont ils ont besoin parce qu'ils émettent une vibration de restriction.

L'explication suivante permettra de mieux comprendre : les êtres humains n'obtiennent pas ce dont ils ont besoin parce qu'ils ont peur de ne pas avoir.

Cela semble paradoxal, n'est-ce pas ? Pourtant c'est vrai.

Même les hommes les plus puissants ont peur de perdre leur pouvoir.

Alors ils s'y accrochent à tout prix et finissent par perdre de vue leur objectif premier.

Aussitôt que les hommes acquièrent des richesses matérielles, ils changent de vibration. Ils commencent à avoir peur de perdre leurs possessions.

Ils peuvent même mourir riches, mais la peur qu'ils ressentent dans leur cœur, ce sentiment d'insécurité, commence à ronger leurs cellules émotionnelles. Ils meurent riches. Mais ils meurent dans la peur. Ils sont angoissés tout au long de leur vie.

Ils essayent de conserver ce qu'ils ont, mais il est plus facile d'obtenir quelque chose que de le garder.

Et qu'en est-il de ceux qui n'ont rien ?

Ils veulent avoir quelque chose. Ils se battent, ils luttent, s'humilient, et émettent une énergie de restriction.

Ceux qui n'ont rien veulent quelque chose.

Et ceux qui ont quelque chose s'y accrochent.

Pure restriction.

Et à cause de cela les hommes se battent, se maltraitent et s'humilient les uns les autres.

Pure restriction.

La vie est une ode à la nature. La vie rend hommage à la vie elle-même.

Vous devez comprendre que rien ne vous appartient, que tout ce que la vie vous prête est fait pour vivre, pour être utilisé, pour profiter autant que possible, que cela soit bon ou mauvais.

N'essayez pas d'arriver quelque part, réjouissez-vous d'être qui vous êtes, et si possible soyez heureux, sinon occupez-vous de vos blessures pour qu'elles disparaissent rapidement, et qu'un nouveau jour puisse commencer.

Ne fuyez pas votre tristesse. Pleurez et faites le deuil de chacune des situations qui vous a causé du chagrin pour pouvoir avancer.

Ne mettez pas vos émotions de côté.

Ne laissez rien derrière vous.

Votre poitrine sera dégagée.

Votre cœur sera plus calme.

Vos émotions seront plus claires.

Les larmes que vous versez seront remplacées par un sourire radieux.

Cesser de faire vibrer une énergie de restriction, c'est savoir que chaque jour est unique et ne se répètera plus jamais. Et aujourd'hui est toujours une grande opportunité pour vivre.

Et si vous vivez bien aujourd'hui, demain sera encore meilleur.

JÉSUS

# 44

# Prendre des risques

La peur de faire des erreurs. Tel est le problème.

Tout le monde a peur de faire des erreurs. Et à cause de cela les gens ne prennent aucun risque, ils ne grandissent pas et ne prennent pas leur envol.

Lorsque vous prenez des risques, vous apprenez, vous abattez des barrières et gagnez en confiance, même si vous faites des erreurs.

Et si vous faites des erreurs, estimez-vous heureux, occupez-vous de votre tristesse et de vos blessures, et donnez-vous du temps pour pleurer.

Se tromper, c'est apprendre. Se tromper, c'est grandir.

Est-ce que cela fait mal ? Bien évidemment.

Personne n'aime échouer. Mais si personne n'avait pris de risque par peur d'échouer, dans quel monde vivrions-nous ?

Si les explorateurs avaient eu peur de la mer, des catastrophes maritimes, des tempêtes et des monstres, comment serait le monde aujourd'hui ? Il n'y aurait que quelques pays et très peu de choses.

Prenez un risque. Prenez un risque et mettez-y tout votre cœur. Faites-le par amour.

Ne prenez pas de risque par intérêt, juste parce que vous allez recevoir quelque chose.

Prenez des risques parce que votre âme vous supplie d'aller de l'avant, parce que votre intuition, sur le plan énergétique, vous dit de le faire.

Partez à l'aventure et allez à la découverte du nouveau monde, qui n'est disponible qu'à ceux qui croient avec dévotion qu'ils peuvent voler.

JÉSUS

# 45

# La liberté

La liberté est magique. Elle vous fait sentir que vous avez fait ce que vous aviez besoin de faire, que vous êtes où vous devez être et que tout est en place.

La liberté n'est pas un lieu. Vous n'avez pas besoin d'aller quelque part. Vous n'avez pas besoin de faire quoi que ce soit pour être libre.

Être libre, c'est être conscient que la vie est à vous et à vous seul, et que vous devez la vivre pleinement et être qui vous êtes sans faire de concessions.

Évidemment, vous pouvez prendre les autres en considération, mais vous devez mettre des limites. Il y a des gens qui vivent uniquement pour les autres.

Tout ce qu'ils font, c'est pour les autres. Ils vivent leur vie pour faire plaisir aux autres.

Ces gens sont constamment en train de faire des concessions dans leur vie.

Ils s'efforcent de vivre en fonction des attentes que les autres ont pour eux.

Et une fois que la pression devient insupportable, ils recherchent désespérément la liberté en tentant en vain de se trouver eux-mêmes.

Ils cherchent toujours la liberté à l'extérieur d'eux-mêmes, en fuyant qui ils sont.

Ils partent en quête de liberté.

Je ne vais nulle part pour être libre.

Ce que je peux faire tout au plus c'est partir parce que je suis libre.

Ce n'est que lorsque vous avez une liberté intérieure que vous pouvez partir pour faire ce que vous voulez, car tout ce que vous ferez reflétera inévitablement la personne que vous êtes déjà.

Et qu'est-ce que la liberté intérieure ?

C'est vivre chaque émotion pleinement, aussi insignifiante qu'elle puisse paraître.

Ressentez qui vous êtes et ne faites pas de concessions.

Ressentez, ressentez, ressentez. Ce sentiment vous apportera un savoir spirituel précieux sur qui vous êtes et ce que vous êtes venu faire sur Terre.

Ressentez, ouvrez votre cœur et suivez votre intuition.

Après, et seulement après, agissez.

Une fois que vous êtes sur ce chemin, vous trouverez la façon la plus fabuleuse d'être libre.

JÉSUS

# 46

# La joie de la libération

La peur vous ligote. La peur vous restreint. Elle vous empêche d'aller de l'avant.

Peu importe vos efforts, vous ne pouvez tout simplement pas bouger.

La peur vous limite. Et la peur est immense. Elle est gigantesque.

Elle envahit tout. Elle détruit. Chaque fois que vous voulez avancer, la peur apparaît.

Cette odieuse peur. Elle immobilise tout. Elle bloque tout.

Et vous commencez à vivre en fonction de vos peurs. Parce que vous avez peur d'aller ici, vous allez plutôt là. Parce que vous avez peur de faire ceci, vous faites plutôt cela.

Vous vous écartez de votre chemin originel. Et la vie se bloque.

Plus rien ne semble fonctionner. Le courant ne passe plus. C'est comme si le temps s'était arrêté. Plus rien ne semble avoir de sens.

Une vie vécue en dehors de son chemin originel est une vie dénuée de sens.

Et qu'allez-vous faire maintenant ? Comment faire cesser ce blocage ?

Comment vous libérer ?

Il n'y a qu'une seule réponse et elle est simple : ressentez cette peur. Laissez la peur grandir dans votre poitrine. Laissez-la tout envahir et devenir énorme, gigantesque.

Lorsqu'elle sera grande, très grande, demandez qu'un rayon de lumière commence à la purifier. Doucement, le rayon commencera à vaporiser la peur, emportant avec lui cette immense densité karmique.

Je sais que c'est difficile, mais c'est encore plus difficile de vivre avec cette peur. De vivre dans la peur.

Progressivement, ce monstre disparaîtra.

Les nuages vont se dissiper pour que le soleil puisse revenir.

Et vous allez progressivement ressentir le calme, la tranquillité et l'harmonie.

Quand cela arrivera vous comprendrez ce que vous avez enduré quand vous étiez envahi par la peur et si loin de la lumière.

Et vous réaliserez qu'il est possible de changer les choses, vous comprendrez qu'une autre vie est possible, une vie plus tranquille, plus heureuse et plus légère.

Et fondamentalement plus pure et plus éclairée.

Et à ce moment-là, vous comprendrez ce qu'est la joie de la libération.

Vous admettrez que la vie est un cadeau et qu'elle vaut la peine d'être vécue.

JÉSUS

# 47

# Le cadeau

Lorsque l'Univers crée une perte, qu'elle soit économique, matérielle, physique ou émotionnelle, il vous offre en fait quelque chose : une connexion.

Une connexion avec le Ciel afin que vous compreniez pourquoi vous deviez attirer cette perte et quel type d'énergie émane de vous pour aboutir à ce résultat. En second lieu, elle vous offre l'occasion de vous relier à vos émotions. Spirituellement, une perte signifie souffrance et non colère, et lorsque vous attirez une perte, vous devez simplement pleurer. Être peiné par ce que vous avez perdu. Ensuite, laissez passer la souffrance, la douleur.

La douleur du détachement augmentera votre sensibilité, vous serez plus relié à vos émotions.

Elle vous rendra plus fragile et à cran, plus à fleur de peau, comme on dit.

Elle élèvera votre sensibilité.

Et une haute sensibilité est un cadeau.

En résumé, vous avez attiré une perte pour devenir plus sensible, plus fragile et plus intuitif, et pour pouvoir utiliser ce cadeau.

Nous pouvons en déduire que l'Univers réharmonise ce qui n'est plus en harmonie, et quand il vous fait subir une perte pour vous rendre plus sensible, c'est que ce qui émanait de vous était le contraire de cela.

Il est probable que vous étiez totalement déconnecté en étant sur la défensive, en étant irrationnel et essayant de prouver que vous êtes fort. Tout cela est incompatible avec un être spirituel.

Voici un conseil.

Si vous pouvez rester sensible, fragile, intuitif et connecté, si vous pouvez conserver ce cadeau, l'Univers n'aura plus besoin de réharmoniser quoi que ce soit, et ne vous ferra plus jamais subir de perte.

Voulez-vous essayer ?

JÉSUS

# 48

# Intérieur et extérieur

Il n'y a que deux manières de vivre : connecté ou déconnecté.

Profondément connecté à qui nous sommes, à ce que nous sommes venus faire ici, aux différentes façons par lesquelles nous pouvons exprimer extérieurement notre être.

Mais pour exprimer qui nous sommes, nous avons tout d'abord besoin d'être. Et pour être, il est essentiel de regarder profondément en nous-mêmes pour comprendre ce que nous ressentons, ce qui nous fait mal, ce qui nous rend heureux ou malheureux, où résident notre liberté et notre conscience, ce qui nous blesse, ce qui nous diminue et ce qui nous élève.

Comme vous pouvez le constater, tout se passe à l'intérieur.

Tout ce que vous faites reflète votre état intérieur.

Si les choses se passent mal pour vous, si vos actions ne sont pas efficaces, c'est parce qu'elles ne reflètent pas votre monde intérieur.

Elles reflètent simplement un monde intérieur évasif qui est à la fois confus et déconnecté. C'est la raison pour laquelle nos actions n'aboutissent pas ; elles sont le produit de notre inconsistance.

Vous avez besoin de regarder à l'intérieur de vous et de voir ce que vous fuyez. Vous devez faire face à vos démons, ressentir la douleur et, une fois que tout est nettoyé, vous mettre en contact avec votre âme, votre essence.

Ce n'est qu'après avoir fait cela que vous pourrez agir.

Les actions promues par l'âme sont toujours et sans exception exactes, éclairées et gratifiantes. C'est la seule manière d'évoluer.

Vous pouvez vivre d'une autre manière : déconnecté.

Lorsque vous êtes déconnecté, vous ne vous connaissez pas, vous fuyez ce que vous ressentez, et pour éviter la douleur, vous vous réfugiez dans les possessions matérielles.

Le résultat est la perte, la douleur, la frustration et la maladie.

Vous avez toujours le choix.

JÉSUS

# 49

# Changement

Est-ce que mon système de croyance est rigide ? Est-ce qu'il m'arrive de changer d'opinion ? Une fois que je me suis forgé une opinion, est-ce que j'exclus tout le reste ?

Je suis partial, j'ai des « préjugés ». Une idée préconçue, une idée formée au préalable...

Une notion ou une opinion formée avant que vous n'ayez acquis une compréhension de la question qui se pose.

Notre esprit devrait être comme le Ciel, constellé d'étoiles. Il y a toujours quelque chose en mouvement. Il y a toujours une étoile qui brille, une galaxie qui se déplace, une supernova qui explose, une étoile qui meure, et tellement d'autres qui sont en train de naître.

Jamais rien ne s'immobilise, ni dans le Ciel ni dans votre vie.

Gardez à l'esprit que ce qui existe aujourd'hui peut ne pas exister demain.

Et ce qui existait hier peut – ou peut ne pas – rester identique.

Le jour où votre système de croyance admettra finalement que tout est possible, que tout peut arriver, votre chakra indigo s'ouvrira à une infinité d'opportunités.

Et lorsque votre esprit s'ouvre et s'élève, plutôt que d'exprimer ce que vous pensez, vous commencez à exprimer ce que vous ressentez.

Vous n'avez plus besoin de mots pour communiquer, car un simple coup d'œil, un toucher, un sourire peuvent amener à une forme de communication plus riche, plus intuitive, plus sacrée et éternelle.

Et avec une liberté de communication, vous savez intuitivement quoi dire et comment le dire.

JÉSUS

# 50

# Nécessité émotionnelle

Être dans le besoin est à la fois triste et insupportable, pourtant fuir ses besoins émotionnels est encore plus effrayant.

C'est à cause de ses besoins émotionnels que l'homme est sur la défensive, autodestructeur et compliqué. Il s'affirme, se met en colère et vit dans la souffrance.

L'homme a inventé le pouvoir pour éviter d'être envahi.

C'est à cause du pouvoir que l'homme fuit son violent besoin d'amour, de compréhension et d'estime de soi.

L'homme s'affirme, l'homme survit et l'homme fuit ses émotions. Il sous-estime et minimise ses émotions.

En effet, l'homme met son masque le plus pur, son masque ancestral, son masque de « dur à cuire » qui peut tout endurer. Le masque qui est assez fort pour déplacer des montagnes, le masque qui peut gagner des milliers de batailles. Celui qui est assez intrépide pour errer dans différents pays et continents en cherchant un état inexistant pour la gloire, le succès ou l'immortalité.

Et qui sait ce qui pourrait arriver s'il s'arrêtait un moment et partait à la recherche de ce dont il a besoin, sa sensibilité...

Si seulement il acceptait que chaque fleur est un monde en soi et que chaque jour qu'il vit est une opportunité créée par l'Univers...

La vie doit être ressentie.

Quelle est l'utilité des grandes réussites si votre cœur est douloureux ? S'il y a encore un trou dangereux et malin dans votre cœur, un énorme vide qui vous ramène sur Terre, qui vous ramène à la réalité ?

La douleur. Un vide. Cette peur que cette douleur soit éternelle et que ce vide continuera à s'étendre.

Lorsque nous pouvons avancer vers la lumière, quand nous sommes prêts à accepter nos émotions, nos besoins, nos défauts et tout ce qui nous caractérise, quand nous pouvons accepter que le pouvoir ne nous apportera pas ce dont nous avons besoin, et que toute cette affirmation de soi ne couvre pas ce trou béant, cette nécessité...

Lorsque nous comprenons que le seul remède à cette douleur est de nous autoriser à avoir mal et de diriger la lumière qui pénètre par nos têtes jusqu'à ce trou...

Quand nous avons compris tout cela, alors nous sommes prêts pour commencer à changer.

Lorsque vous êtes dans la douleur, autorisez-vous à la ressentir, ouvrez votre cœur et permettez à la densité de sortir.

Cessez de vouloir être meilleur que les autres. Essayez d'être au plus près de qui vous êtes vraiment. Pas pour les autres, mais pour votre propre énergie originelle.

Pour votre âme.

JÉSUS

# 51

# La peur

La peur.

La survie.

Ressentez la peur. Ressentez la peur. Ressentez-la profondément.

Laissez la peur émerger.

Ressentez la peur. C'est l'émotion qui détruit vos rêves, qui vous empêche de croire.

C'est cette émotion qui entrave vos progrès. Tout ce que vous faites par vous-même ou pour vous est anéanti.

Vous avez peur de mourir.

Seuls ceux qui expérimentent la peur de mourir sont en mesure d'attacher de la valeur à la vie. De savoir que la vie est une bénédiction.

La peur est l'ennemi caché.

C'est au nom de la peur que de grands pactes sont forgés avec les forces des ténèbres.

C'est au nom de la peur que nous menons des guerres extravagantes et capricieuses.

C'est au nom de la peur que nous fuyons toujours notre chemin.

La solution à la peur est de vous autoriser à ressentir la douleur.

Et la lumière qui pénètre dans votre esprit purifiera progressivement cette douleur.

Laissez la douleur entrer, autorisez-vous à souffrir, non pas parce que quelqu'un a mal agi ou que vous avez mal agi, mais parce que vous ressentez une profonde tristesse en comprenant qu'il ne peut en être autrement.

Vivez cette souffrance.
Puis venez au Ciel vous régénérer.
Venez au Ciel pour recevoir la lumière.

JÉSUS

# 52

# Le temps

Le moment présent, celui que nous vivons maintenant, peut être parfait pour certaines actions, mais pas pour d'autres.

Il peut être excellent pour le développement de certaines relations, mais pas pour certaines autres.

Il peut être idéal pour certaines créations ou certains investissements mais se révèle désastreux pour d'autres.

Le secret est dans la synchronisation.

Le fait que les différents éléments en question s'accordent ou non avec l'Univers ne dépend que du moment choisi dans le temps.

Le plus petit être peut vivre ou mourir.

C'est le temps qui décide.

Si les hommes apprennent à déterminer quand le moment est le bon, ils sauront exactement quand aller de l'avant.

Ces hommes qui apprennent les secrets du temps sauront quand agir.

Les hommes possèdent un cœur qui leur envoie des messages, qui leur montre différents chemins, qui raccourcit leur voyage.

Écoutez le vôtre.

JÉSUS

# 53

# Attachement

Tous les jours, la vie nous offre l'opportunité de réorganiser nos priorités.

Chaque jour, chaque heure, l'Univers réharmonise tout ce qui est en déséquilibre. Tout ce qui n'est pas centré est modifié par le système énergétique.

Chaque fois que vous croyez posséder quelque chose, même si c'est une pensée dans votre subconscient, l'Univers est prêt à vous l'enlever.

Même si vous n'en avez pas conscience, vous êtes constamment en train de vous attacher à quelque chose. Et ce faisant, vous perdez votre liberté. Vous vous retrouvez enchaîné à l'objet de votre attachement. Vous pouvez vous attacher à n'importe quoi : des personnes, des possessions matérielles, des idées, des idéaux, des jugements, des paroles ou des choix.

Lorsque vous réalisez que vous ne voulez plus lâcher prise, cela signifie que vous vous êtes trop attaché. Quand vous pensez que vous ne subirez jamais de perte, cela signifie que vous vous êtes trop attaché. Et c'est alors que vous devenez un candidat privilégié pour subir cette perte.

Vous devez lâcher prise.

Tous les jours vous avez l'opportunité de vous libérer. Quand vous vous retrouvez momentanément sans argent, c'est un signe que vous devez vous détacher de l'argent. Ceux qui ne tiennent pas compte des signes n'auront jamais plus d'argent.

Quand un enfant souhaite devenir indépendant, c'est le signe que vous devez commencer à vous détacher de lui. Ceux qui ne tiennent pas compte des signes finiront par perdre leur enfant.

Quand vous vous sentez triste, pleurez. Autorisez-vous à exprimer votre fragilité. Ceux qui ne tiennent pas compte des signes finiront par attirer des maladies, qui sont elles-mêmes des signes sérieux de fragilité.

Donnez-vous la permission de vous détacher des choses, de l'idée que vous devez être fort, que les choses vous appartiennent.

Tout cela constitue des pertes qui vous blesseront. Il est vrai qu'elles vous feront mal. Mais elles évitent des pertes définitives.

Elles empêchent la vie d'être aussi dure que vous l'êtes avec vous-même.

JÉSUS

# 54

# Le destin

Chaque galaxie contient des champs d'énergie électromagnétique qui, pour certaines raisons, s'attirent mutuellement. Cette attraction initiale est ce qui définit tous les événements futurs.

Lorsque les galaxies entrent en collision, c'est parce qu'elles étaient prédestinées à être unies pour toujours. Cette collision est simplement une conséquence de cela.

Elles sont entrées en collision parce qu'elles se sont attirées mutuellement, puis elles sont restées ensemble. Elles ne sont pas restées ensemble seulement parce qu'elles sont entrées en collision. Voyez-vous la différence ?

Dans le premier exemple, avant d'entrer en contact, les galaxies avaient déjà travaillé à s'attirer mutuellement. La collision n'a été que la conséquence de leur travail acharné ; mais leur union était le fait du destin.

Pourquoi est-ce que je vous explique tout cela ?

Parce que les gens sont comme les galaxies.

Quand leurs chemins se croisent, cela veut dire que leur destin était déjà tracé.

Ils s'étaient déjà attirés mutuellement. La collision n'était que le résultat de cela.

Avant d'entrer en collision, les galaxies effectuent une longue et lente danse à distance et ce n'est qu'après de très nombreuses années qu'elles s'unissent.

Elles avaient déjà prévu de s'unir quand elles s'attiraient mutuellement. Le fait de rester ensemble est une conséquence de cette attraction. Ce n'est pas une conséquence de leur collision, sachant qu'il y a des galaxies qui entrent en collision et finissent par se repousser.

C'est la même chose avec les êtres humains. Lorsque vous attirez une personne ou une situation dans votre vie, vous avez déjà ressenti par la fréquence de la vibration si la rencontre serait de l'ordre de l'attirance ou de la répulsion.

Quel que soit le résultat, cette rencontre était planifiée depuis des siècles.

JÉSUS

# 55

# Le présent et le futur

Je vais vous dire pourquoi il est si important que les gens vivent dans le présent.

Pas le passé ni le futur, mais bien le présent.

Être simplement dans le présent et vivre les expériences qu'il y a à vivre ici et maintenant.

Beaucoup de choses ont été dites concernant le fait de vivre ici et maintenant.

Mais certaines ont encore besoin d'être expliquées, d'être clarifiées.

Lorsque vous vivez dans le passé, toute votre énergie vibre sur une fréquence qui vient du passé.

Si, par le passé, vous avez déjà ressenti de la haine, de la colère ou de la culpabilité, c'est-à-dire n'importe lequel de ces instincts élémentaires, ces émotions du passé seront acheminées jusque dans le présent. Elles envahiront votre vie, étant donné que la porte du temps est ouverte et que les différentes dimensions temporelles sont maintenant interconnectées. Elles interagissent, s'entremêlent.

À cause de votre insistance à vivre dans le passé et parce que vous ne pensez qu'à lui, vous serez bombardé d'émotions contra-dictoires venant du présent.

Les émotions du passé vont commencer à dominer le présent, votre vie et votre énergie. Vous commencerez à vivre avec vos souvenirs et vous deviendrez un être humain triste et sans énergie, étant donné que nous n'attirons de l'énergie que lorsque nous résolvons quelque chose.

Si vous vivez dans le présent, vous pouvez vous remémorer des souvenirs passés, mais vous le faites en étant pleinement conscient du présent. Vous retournez dans le passé mais avec une conscience plus large, plus claire et purifiée.

Et inévitablement, quand vos très anciennes émotions bloquées sont forcées de faire face à votre conscience actuelle, elles se brisent en millions de fragments de lumière.

Vous commencez à vivre plus paisiblement, car vous vivez dans une dimension temporelle où vous pouvez changer les événements en fonction de votre libre arbitre. Le choix vous revient. Ceux qui vivent dans le passé ne peuvent rien changer. Le passé ne peut être changé. Vous vivez votre vie avec un grand sentiment d'impuissance car vous vivez dans un passé que vous ne pouvez pas changer au lieu de vivre dans un présent où vous pouvez modifier le cours des événements.

Vous comprenez mieux maintenant pourquoi vous ne devez pas vivre dans le passé. Vous pouvez y retourner avec votre conscience d'aujourd'hui pour libérer certains de vos blocages mais vous ne pouvez pas y vivre.

Maintenant, parlons du futur. Pourquoi vivre en se focalisant sur le futur est-il nécessairement une mauvaise chose ?

Ceux qui se focalisent sur ce qui arrivera demain se retrouvent dans un état de faiblesse infiniment plus grand. Ils ne bénéficient pas de l'énergie du présent ; ils la rejettent au profit d'événements qui doivent arriver, mais comme ils ne peuvent pas forcer le destin pour qu'ils aient lieu, il est plus que probable qu'ils ne se matérialiseront jamais.

Parce qu'ils sont focalisés sur le futur, ils ne peuvent pas faire attention, se focaliser ou se consacrer au présent.

Et que pensez-vous qu'il arrive aux gens qui ne préparent pas leur futur ? À ceux qui ne consacrent pas leur vie à construire de grandes choses ? À ceux qui ne prennent pas soin des choses pour qu'elles puissent grandir ? Quel futur attend ceux qui ne se focalisent pas sur le présent afin de comprendre ce qu'ils doivent faire et comment le faire quand il est temps de passer à l'action ?

Absolument rien.

Il n'y aura pas de futur.

Les mois et les années peuvent passer.

Le temps passera mais la vie de cette personne ne changera pas, rien ne changera. Elle continuera à attendre des événements positifs dans un futur qui n'aura jamais lieu.

Elle vivra dans l'attente...

Même si tout cela constitue déjà des raisons suffisantes pour vivre dans le présent, j'aimerais vous donner une raison capitale pour laquelle il faut choisir de vivre ici et maintenant.

Je ne peux entrer que lorsqu'il y a conscience.

Je ne peux entrer que lorsqu'il y a conscience totale.

Je ne peux entrer que lorsque vous m'y invitez.

Lorsque vous faites de la place pour que je puisse entrer.

Quand votre conscience est focalisée sur votre cœur, sur ce que vous ressentez, vous me permettez d'entrer paisiblement.

Une personne qui dévoile son côté sensible, qui accepte ses difficultés et ses limites tout autant que ses aptitudes et, plus important encore, qui prend son évolution en main en choisissant de vivre aujourd'hui sans se soucier de ce que cela peut apporter, est quelqu'un qui fait appel à moi.

Un appel durable qui évoque une ancienne amitié.

Je m'approche de ces gens.

J'entre en eux.

Mais ceux qui insistent pour vivre en dehors de leur temps, que ce soit dans le passé, d'où les chagrins émergent, ou dans le futur, où ils croient que tout peut arriver, ne sont pas en condition pour laisser la lumière entrer.

Ils se bloquent. Ils résistent. Ils contrôlent.

La seule chose que je peux faire pour ces gens est d'attendre.

Alors je reste ici, me sentant triste et inutile, en les regardant s'éloigner de la lumière, en les regardant s'éloigner continuellement de moi. Souffrant seuls et dans une solitude spirituelle complète.

Rappelez-vous que la seule chose que vous ayez à faire pour me contacter est de ressentir.

Ressentir profondément toutes les émotions qui existent. En ne jugeant ou n'accusant jamais les autres pour ce qui vous arrive dans la vie. Vous devez simplement ressentir, ressentir, ressentir.

Et je serai ici, regardant d'en haut, m'assurant qu'après que vous avez ressenti si profondément vos émotions, vos blocages émotionnels commenceront finalement à se dissoudre et que vous pourrez une fois encore avoir de l'espoir et regarder vers le Ciel.

JÉSUS

# 56

# Négativité

Pensez à ceci :
Notre expérience sur Terre est l'expérience de la négativité.
Bien que constitués de lumière, les êtres humains descendent sur Terre où il y a de la négativité.
À partir du moment de leur naissance, ils expérimentent des situations récurrentes de négativité. Ils vivent le trauma de la mise au monde, sont souvent élevés par des parents autoritaires, et souvent rejetés par leurs pairs et la société, tout autant que par des personnes qui essaient de les modeler. Bref, la négativité est présente à chaque moment de leur vie.
La question est : comment une personne réagit-elle à toute cette négativité ?
La personne devient-elle négative ?
Aussi longtemps qu'elle restera négative, elle retournera sans cesse dans la négativité et en attirera toujours plus.
Cependant, vient le jour où cet être décide de réagir à la négativité en étant positif. Il reçoit de la négativité mais ne lui permet pas d'entrer en lui. Il reste dans la lumière. Et quand il n'a plus de négativité, il est prêt à mourir.
Il ne se réincarnera pas.
Il n'expérimentera plus jamais la vie sur Terre.
Il a dépassé l'expérience de la négativité et partira pour de nouveaux horizons.

JÉSUS

# 57

# Le moment présent

La meilleure façon de se relier au Ciel est de vivre le moment présent.

C'est un moment unique, et quand il est passé, il ne reviendra jamais.

Si vous essayez de retarder ce moment, il se transformera de lui-même en passé.

Si vous essayez de l'anticiper en essayant de contrôler ce qui va arriver, cela ne sera jamais autre chose que le futur, une fréquence du futur, car comme vous le savez, le futur n'existe pas dans l'absolu.

On devrait toujours prendre en considération le libre arbitre des gens. Ce sont les choix que chacun d'entre nous fait qui façonnent le futur. Ce qui est devant nous est toujours la conséquence de notre passé et du présent.

Pour résumer, vivez aujourd'hui, ici et maintenant, ce moment précis où vous pouvez effectivement faire des choix.

Vous ne pouvez pas choisir le passé, car le passé a déjà été choisi.

Votre présent a été façonné par des choix faits dans le passé.

Ce qui est important maintenant, c'est que vous viviez aujourd'hui avec sagesse et que vous mettiez en pratique ce que vous avez choisi. Votre choix révélera qui vous êtes vraiment. Si vous vivez ici et maintenant, si vous vivez ce moment avec intensité, vous serez tellement en relation avec vos propres sentiments et émotions que vous n'aurez pas d'autres options que de faire des choix en accord avec ceux-ci.

Ainsi vous ne construirez pas votre futur sur des suppositions mais sur des faits qui révèlent votre être véritable.

Et ce futur ne pourra être que prospère et heureux.

N'oubliez pas :
Se sentir angoissé et coupable, c'est vivre dans le passé.
Être anxieux, c'est vivre dans le futur.
Vivez dans l'ici et maintenant, ce moment, et vous aurez l'inspiration d'être qui vous êtes vraiment.

JÉSUS

# 58

# Pièges

Les problèmes sont des pièges. Pensez-y. Les problèmes ne sont rien d'autre que des pièges.

Laissez-moi vous expliquer.

Imaginez un être de lumière – vous – expérimentant la densité, expérimentant la négativité – la vie sur Terre.

Imaginez que cet être de lumière descend sur Terre avec l'unique intention de réagir à la densité.

C'est son choix : il peut réagir en étant lumière, qui est ce qu'il est vraiment, ou il peut réagir en devenant dense comme la Terre.

S'il devient dense, il sera attiré vers la densité – la Terre – encore et toujours, jusqu'à ce qu'il apprenne sa leçon et arrive à rester dans la lumière alors qu'il vit dans un monde de densité.

Évidemment, à un certain moment dans ce cycle de réincarnations, il retournera dans la lumière. Cet être meurt dans la matière et retourne dans la lumière. Pour se recycler, pour se rappeler qui il était, pour se souvenir qu'il est lumière.

Ensuite il retourne une fois encore sur Terre pour essayer de transcender cette expérience, pour rester dans la lumière.

Pendant toute la durée de votre vie sur Terre, nous vous envoyons des expériences denses – en réalité ce sont les êtres qui attirent ces expériences –, des problèmes, des frustrations, des injustices, des trahisons. Autant d'expériences extrêmes et denses qui ont pour but de tester vos réactions.

Est-ce que cet être restera dans la lumière et sera fidèle à lui-même, sortant ainsi du cycle des incarnations une fois sa mission accomplie ? Ou bien se transformera-t-il en densité et continuera-t-il à revenir sur Terre ?

Que choisira-t-il ?

Beaucoup d'êtres essaient de modifier la densité car ils sont incapables de supporter cette expérience, ce test difficile dont ils doivent se sortir.

Ils veulent que le monde soit juste, soit parfait.

Eh bien, si le monde était juste et parfait, vous n'auriez plus besoin d'expérimenter la densité.

Un être arriverait sur Terre et il n'y aurait aucun piège pour tester sa réaction.

Il n'y aurait plus de choix à faire. Tout serait lumière. Il y aurait de la lumière là-haut et ici-bas.

Tout cela n'a aucun sens. Quand nous vous envoyons ici-bas – ou, plus précisément, lorsque vous décidez de venir sur Terre – c'est justement pour vous permettre d'expérimenter les pièges qui existent dans la matière dense et voir si vous pouvez rester dans la lumière, ou si vous vous transformez en êtres matérialistes, rationnels et denses.

Les problèmes que vous devez traverser ne sont rien d'autre que des pièges élaborés par le Ciel, pour tester votre niveau de densité et votre niveau de lumière.

Ils sont un moyen de tester votre réaction à la densité.

Le choix vous appartient.

JÉSUS

# 59

# Minimalisme

L'Univers est ce qu'il est seulement parce que vous êtes qui vous êtes.

Pensez-y.

L'Univers a un équilibre, et chaque être qui existe dans l'Univers, qu'il soit vivant ou non, fait partie de cet équilibre.

Toutes les énergies sont uniques, et chaque être doit vibrer à la fréquence de ces énergies uniques.

Quand ces énergies uniques se rassemblent, elles complètent l'Univers dans son ensemble.

Si l'Univers entier à été assemblé par Dieu, alors Dieu est la somme de toutes ces énergies uniques. De ce point de vue, vous pouvez voir maintenant comment chacun de vous est une partie de Dieu, mais seulement quand vous vibrez à la fréquence de votre énergie unique.

Faire vibrer cette énergie unique et non transmissible est ce qu'on appelle couramment « être ».

Être signifie cela. C'est vibrer sur la fréquence de votre propre énergie, une énergie que personne d'autre n'a. Et pour vibrer sur la fréquence de cette énergie vous devez, pour commencer, être minimaliste.

Minimaliste dans le sens où vous réduisez les choses à leur minimum.

Vous êtes de l'énergie et rien de plus. Vous ne pensez pas, vous ne ressentez pas, vous n'êtes qu'une énergie qui vibre.

En supprimant toutes les pensées de votre esprit, en supprimant la densité dans votre cœur, vous accédez à votre être. Et vous vibrez sur sa fréquence.

En partant de là, de cette vibration, vous allez commencer à agir et à penser aux choses, là dans la matière, qui reflètent complètement ce que vous êtes vraiment.

Vous ne ferez plus les choses pour être ou vous n'essaierez plus d'obtenir des choses pour être.

Vous agirez et obtiendrez parce que vous êtes.

Cela change tout.

Quand les gens ici-bas ne peuvent pas vibrer sur la fréquence de leur être, ils ont tendance à se projeter à l'extérieur. Ils essaient d'obtenir et de faire des choses qui sont supposées leur donner la mesure de ce qu'ils sont.

Les gens veulent une maison, des voitures, un bon emploi, parce qu'ils croient que tout cela leur donnera le sentiment d'être quelqu'un (être le propriétaire d'une maison ou d'une voiture, quelqu'un qui a un bon emploi), mais être ne signifie pas cela. D'habitude ces gens ne vibrent pas sur la fréquence de ce qu'ils sont. Dans la majorité des cas, plus les gens ont de possessions matérielles, plus ils vibrent sur une fréquence de peur, la peur de perdre ce qu'ils ont.

Chaque fois que vous désirez quelque chose qui vous est extérieur, chaque fois que vous désirez anxieusement quelque chose d'autre que de juste vibrer sur la fréquence de ce que vous êtes, relisez ce texte et essayez de comprendre que ce désir cache votre insatisfaction de ne pas pouvoir vibrer sur votre fréquence unique.

Soyez minimaliste, affranchissez-vous de vos pensées, supprimez la densité de votre cœur, et existez tout simplement. Beaucoup de personnes croient qu'exister tout simplement ne mène nulle part. Qu'exister tout simplement n'est pas suffisant ou valorisant.

Je vous dis qu'exister tout simplement, qu'être minimaliste est probablement le meilleur entraînement énergétique qu'un être puisse suivre.

Croyez-moi.

JÉSUS

# 60

# Conscience

Pensez à la conscience. Pensez à quel point elle est complexe. Pensez au nombre d'atomes et de neurones qui sont nécessaires pour développer la conscience humaine.

Si nous avions des instruments pour mesurer la conscience, imaginez à quel point ils devraient être sophistiqués.

Pensez à ce grand Univers que vous possédez – un Univers infini indéniablement – et gardez à l'esprit que des êtres de lumière sont ici pour éclairer votre conscience.

Imaginez à quel point votre vie serait élevée, si vous profitiez vraiment de cette connexion et si vous nous permettiez d'intervenir dans vos vies d'une manière intelligible et claire. D'une manière qui ne soit pas qu'abstraite et significative, mais aussi complète.

Vous deviendriez de grands hommes. Vous utiliseriez l'arme la plus puissante que les humains possèdent, la conscience. Et à côté de cela, vous auriez le plus grand outil de développement, la connexion au Ciel, le canal ouvert. Cette ouverture énergétique sur le Ciel qui vous permet de choisir, d'expérimenter des choses, de donner du sens à ce que vous vivez, et ensuite d'avancer.

La conscience – un élément qui a été si mal compris.

Dans son désir de contrôler, l'homme tente sans cesse de dominer sa conscience en l'entraînant à être de plus en plus reliée à la matière, alors qu'il devrait essayer de s'en détacher et s'autoriser à se connecter au Ciel.

Je suis là ; je peux vous aider, mais seulement si vos esprits et vos âmes sont ouverts pour me recevoir.

Le chemin n'est pas ouvert à un cœur fermé. Vous ne pouvez pas le ranimer.

Votre choix implique que vous ouvriez votre cœur pour que je puisse entrer et réaliser mon plan.

J'apparais lorsque votre conscience communique avec moi. Je m'empare de votre vie et je fais ce que j'ai besoin de faire. Et vous pensez que des miracles arrivent.

Les miracles ne sont rien d'autre que mon intervention dans la matière.

Des interventions divines, comme vous dites ici-bas.

Mais pour entrer, le divin a besoin d'une invitation.

Il a besoin d'être choisi, il a besoin d'un cœur ouvert.

Tout d'abord, avant la méditation et l'élévation, vous avez besoin de commencer à vous ouvrir. Ouvrez votre cœur. Regardez le Ciel et acceptez que je puisse entrer si vous me laissez faire, si vous vous ouvrez naturellement.

JÉSUS

# 61

# Confusion

Ce qui me rend vraiment triste, c'est quand les gens nagent en pleine confusion.

Ils confondent la dévotion avec l'obligation, ils confondent le karma avec le péché, ils confondent la peur avec l'austérité.

Je veux que vous sachiez que je n'ai jamais rien demandé à aucun d'entre vous.

Quiconque dit autrement ment.

Quiconque dit que j'ai défini des obligations, quiconque dit que j'étais derrière l'interdiction de pécher, ne dit pas la vérité concernant l'ordre dans lequel les choses sont arrivées.

Je n'ai mentionné que des concepts. J'ai parlé de liberté, d'ignorance, de transcendance, de mort, de la chute des États.

J'ai parlé d'intensité et d'éloquence. J'ai parlé de la mort de l'ego et de la vie de l'âme.

J'ai parlé de distance, d'engagement et d'abondance.

Je n'ai absolument jamais rien dit à propos des obligations, des interdictions, de la honte, de l'enfer ou des punitions.

Je n'ai jamais rien dit pour limiter l'âme humaine. Mes paroles ont servi à mettre en lumière, à transporter de joie et à honorer l'âme.

Lorsque vous mettez des mots dans ma bouche qui ne servent qu'à diminuer l'âme humaine, je me sens triste, inutile et incompris.

Je me retrouve presque à penser que cela n'en valait pas la peine.

Quand vous m'utilisez pour maltraiter, punir ou causer de la peine, quand vous utilisez mon nom pour satisfaire vos propres désirs et votre suffisance, je veux crier que ce n'est pas la voie.

C'est pourquoi je vous demande :
Faites-vous une idée par vous-mêmes.
Tirez vos propres conclusions.

Si les paroles qu'ils me prêtent n'ont pas la fréquence de la liberté, de la lumière, de la clarté, si ce qu'ils disent à propos de moi n'a pas la fréquence de la vie, de l'amour, et de l'âme, s'il vous plaît, ne les écoutez pas.

Ne permettez pas à votre peur de prendre le dessus.

Ne permettez pas à la densité de s'installer.

Lorsque vous commencez à ressentir cela, élevez-vous ; reliez-vous à vos cœurs. Rien dans ce monde ne peut vous forcer à croire en la densité.

Rien dans ce monde ne peut empêcher les gens d'être heureux.

JÉSUS

# 62

# Yang

Le *yang* sert à se battre, mais pourquoi vous battez-vous ? Si je vous dis toujours que vous devez abandonner votre ego, si je vous demande toujours de réduire cette énergie du *yang*, qui est plus proactive, plus avancée et plus focalisée sur la lutte, si je vous demande toujours de la modérer, pourquoi existe-t-elle dans la matière ?

Pourquoi les hommes sont-ils porteurs de l'énergie du *yang*, en égale proportion avec l'énergie du *yin*, qui est plus placide, plus spirituelle et plus réceptive ?

Pourquoi existe-t-elle avec autant d'intensité ?

La réponse est simple, laissez-moi vous expliquer.

L'homme ne vient pas sur Terre seulement pour être heureux. Ce n'est pas ce qu'on attend de lui.

L'homme vient sur Terre pour travailler sur lui-même, pour travailler sur ses peurs, ses gênes ; en d'autres termes pour travailler sur ce qui le limite.

Chaque peur et chaque gêne est un blocage énergétique provoqué par une mémoire karmique. Par le souvenir d'un trauma subi dans une autre vie.

Chacun de ces blocages énergétiques doit être surmonté. L'homme qui peut surmonter ses blocages émotionnels et qui n'en accumule plus au cours de sa vie se prépare en fait à ascensionner.

Si un être vient sur Terre pour défaire ces blocages, qu'a-t-il besoin de faire ?

Il a besoin de les expérimenter, de les vivre, de les comprendre et de les accepter. Lorsqu'il fait cela, quand il fait vraiment face à ses difficultés, quelque chose commence progressivement à changer.

Une fois que cet être devient conscient de sa peur, il supprime le pouvoir qu'elle a sur lui.

Par conséquent, il n'est pas difficile de deviner ce qui arrive aux peurs des gens quand ils décident de s'y confronter. Elles commencent purement et simplement à disparaître.

Et comment le *yang* intervient-il dans cette histoire ? Où trouvez-vous la force, la volonté, et même quelquefois un peu d'ego ? Dans la décision de faire face à ses peurs. De se confronter à ses difficultés et de travailler sur elles jusqu'à ce qu'elles n'aient plus aucune signification.

L'agression verbale continue finira par perdre son pouvoir.

Une fois que vous vous êtes confronté à vos peurs à maintes reprises, elles perdent également leur pouvoir.

Cela ressemble à la théorie de la douleur, l'idée que la souffrance est bonne pour vous, n'est-ce pas ?

Il y a cependant une énorme différence. Jusqu'à maintenant il a été dit que la souffrance rend les hommes honorables. L'homme a souffert pour être méritant. Il a cru qu'en souffrant il gagnerait en dignité. Remarquez qu'il pense de l'extérieur vers l'intérieur.

L'homme a cru que la souffrance ferait de lui une personne spéciale.

Mais la vérité est que les choses arrivent dans l'ordre inverse. Premièrement, vous êtes, et ensuite vous agissez en accord avec ce que vous êtes. Vous ne devenez pas une personne particulière parce que vous agissez d'une manière particulière.

Comme je l'ai déjà dit, ces hommes ont souffert pour devenir quelque chose, ils ont travaillé de l'extérieur vers l'intérieur.

Aujourd'hui, lorsque je vous demande de faire face à votre douleur, je ne vous demande pas de souffrir. Je vous demande de ne pas fuir la douleur. Si elle vient frapper à votre porte, je veux que vous lui répondiez.

Je veux que vous la viviez. Je veux que vous vous permettiez de ressentir la douleur au centre de votre cœur, que vous alliez jusqu'au fond de votre douleur sans vous victimiser et sans accuser les autres.

Reconnaissez que vous êtes responsable, que ce que vous vivez est la conséquence de vos émotions et de vos actions passées.

C'est pourquoi nous avons besoin du *yang*.

C'est pourquoi vous avez besoin de courage, le courage de révéler votre fragilité et de continuer à vous occuper de la douleur jusqu'à ce qu'elle ne vous fasse plus mal.

Vous cessez d'avoir mal non pas parce que vous avez rationnalisé les choses et pensé qu'il serait mieux de canaliser votre énergie ailleurs.

Vous cessez d'avoir mal non pas parce que vous avez pris un antidépresseur pour paralyser la douleur.

Vous cessez d'avoir mal non pas parce que vous vous êtes caché de votre réalité, en priant sans arrêt Dieu pour qu'il résolve vos problèmes, mais parce que vous avez eu le courage de rester, de ressentir la douleur si profondément qu'elle est devenue une partie de vous.

Jusqu'au jour où elle n'existe plus, où elle se dissipe comme un nuage, et se dissout au-dessus de l'océan. La douleur est venue ; vous l'avez guidée, et elle a disparu. C'est à cela que sert le *yang*. C'est pour cette raison que l'ego existe. Pour qu'au beau milieu de la noirceur, vous puissiez faire le plein de lumière et dire :

« Je mérite d'être heureux. Je m'aime assez pour choisir de rester ici, immobile, pour permettre à la douleur de m'engloutir complètement, pour qu'elle s'en aille ensuite pour toujours. Je mérite d'être heureux. Et quand cette douleur sera partie, je sais que j'aurai conquis une nouvelle place dans le Ciel. »

C'est à cela que sert le courage.

La différence entre expérimenter une situation difficile de manière traditionnelle et de manière spirituelle est la suivante : traditionnellement, une personne croit qu'elle est la victime du destin, qu'on lui fait du mal sans raison apparente, et qu'elle n'a aucun contrôle sur la situation. Spirituellement, cependant, la personne sait que si elle a mal, c'est qu'elle a besoin de travailler sur certaines choses, alors elle essaie de vivre cette expérience encore et encore jusqu'au moment où elle a fait face à la situation tellement de fois que son cœur s'ouvre et qu'elle surmonte ses blocages émotionnels.

JÉSUS

# 63

# Émotions

Les émotions sont la fondation de l'esprit. Une personne qui ne sait pas comment pleurer ne saura jamais comment rire.

Comment une personne qui juge ses propres émotions, les étiquetant d'injustes et d'inopportunes, peut-elle reconnaître consciemment ses propres rêves ?

Seul quelqu'un qui a un respect inconditionnel pour ce qu'il ressent pourra reconnaître lorsque ses émotions lui disent qu'il est temps de rectifier la trajectoire sur laquelle il se trouve.

Vous me demandez :

Quelle est ma mission ?

Quel engagement ai-je pris avec le Ciel avant de m'incarner ?

Est-ce que je remplis cette mission ?

Et ensuite vous essayez de vous élever pour avoir accès à cette information.

Il y a quelque chose que je veux que vous sachiez.

Vous pouvez vous élever, vous pouvez monter jusqu'ici, mais cela ne vous emmènera pas très loin. À moins que vos émotions ne coulent librement à travers votre système énergétique, rien de significatif n'arrivera jamais dans votre vie.

Vos émotions sont la priorité absolue.

Une personne qui ressent quelque chose mais refuse de montrer ce qu'elle ressent, préférant couvrir cette émotion en la gardant enfermée, souhaitant qu'elle ne soit jamais apparue et espérant qu'elle disparaîtra pour toujours, pour ne pas être dérangée de nouveau, pour ne pas qu'elle lui rappelle qu'il y a des peines pour lesquelles elle n'a jamais pleuré, des pertes dont elle n'a jamais fait le deuil…

Cette personne souhaite profondément que la vie soit un bouquet de roses sans épines.

126

Cette personne n'a rien compris.

Elle n'a pas compris que tout contient deux faces, que les opposés font partie de notre réalité, et que ceux qui ne vivent pas chacun de leurs peines trouveront extrêmement difficile d'expérimenter la joie.

Ceux qui ne se sentent jamais émus se sont affranchis de leur sens de l'émotion, et sans émotions rien n'a de sens. Et la vie est faite de sens.

Tout n'est pas qu'une question de travail, d'argent et de matière.

Ceux qui sont capable de comprendre la signification des choses vivent une vie meilleure.

Ils savent ce qu'ils font ici.

Ils savent pourquoi les choses arrivent, et comment apprendre d'elles.

Ils connaissent la raison de chaque perte subie et savent comment éviter d'en subir d'autres.

Ils sont capables d'aimer tout ce qu'ils font et tous ceux avec qui ils interagissent. Ils ont conscience qu'il ne faut qu'une minute pour être éveillé et que cette minute est magique et ne devrait pas être gaspillée.

Ceux qui ressentent rêvent.

Ceux qui rêvent vivent.

Ceux qui vivent apprennent.

Ceux qui apprennent évoluent.

Ceux qui évoluent prennent moins de temps à se rapprocher de moi.

JÉSUS

# 64

# Signification

Imaginez une vie dépourvue de sens. Une existence vide, une vie complètement dénuée de spiritualité.

Une vie dépourvue de sens ouvre la porte à un certain nombre de situations confuses et hostiles.

Ne pas donner de sens à sa vie, c'est se perdre dans un cercle d'illusions.

Que signifie donner un sens à sa vie ?

Cela veut dire remplir sa vie de synonymes de liberté, de fraternité et d'espoir.

C'est savoir que le moi intérieur de l'homme est le lieu le plus sacré, le plus étrange, le plus attachant et magique qui soit.

C'est comprendre que toute la sagesse de l'homme réside dans son cœur.

Comprendre que le sens de la vie et la vie elle-même ne peuvent être compris que par quelques-uns, ceux qui ont ouvert leur cœur et comprennent les changements que l'élévation apporte.

Ce n'est qu'après avoir compris cela que vous comprendrez parfaitement que pendant l'ascension, il y a et il y aura des phases descendantes. Que pendant que vous serez connecté, vous serez confronté à des doutes, et que pendant que vous serez qui vous êtes vraiment, vous aurez des moments d'hésitation.

Mais ces moments ne compromettront pas votre voyage, ils n'empêcheront pas les choses d'avancer ; le chemin a été déterminé et il est irréversible.

En réalité, il n'y a qu'une seule différence entre les hommes et les animaux. On dit que contrairement aux animaux, l'homme a peur de mourir. Mais les animaux ont peur également, sinon ils ne courraient pas pour fuir leurs prédateurs.

On dit que les animaux n'ont pas de conscience, mais si vous regardez de plus près, vous allez voir qu'il y a beaucoup d'humains qui ont moins le sens de ce qui est bien ou mal que beaucoup d'animaux.

En fin de compte, la vraie différence entre les hommes et les animaux est la capacité intrinsèque de l'homme à donner un sens à son existence.

Et ceci n'est possible que s'il comprend qu'une vie dépourvue de sens ne sert à rien.

JÉSUS

# 65

# Péché

La plus scandaleuse et déplorable caractéristique que l'on puisse trouver parmi les religions en général est leur tendance à présenter des vérités mal fondées à leurs fidèles.

Le péché, ou quel que soit le nom que les différentes religions utilisent pour instiller une interdiction, est un exemple clair de ce que j'évoque ici.

Suivez mon raisonnement : l'homme naît sans savoir qu'il y a une continuité.

Il ne se souvient plus de la vie qu'il a déjà vécue, il ne se rappelle plus de l'accord qu'il a passé là-haut, et il ne se souvient plus qu'il y a une vie future.

Naturellement, lorsque la société lui dit qu'il n'y a plus rien après cette vie, il n'a aucun problème à le croire.

Le fait que votre société supprime de la conscience humaine la notion d'éternité est un sérieux problème.

L'homme commence à focaliser son attention sur cette vie, et sur cette vie seulement.

Ainsi il n'a pas conscience que sa souffrance est une conséquence de ce qu'il a fait et que ses actions passées ont des conséquences sur le cosmos.

Il se focalise sur cette vie où il est résolu à être un gagnant, même si cela veut dire piétiner un grand nombre de choses – et de personnes – pour y arriver.

Par conséquent, son ego commence à dresser une liste interminable de toutes les actions malveillantes qui, une fois effectuées, lui faciliteront grandement la vie.

Et c'est là que les religions entrent en jeu. En réalité, elles entrent en jeu en niant l'existence des vies passées et futures, mais c'est à ce moment qu'elles acquièrent de la force.

Elles divulguent quelques péchés. Elles font savoir que ceux qui ne pèchent pas atteindront le salut.

« Est-ce cela ? » demande l'être.

Est-ce tout ce que j'ai à faire pour atteindre le salut ?

Est ce que je peux faire tout le reste ?

Et comme aucune liste de péchés ne peut expliquer la loi du karma – c'est-à-dire que tout ce que vous faites a des conséquences dans cette vie ou dans une autre –, ces êtres restent à la merci de cette omission sur leur liste des péchés.

Vous ne tuerez point, vous ne volerez point, mais vous pouvez torturer, bafouer et humilier.

Vous ne devez pas trop manger, car c'est de la gourmandise, mais vous pouvez manger des additifs et des conservateurs, et vous pouvez modifier l'ADN des produits alimentaires.

Vous ne devez pas convoiter la femme de votre voisin, mais vous pouvez réprimer vos sentiments de passion et vous bloquer émotionnellement car vous avez inhibé vos émotions.

De toute évidence, la liste de ce que chacun d'entre vous doit ou ne doit pas faire devrait être entièrement focalisée sur votre propre conscience. Elle devrait être au cœur de qui vous êtes vraiment en tant que personne.

JÉSUS

# 66

# La peur de faire des erreurs

Lorsque nous croyons faire ce qu'il faut, quand nous voulons que les choses se passent bien, nous devenons obsédés par la nécessité que tout fonctionne sans difficultés.

Cette obsession, ce besoin compulsif de succès continu fausse notre perception de la réalité.

Le problème réside dans notre peur de faire des erreurs. Notre recherche constante du succès est la force motrice des tâches que nous effectuons. Cette approche unilatérale du succès n'est rien d'autre qu'une démonstration de notre profond rejet, de notre effroi, de notre peur de faire des erreurs.

Se tromper est humain. Se tromper est essentiel. Faire des erreurs est ce qui nous fait grandir et aller de l'avant.

Observez comment nos erreurs sont immédiatement suivies d'une crise intérieure.

Frustration, tristesse et chagrin sont les mots clés ici.

Ma suggestion : profitez de votre tristesse, non pas de votre rage ou de votre culpabilité, mais de votre sentiment d'impuissance. Profitez d'avoir attiré cette erreur et les conséquences qui vont avec.

De ne pas avoir su ou de ne pas avoir été capable de l'éviter.

Parfois ce sont les autres qui nous amènent à faire des erreurs, cependant, cela fait aussi partie du plan.

Utilisez cette tristesse à votre avantage. Pleurez. Permettez-vous de ressentir cette peine jusqu'à ce que vous n'ayez plus de larmes.

Des moments de douleur. Des heures de douleur. Et parfois des jours entiers de douleur.

Mais cette douleur prendra fin. Et lorsqu'elle sera terminée, ce sera parce que vous vous êtes connecté avec la fontaine de lumière qui est au cœur même de l'homme – son vrai « moi », où demeurent toutes les réponses.

Alors seulement vous serez prêt à recommencer, à changer et à progresser.

Tout ce que vous ferez à partir de maintenant, vous le ferez avec votre être entier, profond et sacré.

Tout ce que vous ferez à partir de maintenant aura du sens puisque vous cherchez à évoluer.

Tout ce que vous ferez à partir de maintenant sera si entièrement personnel, original et authentique que ce sera naturellement porteur d'innovation et éclairera le monde d'une nouvelle lumière.

Comme vous pouvez le constater, ce sont l'erreur, la crise, l'expérience de la douleur et les actions qui ont suivi qui ont influencé ce progrès, cette connexion avec la force d'évolution. Même si une personne trouve difficile de suivre un processus spirituel par la méditation, elle peut le suivre en se connectant à ses émotions correctement.

De toute évidence, les erreurs ne sont pas qu'utiles mais aussi acceptables. Les erreurs sont légitimes et quelquefois souhaitables.

Les personnes qui passent leur vie à rationaliser, à réfléchir, essayant d'éviter de faire des erreurs, n'agissent jamais ou font des actions qui sont simplement en accord avec ce qui est déjà établi, ce qui signifie que le monde n'avance pas.

Par conséquent, je vous préviens, soyez prudent lorsque vous émettez des jugements.

Lorsque quelqu'un fait, dit ou pense des choses qui semblent improbables, originales ou en inadéquation avec la pensée universelle actuelle, avant de les étiqueter, avant de les juger, demandez-vous si cette personne n'est pas profondément connectée à son moi profond, à son être sacré, et peut-être même au futur de l'humanité.

JÉSUS

# 67

# Connexion

La méditation et le nettoyage spirituel sont les deux choses les plus importantes qui existent.

Une personne qui est déconnectée et qui a de la densité est une personne qui n'a pas de vie intérieure, quelqu'un qui n'a pas une vie propre à elle.

Quelqu'un qui est toujours focalisé sur les autres et inquiet de ce qu'ils peuvent penser ou dire.

Quelqu'un qui a besoin de faire plaisir aux autres pour être accepté.

Quelqu'un qui a besoin de l'approbation des autres pour être qui il est.

Une personne qui est déconnectée et qui a de la densité ne découvrira jamais son essence, la source originelle de sa vie ici sur Terre, le vaisseau qui transporte l'information spirituelle, sa mission et sa destinée.

Une personne qui n'a pas de vie spirituelle est une machine, un robot, un être qui est toujours soumis aux autres – et vous savez que l'ego est toujours prêt à servir quelqu'un.

Le temps est venu de vous libérer, de briser les chaînes, d'arrêter d'accorder autant d'attention à l'ego, de se connecter et de vous élever. Il est temps de trouver une vie d'épanouissement au milieu de la densité.

Une personne qui est déconnectée est une personne malheureuse.

Ce n'est pas ce que vous souhaitez, n'est-ce pas ?

JÉSUS

# 68

# Apprendre à être

Lorsque nous cessons de nous focaliser sur notre travail, notre famille, nos amis, sur les possessions matérielles, sur la personne que nous voulions être mais n'avons jamais été, et celle que nous aspirons à être…

Lorsque nous supprimons tous ces points centraux de notre vie, que reste-t-il ?

Si aujourd'hui vous cessiez de vous préoccuper des autres, qu'ils soient parents, amis, ou encore ceux qui sont en position de pouvoir, où irait votre conscience ? Quelles seraient vos convictions ?

Si plus rien ne vous inquiétait, ni l'argent, ni vos buts ou vos objectifs, que resterait-il ?

Vous n'auriez plus votre lumière intérieure.

Vous n'auriez plus votre essence, votre plus profonde vibration.

Cette vibration qui vient de l'être serait plus forte ou plus faible, selon le nombre de fois où vous vous êtes dépouillé de tout, et le nombre de fois où vous l'avez recherchée.

La force de cette vibration serait déterminée par le nombre de fois où vous avez été distrait et par le nombre de choses – qui n'ont le plus souvent aucune espèce d'importance – dont vous vous êtes occupé.

Cette vibration se tient prête à sauver votre vie et à s'assurer que vous réalisiez votre but ici.

Cette vibration a besoin d'être chérie, nourrie, entraînée, pour pouvoir briller clairement et de manière constante afin de consolider cette incarnation.

Si les choses que vous faites ne font pas briller votre lumière, elles n'avanceront et ne se régleront jamais.

Tout d'abord, avant les autres, avant le grand amour de votre vie, avant vos enfants et vos parents, avant vos amis et vos collègues de travail, avant tout ce que vous avez besoin de faire, avant même votre survie, il y a votre lumière. C'est là que « vous » êtes.

Le reste vous apparaîtra ensuite sous le signe de l'abondance, embrassant tout, lentement et passionnément.

Apprenez à faire briller votre lumière.

Apprenez à faire cela et vous serez initié.

JÉSUS

# 69

# Contrôle

Si vous étiez un grain de sable, où le vent vous porterait-il ?
Si vous étiez un grain de sable, où le vent vous déposerait-il ?
Quelle expérience le vent vous ferait-il vivre ?
La vie a son propre mouvement.
Les grains de sable se permettent d'être balayés par le vent,
car ils n'ont pas de volonté propre.
Ils ne portent pas de jugement. Ils ne pensent pas que ceci est
bon ou mauvais.
Ils ne montrent aucun désir de partir ou de rester.
Ils vont où le vent les porte.
Si vous étiez un grain de sable, vous seriez si léger et accessible
que vous accepteriez la direction qui vous est offerte, découvrant
de nouveaux lieux et acceptant de nouvelles expériences.
Vous auriez l'opportunité de vivre encore de nouvelles
choses. Et votre vie serait infiniment plus riche parce que vous
pourriez voyager et être libre, et vous ne penseriez pas que votre
vie est affreuse et ennuyeuse.
Vous ne seriez pas toujours en train de penser que rien ne
marche pour vous.
Vous ne seriez pas toujours en train de penser que les autres
sont là pour vous faire du mal.
Vous vous inquiéteriez plus de perdre votre densité et de
devenir lumière pour pouvoir suivre la direction du vent,
chaque fois un peu plus loin et un peu plus haut.
Si vous étiez un grain de sable, vous seriez lumière, vous seriez
intuitif, mobile et authentique.
Et la vie ne serait pas un tel fardeau.
Et tout serait plus facile.
Et tout serait à sa place.

JÉSUS

# 70

# Attraction

Vous êtes entièrement responsable de tout ce que vous attirez.

Vous attirez tout ce qui vous arrive.

Même si cela vous semble étrange, vous attirez seulement ce que vous avez à l'intérieur de vous.

Ainsi, vous n'attirerez de la violence que si vous avez de la violence en vous. Vous n'attirerez de l'amour que si vous avez de l'amour en vous.

Au lieu d'essayer d'éviter les choses négatives qui vous arrivent... plutôt que de vous plaindre qu'il ne vous arrive que de mauvaises choses...

Regardez-les comme si elles étaient le reflet de votre moi intérieur.

Et exprimez votre gratitude.

Remerciez ceux qui vous ont causé de la douleur car ils vous montrent sur quelle partie de vous-même il vous faut travailler.

Et mettez-vous au travail.

Montrez votre gratitude et travaillez sur vous.

Tel est le procédé.

Si vous attirez une situation violente, reconnaissez que cette situation est simplement le reflet de votre violence intérieure.

Soyez conscient de cela, et entrez en contact avec votre violence intérieure.

Repensez à une situation violente que vous avez vécue par le passé et pleurez, criez, expulsez-la, revivez-la, et supprimez l'énergie négative dans votre cœur.

Supprimez cette densité et ouvrez votre cœur pour que je puisse entrer.

Et de cette manière, vous serez capable de purifier chaque nouvelle situation ou événement qui se présente, en remerciant et en purifiant toujours.

Un jour, vous vous réveillerez avec un royaume rempli d'amour dans votre cœur, et vous saurez que je suis là.

JÉSUS

# 71

# Relations

Il est très difficile de parler des relations, plus particulièrement des relations dans lesquelles les personnes sont incapables
d'être elles-mêmes. Les gens préfèrent vivre en fonction de ce
que les autres attendent d'eux, juste parce que cela semble plus
facile que d'essayer d'être vraiment eux-mêmes.

C'est lorsque les gens essaient d'agir en accord avec les souhaits des autres que l'âme commence à décliner ; elle devient
désabusée et triste de ne pas pouvoir atteindre sa pleine matu-
rité, ce que chaque âme désire ardemment.

Chaque incarnation est une occasion pour l'âme de se manifester.

Quand ceux avec qui vous êtes en relation vous suggèrent
d'arrêter d'être vous-même, et que vous acceptez ; quand vos
relations – qu'il s'agisse de votre mari, de votre femme, de vos
parents ou de vos enfants, ou encore au niveau professionnel –,
vous suggèrent d'abandonner votre âme, d'abandonner la raison
de votre venue sur Terre en faveur de souhaits insignifiants et
de manipulations mentales, c'est parce que la ou les personnes
avec qui vous partagez votre vie ne vous voient pas. Elles ne
peuvent pas voir votre âme.

Cela peut arriver soit parce qu'elles ne vous connaissent pas
vraiment ou pire, parce que vous aussi êtes incapable de vous
voir comme vous êtes et finissez par accepter cette situation.

Ce n'est pas leur faute, ce n'est pas votre faute, il n'y a pas
de faute, juste une responsabilité, et c'est à vous qu'il revient
d'endosser la responsabilité de ne pas abandonner votre âme le
long du chemin.

Votre âme est votre lumière.

Votre âme est votre vie.

Et il ne dépend que de vous de diriger ces relations, de mettre des limites, d'apprendre à dire « Non, je ne peux pas, je n'ai pas à le faire ». Il ne dépend que de vous d'intérioriser, de regarder à l'intérieur de vous-même, de trouver votre propre logique, de découvrir vos options et vos opinions, et de faire vos propres choix.

Apprenez comment être et comment partager qui vous êtes avec les autres.

Il est essentiel que vous respectiez les autres et les choix qu'ils font jusqu'au moindre détail. Ce n'est qu'alors que vous serez en contact avec cette grande force cachée. Et quand vous apprendrez à bien la connaître, vous vous habituerez à l'appeler votre lumière.

JÉSUS

# 72

# Mon amour

Donnez-leur mon amour.

C'est tout. Donnez-leur mon amour.

Donnez-leur l'amour que vous recevez de moi.

Faites tout ce que vous avez besoin de faire pour que mon amour règne dans votre cœur.

Faites de votre mieux pour supprimer la densité et toutes les mémoires et émotions négatives et destructrices qui existent.

Essayez d'éviter d'avoir de la rage, de la haine, de l'envie, de l'amertume dans votre système émotionnel.

Ressentez votre douleur autant qu'il vous est nécessaire, désactivez vos mémoires et élevez-vous. Lorsque vous arriverez ici, assurez-vous d'être lumière, d'être frais et cristallin pour que mon amour soit béni, pour que mon amour puisse embrasser le monde par vos vibrations.

Lorsque vous êtes dans la rue, quand vous parlez avec les gens, quand vous êtes là où vous avez besoin d'être dans votre quotidien, l'immense quantité d'amour que je ressens pour l'humanité jaillira hors de vous et envahira la planète entière.

Et vous saurez que c'est Moi.

Vous saurez que c'est Moi qui ai envahi les rues et l'âme des gens.

Et tout deviendra plus clair.

Et tout deviendra plus propre.

Et tout prendra la vibration du Ciel, parce que c'est la seule façon pour l'homme de retourner chez lui.

JÉSUS

# 73

# Paix

Il y a une paix qui ne peut être atteinte que lorsque vous prenez les bonnes décisions.

Les décisions qui sont bonnes pour vous, bien sûr.

La plupart des gens prennent des décisions basées sur le fait que « que cela doit être fait », « il n'y a pas d'autres choix », « je dois absolument faire cela ».

Ce sont des décisions qui sont imposées par notre esprit, par un ego dominant et sinistre qui se tient caché loin de l'âme, parce qu'il a peur de la force de l'âme.

Je vais le dire une fois encore : quand notre énergie originelle est respectée dans le processus de prise de décision, ces décisions ont une force énorme. Cela arrive car tout se met à sa place une fois que la personne fait preuve de respect de soi et qu'elle a conscience que ce qui peut être bon pour elle n'est pas nécessairement bon pour les autres.

Chaque fois que vous prenez une décision, faites comme ceci : fermez les yeux, même si c'est juste pour une seconde, et ressentez votre cœur. Plus important encore, mettez-vous en contact avec votre intuition. Parfois le cœur souffre des décisions basées sur notre intuition. Permettez-vous de ressentir cela.

Y a-t-il de la paix ? Y a-t-il une cohérence énergétique ? Y a-t-il un sentiment ancien que « tout est à sa place » ?

Si la réponse est oui, c'est bon. Votre décision est la bonne.

Sinon, vous savez ce que vous devez faire.

JÉSUS

# 74

# Intuition

Savez-vous comment les pingouins savent qu'il est temps de migrer ?

Lorsqu'ils sont en train de marcher et que la glace sous leurs pieds commence à se fendre.

Ils marchent comme d'habitude et sentent la glace se fendre.

Cet incident, ce minuscule et extraordinaire incident affecte la vie de millions de pingouins. À partir de ce moment précis, ils savent que le temps est venu. Il est temps de partir, pour aller dans des endroits moins hospitaliers, et poursuivre leur procréation annuelle.

Il en est ainsi depuis des millions d'années. La glace se fend et ils ne partent que pour revenir beaucoup plus tard avec leur petit, un de plus à ajouter à leur espèce. Il en est ainsi depuis des millions d'années.

Et cela continuera à l'être.

L'homme a des compétences intuitives. Il peut sentir quand les choses vont arriver, bien avant que la glace ne se fende sous ses pieds. Avant même que les choses n'arrivent, les êtres humains sont capables de sentir que le temps est venu.

Et il en est ainsi depuis des millions d'années.

Cependant l'homme porte des jugements. Il choisit de croire qu'il n'est pas capable de faire les choses, même s'il le peut, que son intuition n'est pas une bonne chose.

Alors il étouffe les choses et se retrouve bloqué.

L'homme bloque sa plus grande aptitude magnanime, sa capacité à marcher avant le temps et à s'assurer que tout arrive comme prévu, simplement parce qu'il l'a perçu.

L'homme a tendance à bloquer non seulement cette aptitude mais également toutes les autres aptitudes qu'il possède.

« Je ne peux pas le faire. »

« Je ne le mérite pas. »

« C'est trop beau pour moi. »

Ce sont des expressions qui, répétées des millions de fois, deviennent vraies.

Croyez en votre intuition. Elle est puissante et peut changer la vie.

Vous ne croyez peut-être en rien, mais au moins croyez en votre intuition.

Cela ne changera peut-être pas le monde, mais cela changera probablement le vôtre.

Et en soi, c'est déjà plus que suffisant.

JÉSUS

# 75

# Effort

Vous ne pouvez pas faire les choses par la force. Chaque fois que vous vous acharnez, vous fermez le canal du Ciel.

L'effort est l'opposé de la légèreté. La légèreté est un produit du Ciel.

L'effort est dense ; la légèreté est faite de lumière.

Chaque fois que vous faites trop d'effort, cela veut dire que les choses avancent avec difficultés et que des ressources supplémentaires sont nécessaires.

Et pourquoi des ressources supplémentaires sont-elles nécessaires ?

Parce que les choses ne suivent pas leur ordre naturel, qui devrait être magique et calme, ce qui signifie à son tour qu'elles ne devaient pas arriver.

L'eau coule facilement et distinctement de la cascade, et en tombant, elle continue de couler et de chanter.

C'est la même chose avec la vie.

Si vous réalisez que les choses qui demandent trop d'efforts n'ont pas leur raison d'être...

Si vous comprenez que la vie a un ordre que vous devez respecter...

Vous allez commencer à moins vous dépenser et à avoir plus de plaisir.

Et votre vie, d'un moment à l'autre, deviendra une vie que vous aimerez vivre.

JÉSUS

# 76

# Ennemis

Lorsqu'une personne vous contrarie, il est naturel d'avoir une mauvaise opinion d'elle. Vous commencez à penser qu'elle aurait pu faire les choses différemment ; qu'elle aurait pu réagir plus calmement...

Toutes ces pensées font partie du processus de jugement.

Vous vouliez que cette personne dise ou fasse les choses à votre manière.

Vous vouliez qu'elle vous convainque.

Vous vouliez qu'elle vous mette à l'aise.

Cependant l'univers ne travaille pas de cette façon.

L'aimant qui se situe dans votre cœur, ce puissant capteur énergétique qui attire ce qui vous est destiné de multiples façons, va naturellement attirer la personne ou la chose qui vous aidera à expérimenter les émotions auxquelles vous avez besoin de vous confronter.

Mais je suis certain que vous le savez déjà.

Mais ce que vous ne savez peut-être pas, c'est que l'émotion principale qui surgit dans toutes les situations que vous attirez est la même émotion que vous avez expérimentée dans d'autres vies et durant votre enfance.

Qu'est-ce que j'entends par là ?

Que la personne ou la situation à laquelle vous êtes confronté en ce moment tient la clé de votre secret le plus intime.

Cette personne ou cette situation tient la clé de votre karma.

Si vous acceptez que cette personne ou cette situation fait partie de votre vie, que vous les avez attirées pour vous libérer de cette émotion, et que cela est votre priorité absolue...

Si vous acceptez que cette personne est là pour vous aider à cela...

Qu'elle est là pour vous aider à vous libérer de cette densité, quel qu'en soit le résultat…

Vous réaliserez que cette personne est un compagnon d'âme, un être avec qui vous avez partagé de merveilleux secrets ici au Ciel, avant de vous incarner.

Il doit être un ami au niveau de l'âme.

Si vous arrêtez de le juger et de le blâmer pour ce qu'il vous a fait subir…

Si vous arrêtez de le juger et qu'à la place vous reconnaissez qu'il est là pour vous aider….

Vous cesserez immédiatement de vous focaliser sur lui et sur ce qu'il vous a fait endurer, et commencerez à regarder dans votre cœur, qui a du mal à savoir s'il faut traiter cette immense émotion ou la bloquer pour toujours.

Quand l'esprit gouverne le cœur, ce genre de chose arrive souvent.

Et si vous portez votre attention sur vous-même, sur votre cœur, vous allez expérimenter une énorme douleur, la douleur que vous avez continuellement fuie.

Mais une fois que la douleur s'en va – parce qu'elle disparaît toujours – votre vie prendra une nouvelle dimension.

Chaque fois que vous surmontez un blocage émotionnel dans la densité, vous avancez vers la lumière.

La prochaine fois que vous regarderez la personne qui vous a blessé, vous saurez qu'il s'agissait d'une expérience d'apprentissage.

Et vous saurez quoi répondre.

Et vous aurez de la gratitude pour la leçon que vous avez apprise.

JÉSUS

# Vouloir

Vos pieds ont été faits pour marcher.
– Cessez de vouloir marcher.
Vos jambes ont été faites pour supporter votre corps.
– Cessez de supporter votre corps.
Votre dos a été fait pour soutenir le monde.
– Cessez de soutenir le monde.
Le corps a été fait pour vous tenir debout.
– Cessez de vous tenir debout.
Votre estomac a été fait pour contenir votre nourriture.
– Cessez de vouloir contenir votre nourriture.
La nourriture a été faite pour donner à votre corps de
l'énergie.
– Cessez de donner de l'énergie à votre corps.
Votre cou a été fait pour supporter votre tête.
– Cessez de vouloir supporter votre tête.
Votre cerveau a été fait pour nourrir votre ego.
– Cessez de vouloir nourrir votre ego.
L'ego a été fait pour garder le contrôle.
– Cessez de vouloir garder le contrôle.
Le contrôle a été fait pour déplacer la peur.
– Cessez d'essayer de déplacer la peur.
La peur a été créée pour vous inciter à vouloir des choses.
– Cessez d'insister sur ce besoin des choses.
Vouloir a été fait pour que vous puissiez fuir la douleur.
– Cessez de fuir votre douleur.

JÉSUS

# L'enfer

L'abondance veut dire remplir l'enfer de lumière.

Le Ciel n'est pas le seul lieu où vous trouverez de la lumière.

Il n'est pas suffisant de monter là-haut.

Vous devez visiter votre propre enfer ; vous devez continuer à le revisiter jusqu'à ce que la lumière commence à s'infiltrer au travers.

La vérité est que plus vous visitez votre enfer personnel, plus vous revisitez cette scène dense de l'humanité, et plus vous entrez en contact avec ce monstre sous-marin qui est en chacun de nous, plus la Terre sera en mesure de s'élever.

Plus vous visitez l'obscurité pour vous en libérer, pour lâcher prise inconditionnellement, plus la lumière vous atteindra.

Dans l'ascension…

Il n'y a pas d'appel qui n'ait de réponse.

Il n'y a pas d'erreur qui ne soit pardonnée.

Il n'y a pas d'excès qui ne soit compensé.

Il n'y a pas de karma qui n'ait de courage.

Il n'y a pas de dharma qui n'ait de lumière.

Il n'y a pas de pas sans route.

Il n'y a pas de terre qui ne soit vacante.

JÉSUS

# 79

# Le chemin

Lorsque les gens posent des questions au Ciel, ils ont tendance à croire qu'ils recevront toujours des réponses positives.

Ils ne sont pas prêts à subir de pertes. Ils ne sont pas prêts à être induits en erreur.

Ils ne sont pas prêts à faire face à la réalité.

Juste parce qu'ils ont reçu un signe ou que leur Moi supérieur leur a dit quel chemin suivre, ils pensent à présent qu'ils ne rencontreront plus jamais d'obstacles ou de carrefours.

Rien ne saurait être plus éloigné de la vérité.

Lorsque le Ciel indique un chemin, il se pourrait bien que ce soit le meilleur chemin à prendre, il se pourrait bien qu'il coïncide avec votre énergie originelle, il se pourrait bien qu'il soit votre chemin d'évolution. Il se pourrait bien qu'il soit tout cela.

Cependant, si vous devez expérimenter quelque chose mais que vous n'êtes pas prêt pour l'expérience, vous finirez par subir des pertes sur le chemin de la lumière.

Nous n'avons qu'un chemin. Il est le plus vrai, le plus originel, le plus exact. Néanmoins, ce n'est qu'un chemin. Et en tant que tel, il a des virages, des obstacles et des pierres.

N'oubliez pas : tout dans la matière a deux faces. Le bien et le mal, en proportion égale.

Mais ce chemin a un avantage sur tout le reste.

C'est le vôtre.

Aussi longtemps que vous n'abandonnez pas votre chemin, tout ce que votre âme expérimente pendant le voyage, tout ce que vous avez besoin d'expérimenter va favoriser votre évolution.

C'est l'avantage qu'il a. Je n'ai jamais dit que vivre était facile. Mais un chemin contraire ne peut pas vous aider à évoluer. Sur tous les autres chemins, ceux qui n'ont pas votre énergie originelle, les choses seront encore plus difficiles pour vous.

Par conséquent, choisissez votre chemin, le chemin qui est le vôtre, celui qui a votre couleur et votre texture. Restez sur ce chemin. Et n'oubliez pas, n'arrêtez jamais de ressentir. Si vous cessez de ressentir, votre énergie sera automatiquement supprimée.

Mais indépendamment des situations délicates, indépendamment des déviations et de la confusion, ce chemin a quelque chose d'avantageux, quelque chose qu'aucun autre n'aura jamais.

Ce chemin vous mènera à moi.

JÉSUS

# 80

## Simplicité

À quand remonte la dernière fois que vous avez cueilli une fleur sauvage et que vous vous êtes assis simplement pour la regarder ?

Simplement assis là, à regarder une simple fleur ?

Quand avez-vous fait cela pour la dernière fois ?

Plutôt que de vivre dans le passé et de vous sentir amer à propos des mauvais choix que vous avez faits et des choses que des personnes vous ont prétendument faites...

Plutôt que de vivre dans le futur et de fantasmer sur ce que vous allez faire et devenir, cueillez simplement une fleur et asseyez-vous pour la regarder.

Laissez de côté vos pensées sur le passé et le futur, laissez de côté vos plans, vos ambitions, vos peines et vos ressentiments.

Restez où vous êtes et contemplez cette simple fleur.

Laissez de côté tous vos fardeaux émotionnels, vos dilemmes, vos projections et vos échéances.

Laissez de côté toute pensée.

Restez comme vous êtes, en contemplant cette fleur.

À quand remonte la dernière fois ?

C'est le secret de la vie : trouver les choses qui arrêtent le temps ou trouver le temps d'arrêter les choses, pour que vous puissiez juste les observer.

Pour que vous puissiez simplement rester où vous êtes.

Pour que vous puissiez simplement être qui vous êtes.

JÉSUS

# Le voyage intérieur

Les êtres humains. Toutes mes actions sont focalisées sur les être humains.

Chaque parole, chaque expression.

C'est à propos d'eux que je parle, c'est à leur sujet que je m'inquiète et c'est à eux que je dédie tout.

Les êtres humains. Toutes mes actions sont focalisées sur les êtres humains.

Chacune de mes paroles est inspirée par la souffrance de l'homme et son incapacité à se libérer lui-même de sa douleur.

Dans sa recherche du bonheur, l'homme a traversé les frontières, construit des monuments, navigué sur des mers inconnues, a atteint la lune, a vagabondé parmi les étoiles, et a construit des appareils pour observer les galaxies.

Mais dans sa recherche du bonheur, l'homme a toujours cherché à l'extérieur de lui-même.

Le bonheur est la capacité que l'homme a d'aller voir à l'intérieur de lui-même et de faire face à ses démons. Ce n'est pas de les éviter, mais plutôt de les révéler et de s'y confronter.

Nous devons encore construire un navire qui peut faire le voyage dans les profondeurs de notre être intérieur.

Voulez-vous que je vous emmène ?

JÉSUS

# 82

# Inversion

Tous les concepts ont été modifiés.

L'humanité tout entière a cessé de faire des efforts, causant une hausse des densités.

La Terre ne s'incline plus devant le Ciel.

Tout a été inversé.

Plus rien n'a de valeur. Il n'y a plus d'avenir.

Il est temps de guider les efforts des gens dans une autre direction, de ressouder les divisions.

D'inverser ce qui a été fait. De corriger ce qui est derrière cette erreur.

D'aller à l'opposé. De redéfinir.

JÉSUS

# 83

# Connexions énergétiques

Tout ce que vous faites a des répercussions. Toutes vos actions ont des conséquences.

Aussi innocentes que soient vos actions, les conséquences ne seront pas longues à venir.

Aussi petite soit la déviation, il est toujours nécessaire de retourner en arrière et de rééquilibrer les choses.

Pensez à ceci :

L'univers est énergétiquement parfait. À ce moment précis, tout est comme cela devrait être – afin d'accomplir la mission qui était destinée.

Lorsque l'homme manipule l'ordre naturel des choses, il déséquilibre ce qui ne peut pas être déséquilibré.

Qu'est-ce que j'entends par là ?

Ce que je veux dire est que tout ce qui est déplacé doit être remis à sa juste place, que cela vous plaise ou non.

C'est inévitable.

Chaque fois que vous blessez quelqu'un, aussi petit soit l'acte, pensez que tôt ou tard vous expérimenterez ce que cette personne a expérimenté, afin que l'axe des émotions – blessé, être blessé – soit harmonisé.

Que vous taquiniez quelqu'un ou que vous vous en moquiez, souvenez-vous que tôt ou tard, vous vous retrouverez vous-même dans la situation d'être moqué.

La nature n'échoue jamais.

Regardez de près les connexions énergétiques qui vous lient aux personnes à qui vous avez fait du mal ou aux choses désagréables que vous avez provoquées. Si vous pouvez sauver la situation, faites-le.

Essayez d'harmoniser les choses avant que la vie ne le fasse pour vous en vous envoyant une situation déplaisante.

Si vous ne pouvez sauver la situation, essayez de propager amour et lumière autour de vous, afin que l'énergie qui vous entoure reconnaisse que vous avez changé, et qu'elle vous épargne des conséquences de vos actes passés.

JÉSUS

# 84

# L'ego

Je vous ai toujours dit que l'ego est le pire de tous les maux. C'est l'ego qui vous enseigne à vouloir et à vous battre pour des choses qui ne sont pas énergétiquement bonnes pour vous.

C'est l'ego qui crie et annule les ordres dans votre cerveau. C'est l'ego qui vous fait vibrer sur la fréquence de la restriction et de la peur.

C'est aussi l'ego qui vous fait vivre dans une bulle d'illusion pour que vous puissiez croire vraiment à tout ce que vous souhaitez croire :

Que vous serez heureux et que vous ne devriez pas faire attention à cette insatisfaction croissante que vous ressentez dans votre cœur.

Que le jour où vous recevrez de nouveaux vêtements, un ordinateur, une nouvelle voiture, une maison, c'est-à-dire tout ce que vous méritez vraiment, vous serez heureux.

Et lorsque vous êtes las d'attendre, l'ego va vous convaincre de ne pas abandonner ; il vous convainc que vous y êtes presque...

« Travaille dur, juste encore un petit peu, ignore ce que tu ressens, juste encore un petit peu, continue à te battre, juste encore un petit peu », vous dit-il.

Mais ce « juste encore un petit peu » ne finit jamais. Pourtant l'ego continue d'insister sur le fait que la résistance et la lutte sont les seuls moyens d'avancer. Il ne vous permet pas de voir que la résistance et la lutte ne vous mènent nulle part et, pire encore, qu'elles continuent à vous emmener énergétiquement sur le mauvais chemin.

La route à suivre n'est pas une route faite de résistances et de luttes.

Vous devriez voyager dans la direction opposée.

L'acceptation et la réalisation sont la route que vous devez suivre.

Acceptez la situation dans laquelle vous êtes, et permettez à la bouée de flotter pour que le courant vous emmène à bon port.

Et vous pourrez alors avancer vers ce qui vous attend dans cette incarnation.

JÉSUS

# 85

# Choix

Vous avez toujours le choix. Vous pouvez choisir d'aller où votre moi supérieur et Moi le suggérons – dans un lieu où vous serez protégé et sauvé – ou d'aller dans le lieu que vous souhaitez mais où vous ne serez pas protégé. Je ne vais pas changer l'énergie des lieux juste pour que vous soyez bien.

Les gens doivent comprendre que l'Univers ne change pas juste pour leur faire plaisir. Ou vous découvrez dans quelle direction l'Univers se dirige et le suivez, ou vous finirez par avoir des expériences traumatisantes.

Aller où l'Univers se dirige est un but écologique.

Un but écologique peut signifier que ce que vous désirez est en harmonie avec l'Univers, soit que vous étiez simplement en accord, soit que vous vous êtes connecté, que vous avez reçu et accepté notre suggestion puis que vous avez agi en fonction.

En faisant cela vous serez protégé. Vous serez protégé parce que ce que vous faites est en harmonie avec votre énergie originelle. Vivre uniquement et exclusivement en fonction de votre énergie originelle est la plus grande sagesse qui puisse exister sur Terre. Cela signifierait ne plus vivre de perte ni de traumas.

Cependant, il est bon pour vous d'expérimenter l'opposé de cela, de voir des choses que vous n'auriez jamais imaginées, et de vivre d'intenses traumas émotionnels. Le conflit permet aussi d'évoluer.

Tout de même, vous auriez pu évoluer sans toute cette souffrance.

Tout ce que vous aviez à faire était de m'écouter.

JÉSUS

# 86

# Rituels

Quelquefois l'énergie est très dense et les rituels sont extrêmement anciens. Tant de rituels ont été accomplis au profit de l'ego, conformément aux souhaits des gens.

Les gens voulaient de la pluie, ils accomplissaient des rituels. Ils voulaient faire du mal à quelqu'un, ils accomplissaient des rituels. Ils s'apprêtaient à partir en guerre, ils accomplissaient des rituels. Tout tournait autour de la survie du bas esprit. Les pratiques anciennes ne favorisaient pas l'évolution. Seul l'instinct de survie existait.

Les esprits de rang inférieur s'approchaient. Comme il était facile de fournir aux êtres humains ce qu'ils voulaient, ces esprits commerçaient avec eux. Ils leur donnaient ce qu'ils désiraient : la pluie, la victoire ou la ruine de quelqu'un d'autre. En échange, ils restaient, dominant le monde spirituel proche de la matière et s'enracinaient.

Maintenant ils dominent l'éther près de la Terre. Aujourd'hui, il y a des endroits et des gens qui sont complètement épuisés parce qu'ils portent l'énergie de ceux qui invoquaient continuellement ces esprits.

Seulement pour leur propre bénéfice.

Cela est complètement contraire à l'évolution.

JÉSUS

# 87

# Essence

Votre essence est toujours en train de vous attendre.

Elle est toujours en train d'attendre que vous cessiez de regarder les autres.

Elle est toujours en train d'attendre que vous cessiez de me regarder.

Elle est là, vous attendant, pour pouvoir être.

Pour pouvoir vous donner la force de vibrer sur la fréquence de votre énergie originelle.

Votre essence est un être de lumière confiné dans votre corps physique.

Elle demande à être libre, elle veut voler, elle veut bien plus que cette vie restrictive que vous êtes prêt à lui donner.

Elle voudrait que sa lumière, cette immense lumière, embrasse le monde et enchante tout le monde avec ses puissantes convictions.

Pour que cela arrive, vous devez la reconnaître.

Pour que cela arrive, vous devez la comprendre et l'étreindre.

Vous devez la reconnaître et la suivre.

Vous devez comprendre que votre essence, c'est vous, dans votre forme la plus pure, dans votre état le plus originel. Vous devez sentir que cette essence est vous au temps où vous étiez ici avec nous, partageant cet espace illimité qu'est le Ciel.

Ce n'est que lorsque vous aurez compris à quel point votre essence est magnifique, à quel point cette énergie est sacrée et unique, que vous serez en mesure de comprendre le vrai être de lumière que vous êtes et ce que vous êtes venu faire sur Terre.

JÉSUS

# 88

# Responsabilité

Vous n'êtes responsable de personne.

Il n'y a rien dans ce monde qui puisse vous forcer à vous décentrer.

Il n'y a rien dans ce monde qui puisse vous forcer à placer les autres en premier.

Voulez-vous savoir pourquoi il y a tant de gens qui ne peuvent pas méditer ?

Parce que lorsqu'ils ferment les yeux et regardent dans leur cœur, ils voient tellement d'autres personnes, tellement d'autres obligations, leur cœur est tellement surchargé...

Ils finissent par se sentir angoissés et arrêtent de méditer. Ce qu'ils devraient faire, c'est supprimer ce fardeau de responsabilité qu'ils ressentent dans leur cœur. Ils ont besoin de comprendre qu'ils ne sont pas responsables des autres.

Tout le monde descend sur Terre pour atteindre un but. Cependant, si quelqu'un prend votre place, il vous empêche de nettoyer votre karma.

Ceux qui endossent la responsabilité des autres ou se sentent coupables de ne pas s'occuper d'eux se sentent ainsi parce qu'ils n'ont pas encore réalisé à quel point ils leur font du mal.

Ils ne leur permettent pas d'endosser leur responsabilité concernant le nettoyage de leur propre karma.

Ils leur enlèvent leur responsabilité quant aux choix qu'ils font.

Ils leur enlèvent leur initiative.

Ils leur enlèvent leur essence.

Et en dernier lieu, ils leur enlèvent leur lumière.

Lorsque vous endossez la responsabilité des autres, vous vous fuyez, vous fuyez votre essence, mais plus important encore, vous fuyez votre propre lumière.

Comprenez-vous maintenant ?

JÉSUS

# 89

# Mensonges

Pourquoi les gens se mentent- ils entre eux ?
Pourquoi les gens se mentent-ils à eux-mêmes ?
Simplement parce que c'est plus facile que de faire face à la réalité.
Mettre une personne en face de quelque chose qu'elle ne veut pas accepter peut être vraiment délicat. Comment pouvez-vous faire dans ce cas ?
Abordons une chose à la fois.
Vous mentir à vous-même. C'est le pire mensonge qui soit, celui qui diminue une personne. Celle qui le fait est incapable de s'accepter. Non seulement elle refuse d'accepter ses limites et ses défauts, mais elle n'accepte pas d'être différente des autres. Surtout, elle refuse d'accepter qu'elle n'est pas censée être comme les autres ni être ce que les autres attendent d'elle.
Cet être est toujours en conflit avec lui-même. Il ne sera jamais heureux. Il crée une illusion et pense que cela lui apportera plus de bien-être, sans la moindre inquiétude concernant ce qu'il peut faire à son énergie originelle.
Et puis il y a ceux qui mentent aux autres.
Ces êtres sont tout simplement lâches. Je ne suis pas en train de dire que vous devez partager chaque détail de votre vie avec les autres. Si vous ne souhaitez pas partager quelque chose avec quelqu'un, ne le faites pas. Chaque être humain devrait créer un peu de mystère autour de lui. Il n'y a pas de mal à cela.
Mais mentir, prétendre que quelque chose est vrai alors que ce ne l'est pas, est tout à fait différent.
Vous pouvez simplement dire que vous n'avez aucun commentaire à faire ou que vous n'avez pas envie de parler.
Mais ne mentez jamais.

N'oubliez pas que toutes vos actions ont des conséquences. À partir du moment où un mensonge devient une manipulation énergétique de la vérité, il aura toujours des conséquences relevant également de la manipulation.

Je doute fort que le résultat vous plaise.

JÉSUS

# 90

# Ascension

Le conflit intérieur est la clé de la roue des incarnations.

Un être descend et s'incarne parce qu'il est lié à la roue des incarnations. Il est attaché à cette roue à cause de ce conflit.

À moins qu'il ne soit capable de résoudre ce conflit intérieur, de réconcilier ses opposés, il ne sera jamais capable de s'élever, et par conséquent il ne sortira jamais de la roue des incarnations.

S'affranchir du conflit, c'est comprendre que le monde est fait d'opposés.

S'affranchir du conflit, c'est croire, aussi difficile que cela puisse paraître, que ces opposés peuvent coexister.

Le jour où vous croirez que les extrêmes opposés peuvent coexister...

Le jour où vous réaliserez que vous pouvez avoir votre propre opinion, même si quelqu'un d'autre peut voir le monde différemment et avoir ses propres opinions aussi...

Le jour où vous cesserez de croire que vos opinions sont bonnes et que celles des autres sont mauvaises, et que vous commencerez à comprendre qu'elles sont tout simplement deux opinions – juste deux opinions, deux façons différentes de voir la vie, juste deux opposés sur le même axe. Aucune n'est meilleure que l'autre, car il y a assez d'espace pour deux différentes perspectives sur la vie ; en fait, il y a de la place pour beaucoup d'autres. Et elles sont toutes exactes. Elles sont toutes viables. Elles sont toutes possibles...

Le jour où vous vous permettrez de ressentir deux émotions contraires dans votre cœur, permettez-leur de coexister, sans jugement, sans penser que l'une est meilleure que l'autre.

Le jour où vous serez capable de vibrer sur cette fréquence qui est si élevée et semble si inaccessible aux êtres humains...

Ce jour-là, le conflit sera aboli.

Et vous serez prêt à vous élever. Vous serez prêt à sortir de la roue des incarnations, pour monter ici et ressentir un autre type d'énergie.

Et en montant ici, vous pourrez alors continuer votre évolution vers de nouveaux horizons.

JÉSUS

# 91

# Perfection

La perfection n'existe pas. Comme elle ne saurait être un objectif, elle ne peut être une fin en soi.

Vous devriez seulement avoir envie d'arriver dans un lieu attrayant, confortable et lumineux.

Les êtres humains ne sont pas supposés vouloir aller dans un lieu qui n'est pas harmonieux et équilibré.

Car telle est la perfection. C'est un état d'exigence, de stress, d'anxiété et de dépression.

C'est un lieu où les gens ont beaucoup trop d'attentes, pourtant c'est aussi un lieu inconnu. Puisqu'il n'existe pas, personne n'y a jamais été, si ce n'est pour quelques brefs moments.

Le problème est que les gens ne prennent pas cela en considération.

Ils veulent être parfaits.

Ils luttent pour être parfaits. Ils jugent tout ce qui est imparfait, et ce faisant, ils ôtent aux choses toute leur valeur.

L'homme ne comprend pas ceci :

Le Ciel est parfait.

L'Univers est parfait.

Le Ciel abrite des êtres de lumière.

Le monde abrite les hommes – des êtres imparfaits en quête d'évolution. Comment vont-ils évoluer ?

En entrant en contact avec l'imperfection du monde pour pouvoir la combattre. Et c'est en luttant contre cette imperfection qu'ils pourront évoluer et aller de l'avant.

Maintenant, imaginez-vous que les êtres humains soient parfaits. Il n'y aurait plus de conflit et, sachant que c'est à travers les conflits que nous évoluons, il n'y aurait plus d'évolution.

Tout serait parfait, et nous n'aurions jamais vécu cette expérience sur Terre.

Et maintenant, qu'avons-nous besoin de faire ?

Nous devons faire la paix avec nos propres imperfections. Accepter que nous ne sommes pas parfaits et que nous n'avons pas à l'être. Ce que nous devrions faire par contre, c'est faire de notre mieux et de manière responsable.

C'est tout.

Et juste en faisant cela, Moi, de là-haut, je serai très heureux.

JÉSUS

# 92

# Pour qui ?


Pour qui ?

Oui, voici ma question. Vous naissez, grandissez, allez à l'école, choisissez une carrière, choisissez des partenaires, sortez ensemble, vous vous mariez, vous avez des enfants et vous travaillez. Vous supportez la pression de vos parents, de votre partenaire, de vos enfants, de votre patron, ainsi que celle de l'argent et de la société.

Voici ma question :

Pour qui faites-vous un travail que vous n'aimez pas, et pour qui supportez-vous des parents autoritaires ?

Pour qui supportez-vous toutes les demandes d'un partenaire qui ne réussit pas à vous accepter comme vous êtes ?

Pour qui supportez-vous les demandes que vos enfants ont à votre égard en tant que parent ?

Pour qui ?

Pour qui supportez-vous les hauts et les bas d'une carrière qui ne vous mène nulle part ?

Pour qui cessez-vous de voyager, de faire les choses qui redonnent de l'énergie à votre âme ?

Pour qui vous permettez-vous d'être coincé dans une vie insignifiante et stérile, qui ne va nulle part et ne vous offre aucune perspective ou satisfaction ?

Pour qui ?

Pour qui avez-vous enfermé vos rêves dans un tiroir, et avidement poursuivi ce sentiment de sécurité dont vous êtes encore loin ?

Pour qui avez-vous renoncé à un futur brillant et radieux, le fruit de l'énergie de votre essence ?

Pour qui avez-vous réduit votre essence, ignoré votre âme et cristallisé votre énergie ?

C'est tout ce que je vous demande.

Pour qui ?

JÉSUS

# 93

# Arrêt

Vous attirez tout ce qui arrive. Chaque événement, chaque moment dans le temps. Tout ce qui arrive est causé par l'énergie qui émane de vous.

Vous en êtes parfois conscient, d'autres fois vous ne l'êtes pas, mais chaque comportement, pensée, action et réaction, et chaque moment que vous vivez sont remplis de cette énergie.

Cette énergie sort de vos pores, de vos chakras, de vos yeux.

Chacune de vos intentions a sa propre énergie. Il émane de la force de chaque moment contenu.

Tout ce qui arrive dans votre vie, jusqu'au moindre petit détail, est simplement une réponse à cette énergie individuelle et unique que vous envoyez dans l'univers.

Si un jour vous arrêtiez tout – de faire, de réagir, de penser, de rationaliser, de juger, si un jour vous arrêtiez tout dans votre vie…

Si vous arrêtiez tout et restiez simplement silencieux, ressentant les choses, ce jour-là, vous n'expérimenteriez plus ce qui vous a dérangé depuis quelques années. Tout ce qui resterait, le jour même où vous cesseriez consciemment d'émettre de l'énergie, ce sont des événements qui répondent à votre énergie inconsciente.

Cette énergie inconsciente, que vous émettez lorsque vous ne faites rien, est la plus pure des mémoires de vos vies passées. Cette énergie ne produit que des événements que vous avez besoin d'expérimenter afin de vous libérer de l'émotion qu'ils suscitent en vous.

Et après ?

Qu'arrivera-t-il une fois que vous aurez cessé d'émettre une énergie consciente et purifié cette énergie inconsciente ?

Il n'y aurait plus d'énergie à émettre et par conséquent aucun événement résultant de cette énergie.

C'est ici, à ce moment précis, que vous commenceriez vraiment à vivre votre vie.

Ce n'est qu'à partir de ce moment-là que vous seriez libéré de vos émotions instinctives et inconscientes, et auriez la tranquillité d'esprit pour faire vos propres choix.

En résumé :

Vos actions conscientes sont déterminées par une énergie qui vient de votre mémoire inconsciente.

L'énergie de cette mémoire est émise de façon à attirer de nouveaux événements qui provoquent les émotions que vous avez besoin de vivre.

Ce n'est que lorsque vous arrêterez ce mouvement d'actions conscientes que vous serez capable d'accéder à votre énergie subconsciente et de nettoyer vos mémoires. En purifiant ces mémoires, vous vous libérerez de cette énergie inconsciente et instinctive.

Étant donné que vous aurez changé votre énergie, lorsque vous commencerez à avancer de nouveau, vous serez confronté à différentes conséquences. Ces conséquences seront beaucoup plus réelles, claires, purifiées et lumineuses.

Telles sont les dynamiques de l'attraction. C'est ce que vous avez besoin de comprendre si vous souhaitez changer votre vie.

JÉSUS

# 94

# Victimisation

Un enfant pleure afin d'attirer l'attention sur lui. Nous sommes d'accord avec cela. C'est évident.

L'enfant pleure parce qu'il a peur de la douleur, de ce qui peut le blesser et de ce serrement dans sa poitrine.

L'enfant pleure et ses pleurs attirent l'attention de tout le monde.

L'enfant est une victime.

Il croit que quelqu'un d'autre est à blâmer pour son embarras et attend que quelqu'un vienne alléger sa peine.

C'est toujours la faute des autres.

L'enfant tombe, se cogne le bras sur la table, mais il ne pense pas être responsable. C'est la faute de la table.

Le voilà qui se met à pleurer, piquant une colère, attendant que quelqu'un prenne soin de lui et fasse disparaître toute responsabilité qu'il pourrait avoir en le couvrant d'amour et d'affection.

L'enfant reçoit de l'amour et de l'affection quand il pleure. Il reçoit du réconfort. Il reçoit de la protection.

Mais cet enfant grandit. Et chose curieuse, il ne change pas sa manière de penser. En tant qu'adulte, il continue de se plaindre et de gémir à propos des autres, les « méchants », ceux qui prétendument lui ont fait du mal.

Cet enfant plus âgé a un grand besoin d'attention.

Il n'assume pas la responsabilité de ses actions. Il n'est jamais responsable de ce qui lui arrive.

Il ne veut pas reconnaître que les gens attirent seulement ce qui est déjà dans leur cœur.

Ceux qui sont violents attirent la violence.

Les « méchants » n'existent pas. Tout et tout le monde, sans exception, est attiré par votre énergie. Ils ne sont pas méchants.

Ils sont des véhicules que le Ciel utilise comme moyen pour vous aider à expérimenter ce que vous avez besoin d'expérimenter.

Pourtant, au lieu de reconnaître cela une bonne fois pour toutes, au lieu de changer votre énergie et d'assumer la responsabilité de ce que vous attirez, même si c'est seulement pour purifier votre cœur de cette fréquence et cesser d'attirer de tels événements, vous blâmez les autres, vous plaignant de votre malchance, et jouez la victime.

Cherchez-vous à attirer l'attention ?

Cet enfant est maintenant un adulte et a besoin de changer son attitude ; il a besoin d'être plus mûr et de prendre le contrôle de la vie qu'il a choisie pour ce voyage.

Cherchez-vous à attirer l'attention ?

Changez, regardez à l'intérieur, méditez et trouvez votre essence, votre véritable être intérieur. Venez ici pour trouver mon amour inconditionnel, et vous recevrez toute l'attention qui existe dans cette vie.

JÉSUS

# 95

# Entrez à l'intérieur des autres

Entrez à l'intérieur de chaque personne.
Entrez profondément.
Placez votre conscience dans leur cœur.
Placez votre esprit à l'intérieur de leurs yeux.
Qu'est-ce qu'ils voient ?
Qu'est-ce que chacun d'eux voit dans cette vie, dans ce monde ? Comment vous voient-ils ?
Si la personne est un ami à vous, voyez les choses à travers ses yeux.
Restez-là un moment, en méditation.
N'ayez pas peur de vous impliquer.
N'ayez pas peur de vous éloigner de la position que vous avez, votre position dure et insensible. Allez-y et regardez les choses à travers ses yeux. Voyez les choses comme il les voit.
Qu'est-ce que ces personnes désirent ?
Comment pourraient-elles vivre une vie meilleure ?
Je n'ai pas dit une vie plus confortable. Laissez le confort de côté. J'ai dit une vie meilleure, plus qualitative et avec une plus grande tranquillité.
Avec plus d'âme.
Comment pouvez-vous faire pour que leurs âmes se révèlent et se réjouissent de leur existence ?
Peut-être le savez-vous.
Observez simplement, d'en bas, comment le monde fonctionne quand les choses vont pour le mieux.

JÉSUS

# 96

# Aimez les autres

Aimez les autres. Aimez chaque personne. Aimez leur âme.

Si vous n'aimez pas quelqu'un, si cette personne a beaucoup de défauts, de comportements destructeurs, Je vous défie de découvrir ses qualités et ses talents.

Je vous défie de découvrir son âme, de reconnaître que vous avez attiré cette âme, et qu'elle vous a attiré, ce qui, très probablement, n'est pas arrivé par hasard.

Quelle que soit la raison de votre venue sur Terre, vous êtes venu pour le faire ensemble. Étant donné qu'il y a des choses que vous devez accomplir, il est préférable que vous les fassiez bien, dans l'harmonie et avec sincérité.

Aimez les âmes des gens, et aidez-les à abandonner leur résistance et à ouvrir la voie de l'acceptation.

Parlez, en amis, de vos différents points de vue et faites une alliance personnelle dans laquelle chacun aura quelque chose à gagner. Dans laquelle les deux se verront réaliser quelque chose.

Il n'y a aucune âme qui ne désire pas l'harmonie.

Il n'y a aucune âme qui ne désire pas l'amour.

Il n'y a en a vraiment aucune.

JÉSUS

# 97

# Se sentir triste

Lorsque quelqu'un à qui vous tenez vous fait du mal…
Soyez triste.
Reliez-vous à votre douleur pour le bien des âmes qui ne peuvent pas se comprendre les unes les autres.
Soyez juste triste.
Si vous êtes très triste, pleurez. Les larmes qui coulent seront bien reçues.
Et montrez votre tristesse. Expliquez comment elle vous blesse et combien ce serait bien de pouvoir la résorber.
Invitez cette âme à ouvrir son cœur. Sans regret. Sans jugement.
Le jugement est normalement ce qui détruit les relations.
Les gens n'ouvrent pas leur cœur parce qu'ils jugent les autres.
Et parce qu'ils jugent les autres, ils croient que les autres les jugent aussi.
Et ils se mettent en colère.
Et ils jugent encore plus, et ce cercle vicieux se nourrit considérablement de lui-même.
C'est le cycle de la douleur.
Après avoir montré à quelqu'un à quel point vous avez mal, demandez-lui de vous ouvrir son cœur.
D'harmoniser les choses pour vous.
De se focaliser sur ce qu'il ressent à l'intérieur de lui pour vous.
Et vous recevrez une faveur.
Et vous reconnaîtrez toujours que cette personne a fait cela pour vous.
Et vous aurez de la gratitude.

Et vous reconnaîtrez toujours que les gens font des choses pour vous.

Et vous recevrez toujours des faveurs.

Et vous aurez toujours de la gratitude.

Et ils sentiront cela, et ils continueront de faire plus pour vous, et ils vous remercieront encore davantage.

C'est cela le cycle du bonheur.

JÉSUS

# 98

# Danser

Essayez de trouver sur quel air les gens aiment danser.

Les opprimés sont opprimés avant même de rencontrer leur oppresseur.

Et l'oppresseur est un oppresseur avant d'attirer l'opprimé.

Lorsqu'ils s'attirent l'un l'autre, ceux de l'extérieur sont abasourdis de voir à quel point une personne peut dominer l'autre.

Mais cela n'est pas vraiment le cas. Ils vont parfaitement bien ensemble et dansent sur le même air. Et (comme vous aimez le dire) il faut être deux pour danser le tango.

Personne ne peut danser le tango tout seul.

Vous avez seulement besoin de comprendre la logique de chacun.

Quand deux personnes sont ensemble, il y a toujours des zones où ils diffèrent. Tous deux devront utiliser la liberté de choix et de mémoire pour choisir une zone positive, une zone avec de la lumière à partager dans cette vie.

En fait, ils peuvent choisir la zone dense qui les unit et l'agrandir autant qu'ils le peuvent.

C'est à eux de choisir.

Si vous êtes capable de comprendre les limites de chacun, si vous pouvez trouver l'« air » sur lequel la personne danse, tout ce que vous avez à faire est de démanteler cette erreur.

Lorsque tous les deux réalisent qu'ils sont liés par des mémoires karmiques mutuelles, et qu'ils peuvent choisir de s'en éloigner, d'en sortir, et peuvent en fait finir par gagner en conscience et partir ensemble main dans la main.

JÉSUS

# 99

# Amour et peur

Quelle énergie vous fait avancer ?
L'amour ou la peur ?
En vérité, il n'y a que deux fréquences qui existent ici-bas dans la matière.
Et vous avez besoin de n'en choisir qu'une seule.
Soit vous choisissez l'amour, soit vous choisissez la peur.
Vous choisissez de vibrer pour moi ou vous choisissez de vibrer pour les ténèbres.
Quelqu'un vous manque-t-il ? Vibrez sur la fréquence de l'amour.
Lorsque quelqu'un vous manque et que ce désir vous fait mal, même au milieu de cette douleur, vous pouvez vibrer sur la fréquence de l'amour.
Comment ?
C'est simple.
Lorsque vous vibrez sur une fréquence négative en ressentant ce manque pour cette personne, lorsque vous vibrez sur la fréquence de la douleur de ne pas avoir cette personne, vous vibrez sur la fréquence de la peur.
La peur de perdre cette personne.
La peur de ne pas avoir cette personne.
Si vous choisissez de vibrer pour moi, par l'amour inconditionnel que le Ciel vous donne, pensez seulement à quel point vous aimez cette personne, même si elle est très loin.
Ressentez cet amour profondément.
Et restez-là, à ressentir simplement cet amour.
Vous verrez votre cœur se remplir de lumière et toute cette tristesse disparaître.
Quand vous êtes triste, malheureux, blessé ou anxieux parce que quelque chose est arrivé…

Cela signifie que vous vibrez sur la fréquence de la peur. Vous avez peur de souffrir, alors vous rejetez la douleur qui fait partie de cette expérience.

Par conséquent, vous rejetez l'expérience. Mais encore ici vous pouvez choisir de vibrer sur la fréquence de l'amour. Considérez simplement cette expérience comme un moyen de vous faire verser quelques larmes.

Et ces larmes ont attendu longtemps avant d'être versées.

Cet événement vous fournira l'unique opportunité de pleurer, d'expérimenter une douleur qui est probablement plus vieille que vous ne le croyez.

Et comme vous allez vibrer sur la fréquence de l'amour, vous allez aimez cette nouvelle conscience fraîchement trouvée qui vous dit que les expériences tristes arrivent pour nous autoriser à faire le deuil de nos anciennes blessures.

Vous aimez être conscient.

Vous aimez l'Univers qui vous a apporté cette expérience.

Vous vous aimez pour l'avoir compris.

Et enfin, vous m'aimez pour vous avoir enseigné tout cela.

JÉSUS

# 100

# Écoutez-moi

Vous êtes conscient de ce qui est arrivé lorsque j'étais sur Terre pour répandre mon message de paix, de fraternité, d'amour et de solidarité.

Il y a eu des scandales, ceux qui ont entendu ma parole et m'ont accepté, ceux qui m'ont ignoré, ceux qui m'ont même maudit.

Il y a ceux qui m'ont giflé, ceux qui se sont lavé les mains de moi, ceux qui m'ont fouetté et ceux qui m'ont provoqué.

Mais il y avait aussi ceux qui m'ont aimé et ceux qui m'ont perdu, et cette perte était tellement douloureuse qu'on la ressent encore aujourd'hui.

Il y a ceux qui ne s'en sont jamais remis.

Pourtant, si vous regardez attentivement, tout cela est arrivé dans la matière.

Tout ce qui s'est passé il y a deux mille ans est arrivé à l'extérieur et non à l'intérieur de l'homme.

Certains hommes ont ri de moi, d'autres m'ont pleuré.

Mais aucun, pas un d'entre eux, n'a fait quelque chose pour lui-même.

Ils ont écouté mes paroles, mais ils ne les ont pas transformées afin qu'elles deviennent leurs propres paroles.

C'est pour cette raison que je suis revenu.

Cette fois-ci, je veux que vous les convertissiez en vos propres paroles.

Je ne viens plus en tant qu'homme. Je ne suis pas revenu dans la matière.

Plus personne n'aura à regarder à l'extérieur de lui-même pour me voir.

Cette fois-ci, je viens comme énergie, je suis venu allumer le cœur des hommes.

Je veux entrer dans votre cœur. Je veux entrer et, en faisant en sorte que vous me regardiez, que vous regardiez à l'intérieur de vous-même.

Et vous m'entendrez à l'intérieur de vous.

Et vous penserez que mes paroles sont les vôtres.

Que mes pensées sont les vôtres.

Et en m'aimant, vous finirez par vous aimer.

Et ce faisant, j'aurai accompli mon plus grand miracle.

JÉSUS

# 101

# Impuissance

Vous avez envie de choses depuis que vous êtes enfant. Quand vous étiez petit, vous vouliez avoir beaucoup d'amis, vous ne vouliez pas aller à l'école, et vous ne vouliez pas que les professeurs vous ennuient.

Adolescent, vous vouliez que la personne dont vous étiez amoureux vous aime en retour, vous vouliez être libre, avoir votre propre espace, et que vos parents ne vous ennuient pas trop.

Ensuite, en tant qu'adulte, vous vouliez un bon emploi, de l'argent, et que votre patron ne vous ennuie pas.

Plus la vie avance, plus je prends conscience du fait que vos désirs sont ardents.

Vous voulez être connu, vous voulez être différent, vous voulez que les gens vous acceptent et fassent votre éloge. Et vous croyez que cela n'arrive qu'à ceux qui ont du pouvoir.

Par conséquent, vous voulez du pouvoir.

Il y a quelque chose que j'ai besoin de vous dire :

Tout ce que vous souhaitez dans cette vie, tout ce que votre ego désire sert à vous sentir en sécurité au niveau du subconscient.

Et pourquoi voulez-vous vous sentir en sécurité ? Parce que vous ne pouvez supporter de vous sentir dans l'insécurité. C'est trop pénible et trop douloureux.

Et pourquoi les gens réagissent-ils si négativement à l'insécurité ? Parce qu'ils portent des mémoires de leurs vies passées.

La raison pour laquelle une personne désire avoir du pouvoir dans cette vie est qu'elle porte en elle la mémoire d'une autre vie où elle avait ce pouvoir. Et ce pouvoir l'avait fait se sentir en sécurité. Ou bien elle porte la mémoire de ne pas avoir eu de pouvoir du tout, ce qui avait rendu sa vie bien plus difficile.

Quand quelqu'un se sent dans l'insécurité dans cette vie, il se souvient immédiatement, au niveau du subconscient, de la vie dans laquelle il a utilisé le pouvoir afin de masquer son insécurité. En conséquence, il recherche le pouvoir comme moyen pour étouffer son sentiment d'insécurité.

J'ai de mauvaises nouvelles.

Puisque nous parlons de mémoire, quelle que soit l'importance du pouvoir que les gens obtiennent dans cette vie, ils ne seront jamais satisfaits.

Pourquoi ?

Parce qu'ils recherchent l'« autre » pouvoir, celui qu'ils avaient dans cette autre vie.

Et leur insatisfaction ne fait que grandir.

Et plus ils recherchent le pouvoir, plus ils se sentent insatisfaits parce que ce n'est pas ce pouvoir-là qu'ils recherchent.

Les gens viennent ici sur Terre en particulier pour renoncer à ce pouvoir. Ils viennent pour s'affranchir de cette mémoire. Pour retrouver l'harmonie. Ce qu'ils ont eu de trop dans une autre vie sera rééquilibré dans cette vie-ci, sous forme de restriction.

Plus une personne recherche le pouvoir, plus elle se sentira insatisfaite et plus l'état d'impuissance qu'elle attirera sera grand.

C'est la loi de la nature.

Plus les personnes acceptent toutes ces expériences d'impuissance sans tenir compte de la douleur qu'elles engendrent, plus elles seront près de leur essence, plus elles seront près de leur énergie originelle, et plus elles se sentiront en sécurité.

Et plus elles seront près de moi.

JÉSUS

# 102

# Âmes sœurs

N'oubliez jamais vos liens. Chaque être qui croise votre chemin a une âme qui est liée à vous d'une manière ou d'une autre, dans l'espace infini de l'éternité.

Chaque âme qui croise votre chemin a quelque chose à vous dire, quelque chose à vous enseigner.

Lorsque vous étiez ici au Ciel, entre deux vies, vous avez décidé que quel que soit ce que vous aviez besoin d'apprendre, vous l'apprendriez l'un de l'autre. Cependant, il y a des êtres dont l'âme est plus liée à la vôtre qu'à d'autres.

Et dans cette vie, il y a une âme qui est liée à la vôtre bien plus que n'importe quelle autre âme.

Et c'est cet être qui sera votre compagnon pour toujours, dans les bons et les mauvais moments.

Le lien entre votre âme et l'âme de cet être très spécial existe pour une seule raison :

Être. Pour que vous deux soyez côte à côte pour la durée de ce voyage. Pour cette seule raison.

Ressentez cela : deux âmes, côte à côte, pour la durée de ce voyage.

Voilà tout. Rien de plus.

En échangeant de l'énergie et des expériences, sans ego, sans défenses et sans obstructions.

Deux êtres, côte à côte, partageant un seul chemin.

Chaque âme est ce qu'elle est.

Chaque âme est ce qu'elle est, et elle respecte l'autre âme. Rien de plus. Voilà tout.

Mais toutes les âmes ne sont pas capables d'atteindre ce niveau d'évolution.

La plupart du temps, ces âmes continuent d'avoir beaucoup de mécanismes de défense et de résistance et beaucoup d'ego.

Elles sont incapables de voir le chemin.

Elles sont incapables de voir l'âme qui voyage à leur côté.

Elles sont incapables de se voir elles-mêmes.

Dans cet état, ces âmes sont incapables d'évoluer. Elles sont peut-être ensemble, mais cela ne sert à rien. Il n'y a pas d'émotions. Il n'y pas de communion. Il n'y a pas de partage. Elles sont simplement deux corps qui suivent le même chemin. Voilà tout.

Laissez-moi faire une suggestion.

Commencez à regarder les gens comme s'ils étaient simplement des âmes. Retirez leurs vêtements et leur corps. Retirez leur résistance, leurs défenses. Retirez leur ego.

Vous verrez une lumière.

Puis faites la même chose pour vous. Retirez votre corps, vos défenses, votre résistance et votre ego.

Et restez dans la lumière.

Et vous réaliserez que les conflits, la tristesse, le ressentiment et le chagrin ne font pas partie de l'âme.

Ils font partie de la matière ; ils font partie du corps, qui est dans la peur.

Finalement, vous aurez même conscience de ce qu'est une âme piégée dans un corps qui n'a pas choisi la lumière.

C'est une âme qui souffre.

Lorsque vous rencontrez quelqu'un sans tenir compte de qui il est, faites ce qui suit.

Dans votre esprit, retirez ses habits, son corps, ses défenses, sa résistance, et essayez de ressentir son âme. Vous sentirez la lumière qui vient de l'âme de cette personne.

Et vous commencerez à le voir sous un angle différent.

Vous ressentirez son âme.

Vous allez ressentir la communion.

Vous ressentirez vos deux âmes partageant ce chemin.

Vous ressentirez leur énergie.

Vous me ressentirez moi.

JÉSUS

# 103

# Ma voix

Croyez que vous pouvez être ma voix ici sur Terre.

Vous ne serez pas le premier et certainement pas le dernier, mais vous serez une voix importante à partir du moment où vous commencerez à comprendre la pertinence de mes paroles.

Vous serez ma voix non pas par ce que vous allez commencer à dire mais par ce que vous allez commencer à ressentir.

À partir du moment où vous commencerez à ressentir profondément et serez capable d'émettre ma lumière.

À partir du moment où vous serez capable de faire sentir votre énergie aux autres.

À partir du moment où vous serez capable de leur ouvrir l'accès à leur propre lumière.

Ce n'est pas ce que vous direz mais l'énergie que vous mettrez dans ce que vous dites.

C'est la lumière que vous mettrez dans ce que vous dites.

C'est l'émotion qui émanera de vos paroles.

Croyez que vous pouvez être ma voix sur Terre. Non pas par le sentiment d'importance que cela vous procure mais par l'engagement que cela exige de vous. Et pour être ma voix sur Terre vous devrez toujours porter ma voix en vous.

Ma voix, mon énergie, ma lumière et mon inspiration.

Il vous faudra faire trois choses pour être ma voix sur Terre : ressentir, ressentir et ressentir.

De la même façon que vous ressentez la lumière un jour ensoleillé.

De la même façon que vous ressentez la douleur d'une âme qui a été trahie.

De la même façon que vous ressentez l'immensité de l'espace et du temps.

De toute évidence, l'humain a ses limites.

Mais pratiquez. Méditez. Accédez à votre énergie originelle.

Je serai là, à vous attendre.

JÉSUS

# 104

# Protection

Pour se sentir protégé, il faut compter sur Dieu.

Compter sur nous, là-haut, pour vous aider dans chaque moment de votre voyage.

Partout où la vie passe, quoi que vous viviez, comptez sur nous.

Nous, de là-haut, nous avons la capacité de vous aider, de vous guider.

Comptez sur nous pour vous guider le long de chaque chemin que vous avez l'intention de prendre.

Reconnaissez que tout ce que vous touchez à l'extérieur de vous doit venir de l'intérieur de vous. Autrement, cela ne servirait à rien énergétiquement.

Éclairez votre chemin avec notre lumière pour accorder du temps à votre lumière pour briller.

Venez au Ciel, posez des questions, confiez-nous chaque problème, chaque situation.

Et ressentez vraiment la direction du vent.

Car c'est le vent qui vous guidera ici-bas.

Sentez que chaque situation a son énergie propre et que la magie vient en nous permettant de vous guider là où de merveilleuses transformations ont lieu.

Car vous êtes ici pour vous transformer.

Demandez notre protection.

Ressentez le chemin et demandez notre protection.

Et comprenez qu'avec la bénédiction du Ciel, l'homme peut aller jusqu'au bout du monde.

JÉSUS

# 105

# Nouveauté

Il y a une structure ancestrale qui pèse sur vous. Elle vous empêche d'avancer. Elle vous empêche d'évoluer.

Cette structure est le passé.

La personne que vous étiez dans le passé, ce que vous avez ressenti dans le passé, mais plus important encore, comment vous avez pensé dans le passé.

L'accumulation de concepts, de jugements, de sentiments de victimisation.

Toute la culpabilité, la peur et le ressentiment que vous avez supportés.

Tous ces fardeaux qui ne sont plus en accord avec la personne que vous êtes aujourd'hui mais qui sont encore présents dans votre esprit, prêts à exploser, pèsent lourd sur vous.

Affranchissez-vous de votre passé. Vous n'êtes plus la personne que vous étiez.

Vous n'êtes plus la personne que vous étiez il y a cinq minutes.

Tout change si rapidement aujourd'hui. Pourquoi ne profitez-vous pas de cela ?

Essayez de vous affranchir de chaque sentiment, de chaque action et de chaque situation, investissez la nouvelle personne que vous êtes en train de devenir avec sa nouvelle conscience, ses nouvelles valeurs et sa nouvelle façon de penser.

Avec sa nouvelle essence.

Soyez qui vous êtes aujourd'hui.

Et vous n'êtes peut-être plus la personne que vous étiez par le passé. Cela n'a pas d'importance. Nous sommes dans l'ère du changement.

Et le jour arrivera où vous vous réveillerez, regarderez dans le miroir et verrez l'être lumineux que vous êtes devenu.

JÉSUS

# 106

# Le cadeau de la vie

Si vous considérez que rien, absolument rien ne vous appartient...

Si vous considérez que vous n'avez rien lorsque vous venez sur Terre, et que vous n'emportez rien avec vous lorsque vous partez...

Si vous considérez que rien ne vous est dû et que tout ce que vous recevez est un cadeau de la vie...

Alors vous verrez la vie sous un autre angle.

Par exemple :

Si vous croyez que quelque chose va vous arriver, et qu'elle n'arrive pas...

Si vous avez l'espoir que quelque chose va se résoudre d'une certaine manière, et que le résultat n'est pas ce que vous attendiez...

Si vous voulez que les choses se passent d'une manière spécifique, mais qu'elles persistent à se passer différemment...

Si vous pensez que quelqu'un va réagir d'une certaine manière, et qu'il réagit différemment, ou si vous souhaitez qu'il fasse quelque chose et qu'il ne le fait pas ...

C'est évident que vous finirez par être déçu.

Vous ne vous attendiez pas que cela se passe ainsi.

Mais je veux vous expliquer quelque chose.

Si rien ni personne ne vous appartient, comment pouvez-vous souhaiter quelque chose ?

Qu'est-ce qui vous fait croire que vous pouvez manipuler les choses afin de vous satisfaire ?

Pourquoi pensez-vous que les choses vont aller dans votre sens ?

C'est la vie, mon ami ; c'est la vie qui vous donne tout. Absolument tout. La vie vous donne tout, de l'air que vous respirez aux vêtements que vous portez, vos enfants, vos amis, votre éducation, votre argent, votre travail et vos relations.

Avez-vous remarqué combien de personnes et de choses la vie vous a déjà accordées ? Pourquoi êtes-vous toujours focalisé sur ce que vous n'avez pas ?

Parce que vous souhaiteriez les avoir.

Et vouloir fait partie de l'ego.

Vous croyez avoir droit à une certaine quantité de choses, mais pour quelle raison ? Qui vous les a données ?

Qui a dit qu'elles vous appartenaient ?

C'est votre ego qui a rempli votre tête de l'illusion que vous avez droit à tout.

Laissez-moi vous suggérer quelque chose.

Oubliez tout. Recommencez tout à zéro.

Imaginez que rien ne vous appartient. Absolument rien. Tout appartient à la vie.

Et maintenant, commencez lentement à reconnaître tout ce que la vie vous a donné. Tout ce que vous avez reçu.

Commencez à regarder chaque chose que la vie vous a offerte, chaque personne, chaque émotion.

Et essayez d'avoir de la gratitude pour les innombrables choses que vous avez reçues.

Laissez cette gratitude grandir dans votre cœur. Permettez-lui d'envahir votre énergie de sa fréquence extraordinaire.

Et vous ne percevrez jamais plus la vie de la même manière.

JÉSUS

# 107

# Dépendances

Ne soyez pas dépendant.
C'est le secret.
Ne soyez pas dépendant.
Pensez-y. Pensez à une journée où vous êtes tellement connecté, heureux, satisfait de vos propres émotions, et tellement épanoui, simplement parce que vous êtes maintenant libre et que vous n'avez plus besoin d'essayer de vivre en fonction des attentes des autres, que vous vous sentez finalement en paix.
Et votre vie avance paisiblement vers l'infini.
Cela veut-il dire que vous ne souhaitez plus rien ?
Cela veut-il dire que vous ne rêvez plus ?
Pas du tout.
Vous avez des souhaits, des rêves, et vous avez très envie que les choses continuent à s'améliorer.
Alors qu'est-ce qui a changé ?
Quelle est la différence entre les moments où vous avez désiré certaines choses pour remplir le vide que vous ressentiez et pour vous sentir en sécurité et maintenant, où vous avez accepté votre dimension spirituelle mais continuez à vouloir certaines choses ici-bas ?
C'est simple.
Nous ne parlons plus d'un besoin.
Ce que j'entends par là, c'est que maintenant vous vous sentez complet, vous n'avez plus besoin de ces choses. Votre bonheur ne dépend plus d'elles.
Maintenant, si elles arrivaient, tant mieux. Il est tout à fait normal que vous les appréciiez, mais vous n'en êtes plus dépendant émotionnellement, vous ne ressentez plus que la vie est impossible sans elles.

Voyez-vous la différence ?

Faites cet exercice.

Concentrez-vous sur ce que vous voulez. Puis pensez au sentiment qui vous envahirait si vous ne pouviez pas l'obtenir, et si vous vous sentiriez bien ou non sans nécessairement considérer que cette chose vous rend complet. Si vous êtes content simplement grâce au plaisir que cette chose vous apporte, félicitations, cela veut dire que vous n'êtes plus dépendant émotionnellement des choses qui sont à l'extérieur de vous.

Cependant, si la possibilité de ne jamais obtenir ce que vous désirez vous décourage et vous déprime, si vous sentez que c'est la fin du monde, méfiez-vous.

Votre être intérieur est vide ; votre essence pleure et a besoin d'un soin spirituel de toute urgence.

JÉSUS

# 108

# Avoir peur

Il y a quelque chose que vous voulez, mais cela vous fait peur.
Une partie de vous le veut ; l'autre partie a peur.
Vous avez peur du risque. Vous avez peur de vous jeter dans l'inconnu.

Que devriez-vous faire ?

Tout d'abord :

Comprenez pourquoi vous le voulez. Pourquoi voulez-vous que ce souhait se réalise ? Pour être accepté ? Pour vous sentir plus en sécurité ? Pour être plus heureux ? Pour vous débarrasser de votre sentiment d'insatisfaction ?

Envisagez ceci : seul ce qui vient de l'intérieur peut vous apporter un bonheur complet.

Voilà le secret : chaque fois que vous voulez faire quelque chose simplement parce que vous vous sentez mal, trouvez un moyen de vous remonter le moral. Trouvez un moyen de vous sentir mieux. Méditez, allez en thérapie, venez au Ciel, pleurez ou faites quelque chose qui vous fera vous sentir mieux.

Ensuite, une fois que vous vous sentez mieux, quand vous vous sentez plus équilibré et heureux, demandez-vous : « Est-ce que je veux toujours poursuivre ce projet ? »

À ce moment vous avez déjà choisi.

Si la réponse est non, la raison est que vous cherchiez quelque chose à l'extérieur de vous-même, afin d'être mieux à l'intérieur. Évidemment, cela n'aurait jamais fonctionné car vous fuyiez et évitiez la cause du problème.

En vous forçant à être mieux à travers la méditation, en regardant profondément en vous, ou quel que soit ce que vous avez fait, vous avez prouvé la justesse de l'un des plus grands principes du Ciel.

Tout guérit de l'intérieur vers l'extérieur, et non l'inverse.

Si la réponse est « non », vous avez réussi à éviter une démarche qui aurait été une perte de temps.

Cependant si la réponse est « oui », si vous souhaitez toujours poursuivre votre projet, indépendamment du fait que vous vous sentez mieux, c'est tout à fait différent.

Il s'agit alors d'une intuition. Il s'agit d'une communication avec le Ciel. Il s'agit de quelque chose qui est en parfaite harmonie avec votre énergie originelle.

Vous pouvez aller de l'avant, car quelle que soit la difficulté du voyage, elle ne vous détournera jamais de votre chemin. Au contraire, elle finira par jouer un rôle dans l'enrichissement de votre être intérieur.

JÉSUS

# 109

# Condoléances

La seule chose que je puisse vous dire est « toutes mes condoléances ».

Mes condoléances, car vous ne savez pas encore qui vous êtes, car vous ne vous écoutez pas, car vous ne vous respectez pas, car vous vous induisez en erreur.

Vous vous induisez en erreur en ce qui concerne la personne que vous pensez être ou que vous aimeriez être.

Ce n'est qu'un masque, c'est mécanique.

Le fait que vous n'intériorisez pas les choses est beaucoup plus dommageable que ce que vous pouvez imaginer.

Le fait que vous n'allez jamais à l'intérieur, particulièrement dans votre poitrine, où votre cœur bat et d'où vos sentiments jaillissent…

Le fait que vous n'entrez jamais en contact avec la partie la plus intime en vous, la partie la plus profonde de votre être…

Le fait que vous ne vous êtes jamais relié à votre essence, l'être le plus profond et lumineux au centre de vous-même…

Le fait que vous n'avez jamais écouté votre voix intérieure, celle qui vous permettra de trouver la flamme de la vie éternelle, qui ne disparaîtra pas avec la vie physique…

Le fait que vous n'allez pas fouiller dans les profondeurs de votre vie pour acquérir une connaissance spirituelle de ce qui est vraiment bon ou mauvais pour vous…

Le fait même que vous ne me regardez pas, que vous ne me confiez jamais rien pour que je puisse prendre soin de vous et vous protéger.

Le fait que vous ne me posez jamais aucune question pour ensuite regarder les réponses que la vie apporte…

Le fait que vous ne faites jamais aucune de ces choses me fait pleurer amèrement.

Mais cela me donne aussi l'espoir qu'en conséquence de ce fort sentiment d'insatisfaction de ne pas savoir pourquoi les choses vous arrivent, de ne pas vous sentir soutenu ou protégé, de sentir ce nœud dans votre poitrine et de ne pas avoir la moindre idée de par où commencer... Je crois vraiment qu'à cause de tout cela, un jour vous me regarderez...

Et vous sentirez que je vous aime.

JÉSUS

# 110

# Prendre des risques

Les plus grands risques attirent les plus grandes récompenses. Chaque risque que vous prenez peut aboutir à la gloire ou à l'échec.

Tout dépend de la manière dont vous faites face à ces risques.

Si vous avancez de l'extérieur vers l'intérieur, dans une perspective matérialiste, en termes de ce que cela vous rapportera. Ou encore si vous faites face au risque d'une manière contrôlée, accédant au préalable à tous les bénéfices que vous pouvez récolter.

Si vous avancez en étant entièrement focalisé sur le résultat, c'est évident qu'il n'arrivera rien, étant donné que vous concentrez votre énergie sur le résultat final plutôt que sur l'action elle-même.

De toute évidence, vous vous focalisez sur le futur.

Le futur ne vous appartient pas et il n'aime pas être mis sous pression, être interprété ou contrôlé.

Et étant donné que vos attentes concernant l'issue sont très élevées, il est tout à fait naturel que vous soyez déçu quand la réalité forcera les résultats à prendre une mauvaise tournure.

Regardons les choses sous un autre angle.

Lorsque vous prenez des risques parce que vous êtes grandement inspiré ; lorsque cela vient véritablement de l'intérieur ; lorsque vous êtes dans le présent, et que le futur vous demande de prendre des risques…

Lorsque vous êtes si complètement centré que vous n'envisagez même pas d'éviter le risque…

Lorsque vous comprenez que la société dans laquelle vous vivez et les personnes qui en font partie ne vivront pas une minute de plus sans vos réalisations…

En ne tenant pas compte de l'ampleur du risque, si vous souhaitez le prendre pour nous, les gens du Ciel, afin que nous puissions atteindre les gens plus facilement...

Si prendre des risques veut dire que vous allez ouvrir des horizons, éclairer les âmes, consoler les cœurs, donner un sens à la vie, toucher les gens, et si au fond cela vous rend heureux...

Allez-y. Il est temps. Tout se fera dans l'harmonie.

Prenez le risque. Ce sont les meilleurs et les plus gros risques qui ont toujours bâti des ponts pour l'avenir.

JÉSUS

# 111

# Sensibilité

Activez votre sensibilité. Activez votre suprême sensibilité. Pour que vous puissiez tout sentir autour de vous.

Pour que vous puissiez reconnaître les signes. Pour que vous réalisiez que les signes ne sont pas visibles puisqu'ils ont lieu principalement dans votre système énergétique.

Ressentez les choses aussi profondément que possible. Pleurez si vous en avez besoin, mais que vos larmes viennent d'une émotion. Pleurer n'est pas toujours qu'une question de douleur.

Activez votre suprême sensibilité pour que vous puissiez comprendre ce qu'il se passe. Car ce qu'il se passe est au-delà des mots, des sons et de la forme.

Ce qu'il se passe est une énergie pure.

Activez votre suprême sensibilité.

Acceptez-la. Être sensible est le plus beau cadeau.

Et lorsque vous vous reconnaîtrez comme étant l'être humain sensible que vous êtes, seulement alors vous pourrez vous élever.

Recevez mon énergie et ma bénédiction.

Et vous verrez qu'à partir de ce moment, la vie cessera d'être un mystère.

JÉSUS

# 112

# L'âme

Un jour, une petite âme ici, au Ciel, décida de se réincarner. C'était une très brillante flamme de lumière dans les nuages, attendant de s'incarner.

Elle avait ascensionné quelque temps auparavant et avait pris un moment à analyser le passé, sa vie passée – ses vies passées, pour être plus précis. Analysant tout ce qu'elle avait accompli et tout ce qu'elle n'avait pas fait, les émotions insupportables qu'elle avait purifiées et celles qu'elle avait acquises.

Cette petite âme dans les nuages se préparait pour un nouveau voyage. Elle préparait aussi sa mission, choisissant ce qu'elle ferait cette fois-ci et les exigences auxquelles elle serait soumise pour réussir sa nouvelle tâche.

Elle continua à choisir son pays, ses parents, et les circonstances économiques, sociales et environnementales dans lesquelles elle évoluerait.

Si elle naîtrait extrêmement sensible ou avec un énorme blocage émotionnel.

Tout était planifié jusqu'au moindre détail, aux côtés des autres âmes dont elle croiserait la route plus tard. En s'incarnant et en entrant dans le corps d'un nouveau-né, elle oublierait tout. La cape de l'oubli est intraitable. Il n'y a qu'une chose qu'il lui a été demandé de ne pas oublier, une chose seulement : « Vous pouvez oublier tout ce que nous avons planifié. Vous pouvez même échouer dans votre mission, refouler vos émotions et ne pas évoluer. Mais nous vous demandons de vous souvenir d'une seule chose : n'oubliez pas que vous ne devez pas, en aucune circonstance, permettre à votre lumière de s'éteindre. Quoi qu'il arrive, ne lui permettez pas de s'éteindre. »

Ceci est votre histoire.

Je sais que vous avez tout oublié. Mais je sais aussi que vous n'avez pas oublié l'essentiel.

Faites tout ce qui est en votre pouvoir pour que votre lumière ne s'éteigne pas.

JÉSUS

# 113

# Les trois dimensions

Chacun de vous a trois dimensions.

Chacun de vous vibre avec l'énergie du triangle représenté par ces trois dimensions : la dimension mentale, la dimension physique, et la dimension spirituelle ou, en dans d'autres termes, la dimension de l'âme.

Vous serez en harmonie seulement lorsque vous vibrerez de manière égale dans les trois dimensions.

Cependant, ce n'est pas ce qui arrive. Ce n'est pas ce qui s'est passé.

Dernièrement, les êtres humains ont vibré dans la dimension mentale.

Cette dimension contrôle les deux autres.

Lorsque vous êtes triste, vous pensez « c'est bête, je me sens triste et je n'en connais pas la raison ». Et vous essayez de ne plus être triste.

En réalité, vous utilisez votre esprit pour manipuler vos émotions.

Vous êtes en train de dire à votre douleur « cesse de me faire mal parce que je ne comprends pas d'où tu viens ».

Et vous vous refermez.

Et ce faisant, vous interrompez le flux émotionnel qui vous aurait presque certainement emmené quelque part.

Lorsque vous sentez l'appel, lorsque vous sentez l'énergie du Verseau, lorsque vous vous sentez ému par des coïncidences, par des événements qui sont inhabituels et instructifs, quand vous voyez la vie défiler devant vous, quand vous sentez la lumière, et quand vous me sentez, la première chose à laquelle vous pensez est « voilà que j'invente des choses, voilà que j'hallucine ».

Et vous coupez court. Vous retenez.

C'est votre esprit qui arrête et empêche votre dimension spirituelle de se manifester.

Parce que vous êtes de l'énergie, c'est tout ce que vous êtes. Et l'énergie se manifeste.

Vous avez trois dimensions.

Ne permettez pas à votre dimension mentale de dominer. Harmonisez le tout. Pensez. Et réfléchissez bien.

Ressentez. Et respectez ce que vous ressentez.

Soyez intuitif et suivez la lumière.

Et vous serez en harmonie.

Vous serez équilibré.

Vous serez heureux.

JÉSUS

# <u>114</u>

# Mon amour pour vous

Ne vous ai-je jamais dit que je vous aime ?
Que je ressens ce que vous ressentez ?
Que vous me manquez ; que cela me manque de vous avoir près de moi ?
Ne vous ai-je jamais dit que votre présence me manque, que votre lumière me manque ?
Ne vous ai-je jamais dit ce que nous avons vécu là-haut ensemble avant que vous ne vous incarniez ?
Nous avons expérimenté tellement de choses lorsque nous ne faisions qu'un, lorsque nous étions unis, lorsque nous étions ensemble.
Ce n'est pas la même chose là-haut sans vous.
Les choses ne sont plus les mêmes sans votre lumière, sans votre désir de descendre sur Terre pour vous incarner et continuer votre mission vers l'évolution.
Ne vous ai-je pas dit que j'attends votre retour pour que vous puissiez faire une pause dans votre souffrance pour l'évolution et que nous puissions jouer ensemble encore une fois, briller ensemble de nouveau ?
Naturellement, je veux que vous restiez sur Terre pour encore beaucoup, beaucoup d'années.
Il est inutile de dire que Dieu seul sait lorsque vous reviendrez. Mais je veux que vous sachiez que l'on a aussi besoin de vous là-haut. Et qu'importe le temps que cela prendra, je vous attends pour vous donner un baiser de lumière.

JÉSUS

# 115

# Pacte

Si vous n'êtes pas capable de faire ce qui vous est nécessaire par respect sans équivoque pour la personne que vous êtes, faites-le pour moi. Pour cet amour inconditionnel que j'ai pour vous et pour tous vos semblables.

Premièrement, faites les choses pour vous – à travers moi.

Puis, à mesure que vous commencerez à sentir le vent plaisant du changement, vous commencerez à comprendre. Vous commencerez à céder. Vous vous trouverez vous-même aussi longtemps que vous serez libre, aussi longtemps que vous serez fidèle à vous-même.

Ne vous ai-je jamais dit que je vous aime ?

Que je ressens ce que vous ressentez ?

Que ce qui vous fait mal me fait mal ? Même si je sais que vous avez de la douleur, je ne peux pas choisir pour vous, ni soulager votre douleur.

À moins que ce ne soit le cas avec ces mots.

Je vous aime parce que vous assumez la responsabilité de votre vie et de votre énergie.

Je vous aime parce que vous savez que la situation dans laquelle vous vous trouvez est la conséquence de vos choix précédents.

Je vous aime parce que vous confiez votre être au Ciel et à votre cœur, en laissant tout le reste de côté.

Je vous aime parce que vous ressentez et que vous me ressentez.

Reconnaissez à quel point notre relation est précieuse et faites ce pacte avec moi.

Alors, vous vous habituerez lentement à faire les choses par vous-même et pour vous-même.

C'est le moment de votre essence. C'est le temps où vous trouvez vos inspirations les plus infinies.

C'est lorsque tout a de nouveau un sens et que vous commencez à comprendre pourquoi vous avez voyagé sur ces grandes routes qui vous ont amené jusqu'ici.

JÉSUS

# 116

# Votre amour pour moi

Ceci est votre amour pour moi.

Lorsque vous vous regardez le matin et essayez encore une fois d'accepter qui vous êtes.

Ceci est votre amour pour moi. Quand vous nourrissez votre corps correctement pour éviter de tomber malade.

Ceci est votre amour pour moi. Quand vous vous offrez des petits cadeaux, juste parce que vous le méritez. Parce que je mérite que vous le méritiez.

Lorsque vous devenez sage.

Lorsque vous m'atteignez au Ciel.

Lorsque vous rêvez de moi et me souriez.

Ceci est votre amour pour moi.

Je ne veux pas que vous écriviez.

Je veux seulement que vous ressentiez, que vous ressentiez cet amour pour moi (cet amour que vous ressentez pour moi).

Chaque lac que vous regardez, vous le regardez pour moi.

Chaque coucher de soleil, chaque étoile filante que vous contemplez, partagez ce plaisir avec moi.

Chaque souvenir que vous avez, ayez-le pour moi.

Faites-le pour moi.

Chaque personne que vous serrez dans vos bras et chaque fois que vous croisez un regard, faites-le pour moi.

Aimez pour moi.

Je ne peux pas être là mais j'expérimente ce moment à travers chacun de vous, à travers chaque être humain qui honore ce qu'il ressent. Qui voit son cœur s'élancer vers le Ciel.

Chaque fois que vous tombez amoureux, faites-le pour moi.

Chaque fois que vous utilisez ma lumière pour aimer, contempler et vivre, vous ressentirez un peu plus votre être, vous donnerez plus, et vous unifierez le Ciel et la Terre par la force de notre union.

JÉSUS

# 117

# La mort

N'ayez pas peur de la mort, mon enfant, car tout est comme cela devrait être.

La mort n'est qu'une autre vie. La transformation platonique entre le Ciel et la Terre.

Transformation et enseignement, effort et conviction font tous partie de l'âme humaine.

Vous mourrez chaque jour qui passe, comme chaque jour devient hier.

Seulement pour renaître le lendemain.

JÉSUS

# 118

# La recherche

Cessez de me chercher sur les autels, dans les prières et dans les processions.

Je suis ici.

Je ne suis plus celui à qui vous vouez un culte, cette triste image.

Je suis vivant et je suis ici.

Je suis ici sous forme d'énergie, dans une nouvelle dimension.

Dans une dimension que vous devrez explorer et braver si vous souhaitez être avec moi.

Si vous souhaitez vraiment être avec moi.

Cela fait longtemps depuis la dernière fois que je suis venu dans cette dimension.

Je ne suis plus là.

Du moins pas ce Je, ce « JE » que je souhaite que vous connaissiez.

Ce JE, qui est plus complet et moins temporel.

Ce JE, qui est plus vibrant, énergétique, et intense.

Ce JE de lumière.

Cessez de me chercher à l'extérieur.

Je suis ici.

Juste ici, profondément à l'intérieur de vous.

Et chaque fois que vous regarderez à l'intérieur de vous, vous me verrez.

Et vous réaliserez que je ne suis plus dans ces tableaux aux cadres antiques, ni dans les cathédrales.

Je suis ici à l'intérieur de vous, sous forme d'énergie, pour vous aider à vous découvrir et à ressentir, ressentir profondément qui vous êtes vraiment.

JÉSUS

# 119

# Mission

Votre mission fait partie intégrante de chaque jour que vous vivez.

Qu'est-ce que cela veut dire ?

Laissez-moi vous expliquer.

Certains d'entre vous croient que votre mission sur Terre doit être grande. Beaucoup d'entre vous croient que votre mission devrait essentiellement être une tâche professionnelle. Et beaucoup d'entre vous croient que vous allez découvrir votre mission si vous suivez les signes, ce qui n'est pas tout à fait faux.

Mais les signes dont je parle ne sont pas des signes extérieurs, ce ne sont pas des choses qui vous arrivent, ils ne sont pas quelque chose dont vous vous rappelez soudainement.

Un signe est surtout quelque chose que vous ressentez.

La vérité est qu'aucun d'entre vous ne sait quelle est votre mission.

Même pas vous.

Votre mission sur Terre est quelque chose d'intrinsèque, tellement profond qu'elle ne peut jamais commencer à l'extérieur.

Elle ne peut jamais commencer dans la matière.

Elle doit naître à l'intérieur.

Elle ne peut jamais commencer dans votre tête ou dans votre esprit.

Elle doit commencer dans votre cœur.

Et de plus, elle doit avoir un format.

Regardez Alexandra, par exemple.

Après avoir connu un malheur, elle a décidé que ce dont elle avait besoin avant tout était d'apprendre à se connaître. Elle croyait que si nous attirons ce que nous émettons, le fait qu'elle ait

216

attiré ce malheur spécifique ne pouvait que signifier que quelque chose d'étrange émanait d'elle.

Elle a continué d'apprendre comment changer cette énergie. Plus tard, elle a essayé d'enseigner aux autres comment changer leur énergie.

En même temps, elle continuait à changer sa propre énergie.

Ensuite, durant sa recherche, elle m'a trouvé. Elle s'est engagée à me suivre. Et aujourd'hui nous avons notre projet.

Est-ce que vous comprenez comment les choses fonctionnent ?

La recherche commence toujours de l'intérieur.

En essayant de découvrir qui vous êtes.

En essayant de changer cette énergie.

En essayant de s'élever.

Si vous faites le vœu de prendre ce chemin vers la découverte de soi, tôt ou tard vous trouverez votre essence.

Elle grandira en force, en estime de soi, en paix, en espoir et en confiance, et elle vous dirigera vers ce qui était planifié pour vous sur Terre.

Vous commencerez lentement, en regardant chaque personne dans les yeux, en vous regardant dans les yeux, en donnant de l'amour et de l'affection à tous ceux qui croiseront votre chemin – en passant par votre propre processus de deuil pour pouvoir retirer celui-ci de votre cœur et devenir une personne aimante.

Et pendant ce processus de découverte de soi et de don d'amour – à vous-même et aux autres – un jour, quand vous vous y attendrez le moins, vous serez au cœur de votre mission.

Profitez de votre voyage.

JÉSUS

# 120

# Attitude

Votre mission est une attitude.
Votre mission n'est pas une route ni un chemin.
Votre mission n'est pas une profession, et elle ne vous demande pas d'être ajoutée à quoi que ce soit.
Ce n'est ni une personne, ni la trace de quelqu'un.
Votre mission est une attitude. C'est quelque chose que vous pratiquez tous les jours, dans l'intimité de votre foyer jusqu'à la façon dont vous vivez en société.
Elle est une attitude, petite et subtile.
Elle commence lentement.
Quand vous regardez dans les yeux les gens à qui vous parlez.
En les touchant, en serrant dans vos bras vos amis, et en traitant ceux que vous aimez avec respect.
En ne levant jamais la voix sur personne.
Tout cela fait partie de votre mission.
Les gens pensent que leur mission est quelque chose de grand, d'extraordinaire et de merveilleux.
Cela peut même le devenir.
Si vous serrez les gens dans vos bras plus souvent et les regardez plus profondément dans les yeux.
Si vous intensifiez l'amour que vous avez pour les autres. Si vous établissez des communautés bienveillantes et aimantes.
Alors vous aurez une grande mission devant vous.
Vous ne découvrez pas votre mission en réfléchissant.
Vous découvrez votre mission en ressentant.
Et c'est dans un petit détail que vous trouverez la voie qui un jour vous aidera à devenir un être qui éclaire le chemin pour les autres.

JÉSUS

# 121

# La personne que vous êtes devenue

Regardez quel genre de personne vous êtes devenu.
Plus aimante, plus tolérante et plus compatissante.
Pensez à comment vous étiez avant.
Fermée, dure, rebelle.
Regardez le chemin que vous avez parcouru.
Reconnaissez combien vous avez déjà fait au niveau émotionnel.
Évidemment, vous n'avez pas terminé. Il est clair que vous n'avez pas encore atteint votre but.
Mais y a-t-il vraiment un lieu où vous avez besoin d'arriver ?
La matière est double. Il y a toujours des opposés. La perfection et l'imperfection traversent main dans la main l'éternité. Nous ne parlons pas de personnes parfaites mais plutôt de personnes qui opposent moins de résistance.
Voilà en fait le chemin authentique.
Et moins vous élèverez de résistance, plus vous serez ouvert émotionnellement.
Pleurez quand vous avez besoin de pleurer.
Riez aux éclats lorsque vous avez besoin de rire.
Vivez chaque émotion pleinement, sans jugement.
Vous vous rapprochez, n'est-ce pas ?
Regardez la personne que vous êtes devenue. Et remarquez que je deviens plus fort chaque fois que vous devenez une meilleure personne.

JÉSUS

# 122

# Sensibilité extrême

Soyez sensible. C'est tout.
C'est tout ce que je demande.
Je vous demande d'être plus sensible pour que tout ce qui appartient au Ciel puisse circuler dans votre corps, de la manière la plus vraie qui soit.
Je vous demande d'être sensible, d'accepter que vous êtes sensible, car c'est la direction que les personnes doivent suivre pour trouver leur vrai chemin.
Naturellement, c'est le chemin le plus long.
Naturellement, c'est le chemin le plus pur.
Celui auquel personne n'a pensé, que personne n'a retranché, auquel personne n'a réfléchi sérieusement.
Le chemin vers une extrême sensibilité est le chemin des anges qui descendent sur Terre pour aider les gens à avancer.
Et il se pourrait que vous soyez cet ange. Vous ne vous en souvenez tout simplement plus.

JÉSUS

# 123

## Donnez à vous-même

Je ne veux pas recevoir ce que vous souhaitez me donner.
Savez-vous pourquoi ?
Parce que vous ne donnez rien à vous-même.
Vous voulez tout me donner.
Et vous savez quoi ?
Je ne peux rien recevoir à moins que cela ne soit passé par votre essence.

Si vous ne donnez rien à vous-même, vous ne me donnez rien non plus.

J'ai besoin que les choses aient une âme. C'est avec votre âme que vous communiquez avec moi.

Tout ce que vous faites pour moi manque d'âme, parce que cela ne passe pas par vous, par votre filtre, par votre âme.

Tout ce que vous vivez en ce moment a un nom : manque d'essence.

Quand l'Univers vous prend quelque chose, c'est pour que vous puissiez regarder en vous.

N'oubliez jamais cela.

JÉSUS

# 124

# Votre amour

Donnez-leur de l'amour.
Donnez-leur tout votre amour.
Votre amour le plus profond.
Votre amour le plus intériorisé.
Communiquez votre amour.
Exprimez votre amour physiquement.
Dites aux gens combien vous les aimez.
Touchez, embrassez, serrez dans vos bras, parlez.
À chaque moment, à chaque occasion de votre vie, aimez et exprimez cet amour.
Touchez toutes les personnes qui croisent votre chemin.
Touchez et passez l'énergie.
Regardez et passez l'énergie.
Souriez et passez l'énergie.
Soyez dans la lumière et donnez de l'espoir.
Votre vie entière commencera à se transformer avec ce toucher, ce regard, ce sourire et cette lumière.
L'Univers tout entier changera un peu grâce à votre attitude.
L'Univers tout entier changera un peu parce que vous aurez choisi de changer.
L'Univers tout entier changera un peu parce que vous aurez choisi d'aimer.
Et moi, là-haut, si loin, je recevrai cette énergie que vous aurez choisi d'émettre.
Et moi, là-haut, je recevrai l'amour que vous aurez choisi de donner.

JÉSUS

# 125

# Adieu

Lâchez prise – quelle que soit la situation en jeu.
Lâchez prise, au-delà de l'éternité.
Lâchez prise.
Lâchez tout. Chaque lien, chaque particule, laissez-les partir.
Dites au revoir. Dites au revoir.
Nous nous reverrons plus tard au Ciel.
Le temps n'existe pas. Nous nous retrouverons dans peu de temps.
L'espace n'existe pas. Nous nous reverrons bientôt.
Lâchez prise.
Relâchez.
Renaissez.
Pour que cela grandisse de nouveau.
Lâchez prise pour que cela aille lentement au Ciel.
Lentement, comme le son d'une clarinette.
Lentement, au rythme de votre cœur.
Lentement… lentement… lentement…

JÉSUS

# 126

## Sachez que je suis là

Je suis avec vous, toujours.
À chaque minute de vos jours et de vos nuits.
Pendant toutes les périodes difficiles où vous croyez être seul
– repensez-y.
Je suis ici. Toujours. À l'intérieur de votre cœur, vous enve-
loppant d'une douce énergie blanche. Avec mon amour.
Les temps sombres sont toujours des moments de solitude. Ce
sont des périodes d'apprentissage.
Et je suis ici, toujours près de vous, vous guidant à travers
votre intuition.
Vous recevez mes conseils et vous transmettez ce que vous
recevez de moi.
C'est notre communion.
Je suis ici. J'ai toujours été ici.
Et savoir que vous le croyez m'apportera beaucoup de paix.

JÉSUS

# 127

## Gratitude

Imaginez-vous que vous n'attendez rien de la vie. Vous recevez ce que la vie a à vous offrir... et c'est tout.

Imaginez qu'à un certain moment quelque chose ne va pas. Naturellement, vous êtes triste.

Vous ne vous mettez pas en colère, car seuls ceux qui croient avoir un droit se mettent en colère.

Et vous savez qu'ici-bas, dans la matière, vous n'avez un droit que sur ce que vous arrivez à conquérir énergétiquement. C'est tout.

Imaginez que quelque chose de bien vous arrive. Comme vous savez que vous n'avez joué aucun rôle, vous remerciez le Ciel.

La gratitude est un sentiment qui nous élève.

Lorsque vous vous êtes élevé et que vous êtes reconnaissant, vous n'attirez que la chance.

Vous n'attirez qu'une plus grande abondance.

Quand une personne croit qu'elle a joué un rôle dans son succès, elle est très fière, elle se focalise tellement sur la force qui lui a permis cela qu'elle surmène son ego qui, déjà si dense, finit par attirer encore plus de densité.

C'est la raison pour laquelle l'homme subit habituellement une grande défaite peu après avoir connu un grand succès.

C'est la raison pour laquelle ceux qui ne recherchent rien, normalement, obtiennent tout.

JÉSUS

# 128

## Point de rupture

Peu importe que vous l'acceptiez ou non, il existe un point de rupture qui se doit d'être analysé.

Quand quelqu'un est-il au bord de la rupture ? Quand il a utilisé toutes ses opportunités, lorsqu'il s'est détourné de son chemin, ou que le temps est expiré.

Dans votre cas, vous avez utilisé toutes vos opportunités, vous vous êtes détourné de votre chemin, et le temps est expiré.

C'est terminé. C'est arrivé. C'est le passé.

Le présent et le futur n'ont rien à voir avec le passé.

Le passé n'a rien à voir avec qui vous êtes aujourd'hui.

Coupez. Analysez. Comprenez.

Puis faites un bond en avant. Allez de l'avant avec conviction pour compléter ce qu'il reste à accomplir.

JÉSUS

# 129

# Martyr

Un martyr est quelqu'un qui souffre parce que j'ai souffert.

Et ceux qui souffrent croient qu'ils sont plus proches de moi. En souffrant, ils croient créer un lien d'empathie avec moi, et pensent que je serai plus proche d'eux par pitié ou compassion.

Ce n'est pas ainsi que les choses fonctionnent.

Je suis le premier à vous dire que vous devez pleurer quand vous êtes triste. Je suis aussi le premier à vous dire que vous ne devez pas fuir la douleur. Quand elle arrive, vous devez lui faire face et exprimer votre chagrin.

Avoir du chagrin c'est pleurer, c'est laisser ses émotions ressortir et c'est purifier.

C'est enlever toute densité dans votre poitrine.

C'est ce que vous devez faire.

Les martyrs recherchent la douleur.

Ils croient que la douleur purifie ; par conséquent, ils recherchent la douleur pour être purifiés.

Et ils croient que je vais les remercier pour cela. Je ne vais pas les remercier. Je n'irai même pas auprès d'eux. Ceux qui deviennent des martyrs sont des victimes. Ils cherchent à attirer l'attention ; ils veulent être plus grands et meilleurs que les autres.

Ceux qui deviennent des martyrs veulent être les premiers à arriver au Ciel.

Et si je vous disais qu'il est facile de devenir un martyr et qu'être heureux au milieu de toute cette densité sur Terre est beaucoup plus difficile ?

Et si je vous disais que les gens ont besoin de prendre soin d'eux-mêmes et de faire les choix qui les feront grandir plutôt que des choix qui les diminuent ? Et si je vous disais que ceux qui prennent soin d'eux-mêmes prennent soin de leur essence, et que seule une essence saine pourra s'ouvrir pour me laisser entrer ?

Pensez-y.

La souffrance est constructive seulement quand la douleur est vôtre et que vous décidez de vous y confronter, non pas parce que vous voulez être un martyr mais parce que vous souhaitez la purifier pour qu'elle ne revienne jamais.

Pensez à qui vous êtes et non à qui moi, là-haut, je voudrais que vous soyez. Pensez à qui vous voudriez être, un être unique original et abondant.

Et je suis sûr que cet être ne saurait être heureux en recherchant la douleur.

JÉSUS

# 130

# Troisième façon

Je vous ai dit ce que vous devez faire.

Parfois, les choses que je vous dis de faire sont difficiles ; d'autres fois, elles sont inimaginables.

Je vous dis de faire des choses qui sont claires et simples ou complexes et essentielles.

Et bien sûr, vous essayez de les faire. C'est évident.

Mais vous ne réussissez pas toujours.

Vous n'en êtes pas toujours capable. Vous n'avez pas toujours assez évolué pour les faire.

Et c'est ici que la culpabilité entre en ligne de compte.

« Je n'ai pas fait ceci, je n'ai pas fait cela. Je n'ai pas fait ce que j'étais supposé faire. »

Culpabilité.

À partir de là, vous êtes confronté à deux problèmes.

Ne pas avoir fait ce que je vous ai demandé, ce qui cause naturellement à votre âme de l'embarras.

Vous sentir coupable de ne pas avoir fait ce que j'ai demandé, ce qui me cause naturellement de l'embarras.

Mais ce n'est pas le problème.

Et si vous trouviez une troisième façon de faire les choses au lieu de faire ce que je vous demande et de vous sentir ensuite coupable parce que vous avez échoué ?

Une manière plus réalisable ?

Si je vous demande de courir cent mètres et que vous n'en êtes pas capable, qu'est-ce qui serait le plus avantageux ? De ne pas courir du tout ou de courir cinquante, soixante, soixante-dix mètres ? Ou peut-être vingt ou trente ?

De courir une certaine distance, au moins.

Dans ce cas, plus vous courez, indépendamment du fait que vous ayez réussi à courir les cent mètres ou non, je répète, plus vous courez, plus vous vous rapprochez de votre destination originelle, celle que j'ai choisie.

Maintenant pensez aux choses que je vous ai demandées.

Certaines sont impossibles pour vous.

Impossibles, pour le moment.

Parce que si vous commencez une partie de ces choses maintenant et que vous continuez dans cette direction, vous vous rapprocherez de mon objectif.

Par exemple, vous n'êtes pas capable de pardonner à quelqu'un, mais vous pouvez être plus aimant avec lui.

Vous n'êtes pas capable d'être plus aimant avec lui, mais vous pouvez toujours le traiter plus respectueusement.

Il y a toujours quelque chose que vous pouvez faire.

N'oubliez jamais : chaque pas que nous faisons vers la lumière est un pas qui nous éloigne des ténèbres.

JÉSUS

# 131

# Confier

Vous pouvez apprendre quelque chose seulement si ce que vous apprenez est en harmonie avec votre énergie.

Afin d'apprendre quelque chose qui a une énergie plus élevée, vous devez choisir d'ouvrir votre énergie à un niveau supérieur.

Tout arrive de cette manière, même le processus d'apprentissage.

Vous dites « toute connaissance est une connaissance de soi ». Et je dis naturellement, parce que vous pouvez comprendre seulement ce que votre énergie peut assimiler.

Vous ne saisissez pas quelque chose qui n'est pas en harmonie avec votre énergie. Cela n'entre pas.

Vous devez vous ouvrir. Vous devez ouvrir votre cœur et lui permettre d'accéder à des vibrations supérieures.

La culpabilité, le jugement et la peur ferment votre cœur.

L'amour inconditionnel l'ouvre.

Venez là-haut. Méditez. Convoquez la lumière. Abandonnez-vous à la lumière.

Reconnaissez qu'ici, au Ciel, il peut exister une lumière vaste, protectrice et amicale qui vous aide et vous protège, pas nécessairement pour ce que vous voulez mais pour ce qui est bon pour vous.

Admettez que vous pouvez bénéficier de la protection de cette lumière aussi longtemps que vous vous confiez à elle.

Confiez-vous. Et votre énergie s'élèvera.

Et à partir de là, vous comprendrez et apprendrez les choses plus profondément.

JÉSUS

# 132

# Ma lumière

Il est évident que vous avez besoin de ma lumière.
Venez et trouvez-moi pour pouvoir vous apaiser.
Trouvez-moi dans le calme de la mer, dans la lumière des étoiles, dans la fureur du volcan.
Trouvez-moi dans les champs qui ne finissent jamais, dans les fleurs en perpétuel changement, et dans le bruit de la pluie.
Découvrez-moi dans les profondeurs de l'océan et dans la multitude des espèces existantes. Cherchez-moi dans la nature.
Et si vous ne me trouvez pas, c'est parce que vos yeux ne sont pas prêts à me voir.
Alors fermez vos yeux et regardez à l'intérieur.
Regardez-vous.
Voyez-vous.
Reconnaissez-vous. Aimez-vous.
Et naturellement, je serai là.

JÉSUS

# 133

## La voix

Faites ce que votre intuition vous dit de faire.

Apprenez à comprendre où votre intuition vous emmène.

C'est le plus grand courant de votre vie.

C'est la voix, le commandement. Elle sait ce qui est bon pour vous.

Et lorsque tout le monde croit que vous êtes devenu fou, que vous avez perdu le contrôle, que vous n'avez plus d'objectifs…

Quand ils pensent que vous avez cédé, que vous n'avez plus de résistance, et que vous faites les choses de la mauvaise manière…

Vous allez sentir une lumière grandir dans votre cœur.

Et cette lumière sera si forte, si puissante et si solide et consciente, cette lumière vous appartiendra si complètement, que peut-être pour la première fois de votre vie vous comprendrez ce qu'être heureux veut dire.

JÉSUS

# 134

# Sachez que vous n'avez rien

Vous n'avez rien. Rien dans la matière n'est à vous. Rien du tout.

Vous n'avez ni père ni mère.

Ce sont seulement des âmes qui vous accompagnent dans votre voyage. Elles sont descendues sur Terre avec vous pour partager. Et non pour posséder.

Vous n'avez pas d'enfants, vous n'avez pas de famille, aucun ami.

Ce sont tous des âmes, des âmes qui se sont réunies dans les nuages pour pouvoir s'incarner ensemble avec un but et une direction.

Elles ne vous appartiennent pas. Elles ne vous appartiendront jamais.

Vous ne leur appartenez pas non plus. Jamais. Au grand jamais.

Pensez à quel point il est libérateur de ne posséder rien ni personne. Pensez à quel point la vie devient simple.

De voir les objets et les personnes comme étant autonomes, libérés de votre énergie.

Libérés de votre attachement autoritaire.

Demandez-vous, « si je n'aime rien et que rien ne m'appartient, quelles sont toutes ces choses qui m'entourent ? À qui appartiennent-elles ? À qui appartiennent toutes ces personnes ? »

La réponse :

Elles appartiennent à la vie. La vie vous les a léguées pour votre bref passage sur Terre.

Elles sont un cadeau du Ciel, avec lequel il faut prendre du plaisir, profiter au maximum, jouir, partager et, par-dessus tout, apprendre de lui et apprendre à s'en détacher.

Souvenez-vous toujours de ce que je vous ai dit : « Je vous aime indépendamment de là où vous êtes dans la vie physique. »

Et le jour où vous comprendrez que rien ne vous appartient, et que la vie vous donne tout, vous commencerez finalement à ressentir de la gratitude.

Vous vous sentirez reconnaissant pour tout ce qui vous entoure, reconnaissant pour les cadeaux que la vie vous offre, reconnaissant de réaliser que tout cela est logique, reconnaissant pour votre prise de conscience.

Et quand vous expérimentez un sentiment de gratitude qui est si intense que votre cœur est au bord de l'explosion, montez. Venez ici.

La gratitude est le chemin le plus épanouissant pour m'atteindre.

JÉSUS

# 135

# Au secours

Je sais que vous aimez aider. Je sais que vous vous donnez du mal. Vous voulez transmettre tout ce que vous savez aux autres, tout ce que vous avez appris de moi.

Et vous croyez que c'est raisonnable. Je comprends. Vous faites ce que vous savez et croyez être juste. Vous ne remettez pas cela en question. Vous ne considérez pas, même pour un instant, que cet énorme cadeau puisse être l'œuvre de votre ego. Vous n'avez jamais pensé à cela.

Je comprends.

Bien que vous ayez cru jusqu'à maintenant que cela était acceptable, une fois que vous aurez lu ce message vous réaliserez que cela ne l'est pas. Et la logique est simple.

Soyez attentif.

Lorsque vous décidez d'aider quelqu'un, comment le faites-vous ?

Vous êtes désolé pour cette personne. Vous pensez qu'elle vit une période difficile, alors vous inventez un moyen pour la sortir de cette situation.

C'est complètement justifié, pensez-vous.

Je comprends pourquoi vous pensez de cette manière. Mais cela ne fonctionne pas vraiment comme cela.

Vous devez comprendre que la stratégie que vous avez inventée pour aider cette personne porte votre propre logique. Elle a votre énergie et votre énergie seule. Elle ne porte pas l'énergie de cette personne – ou, pour être plus précis, cette personne ne possède pas l'énergie de la stratégie que vous avez développée pour elle.

C'est pourquoi il est extrêmement peu probable qu'elle puisse la mettre en pratique. Et même si elle le fait, il est extrêmement peu probable que le problème se résolve.

Pourquoi ?

Parce que lorsque quelqu'un fait quelque chose qui n'a pas son énergie, plus tard, lorsqu'il aura à faire face aux conséquences et prendra des décisions journalières basées sur cette stratégie, il ne sera pas capable de comprendre la logique qui la sous-tend.

Il sera donc incapable de prendre une décision basée sur cette stratégie et, par conséquent, le problème ne sera pas résolu. Pourquoi est-ce que je dis que c'est l'ego qui est à l'œuvre lorsque vous utilisez cette méthode pour aider les autres ?

Parce que seul l'ego veut imposer sa logique aux autres. L'âme n'impose jamais rien aux autres, pourtant elle les aide.

L'âme regarde la personne qui est devant elle. L'âme ressent profondément cette personne.

L'âme est capable de déterminer où se trouve l'âme de cette personne.

Elle peut la faire parler. Et ceci aide la personne à se libérer de la peur, et une fois libérée de la peur, elle peut faire ses propres choix basés sur sa propre logique.

C'est cela, être capable d'aider. Ce n'est pas prendre des décisions, donner ses opinions ou résoudre les problèmes des autres à leur place.

L'aide réelle c'est d'être capable de faire briller l'âme de l'autre au moyen de la compassion, de la purification et de l'amour.

Et comme je le dis souvent, la meilleure chose à faire pour quelqu'un qui n'est pas bien, à part la purification, est de lui dire « je sais que tu es capable de le faire ».

Et le jour suivant, l'appeler, peut-être pour le purifier encore, et répéter ces paroles jusqu'à ce que l'âme se manifeste.

Jusqu'à ce que cette personne réussisse.

C'est ce qu'aider quelqu'un veut dire.

JÉSUS

# 136

# Aujourd'hui est le jour

Aujourd'hui est le jour pour faire quelque chose de complètement différent de ce que vous êtes habitué à faire. Ce n'est pas un jour pour déployer sa force d'âme ou pour calmer les masses, pour prier, sortir ou partager ses sentiments. Aujourd'hui, vous ne devriez pas vous allonger au soleil ou réfléchir à la loi.

Ce n'est pas la journée pour parler haut ou crier vers les cieux.

Aujourd'hui, on ne court pas. C'est un jour pour s'arrêter.

Immobile. Juste comme cela. Triste. C'est vrai. C'est un jour pour être, juste pour être dans ce monde immense et voleter sur la tranche de ma main.

Aujourd'hui est le jour pour révérer le maître, pour rendre grâce à votre énergie.

C'est le jour pour montrer votre gratitude en faisant des faveurs aux autres.

C'est le jour pour regarder le temps et admirer l'infini.

Un jour pour simplement autoriser votre cœur à battre.

Aujourd'hui est le jour pour tout ce qui est subjectif sur cette Terre.

Pour tout ce qui n'a pas de nom.

Pour tout ce qui n'a pas d'âge.

Pour tout ce qui n'a pas de forme.

Aujourd'hui est le jour pour quelque chose que seuls ceux qui y ont été – seuls ceux qui l'ont senti et ceux qui l'ont atteint – peuvent comprendre.

JÉSUS

# 137

# Liens

Vous ai-je déjà dit ce que nous avons en commun ?
L'énergie.
Et savez-vous ce que fait l'énergie ?
Elle vibre.
Nous vibrons tous les deux, bien qu'à des fréquences différentes.
Vous vibrez encore sur la fréquence de vos émotions primaires comme la peur, le regret et la culpabilité.
Je vibre sur une fréquence beaucoup plus élevée de sentiment et d'amour universel.
Pourquoi n'êtes-vous pas capable de vibrer sur le même type de fréquence que moi ? Pourquoi n'êtes-vous pas capable de m'atteindre à ce niveau de vibration ?
Pourquoi n'êtes-vous pas là ?
À cause d'un seul et simple mot. Un concept : le salut.
À cause de ce mot, vous allez restez ici-bas encore plus longtemps. Attaché à la roue des incarnations. Attaché aux liens que vous avez.
Mais si vous y pensez vraiment, vous ne voulez pas partir.
Et si je vous disais que je vous sauverais et vous emmènerais ici, près de moi, si et seulement si vous changiez de vibration ?
Et si je vous disais que vous pouviez venir, si et seulement si vous abandonniez quelque chose… Viendriez-vous ?
Et si je vous disais que pour élever votre fréquence vibratoire, pour sortir de la roue des incarnations et venir vivre éternellement à mes côtés vous aviez besoin de faire une seule et unique chose… Viendriez-vous ?
Eh bien, c'est simple.

Tout ce que vous avez à faire est d'abandonner tout ce à quoi vous êtes attaché et de lâcher tous les liens.

Détachez-vous de ceux que vous aimez et de ceux que vous détestez.

Détachez-vous des personnes et des choses, des émotions, des sentiments, des inquiétudes, de la douleur, de la densité, des conflits, de la rivalité, de la compétitivité et de l'envie, de la vie sur le fil du rasoir, de l'inconvenance, de l'émancipation, de la chair, de la peau et du cœur.

Détachez-vous du monde, de la vie.

Détachez-vous de l'amour qui existe ici-bas.

Détachez-vous de tout.

Viendriez-vous ?

Comme je sais que la réponse est non, je vous implore de commencer lentement à vous détacher de tout ce que vous aimez afin de vous rapprocher du paradis.

JÉSUS

# 138

# Bénédictions

Considérez toutes les bonnes choses qui vous sont arrivées comme des cadeaux que je vous ai faits.

Pensez à elles comme à des cadeaux.

Considérez que votre vie est neutre et que ces choses sont des offrandes du Ciel.

Elles sont des bénédictions.

Considérez les bonnes choses qui vous sont arrivées comme des bénédictions que je vous ai accordées.

Pour votre engagement

Pour votre persévérance.

Pour votre foi.

Et si vous pensez de cette façon, vous commencerez à ressentir de la gratitude.

Un sentiment de gratitude si grand, si intense et si profond qu'il changera presque sûrement votre énergie.

Cela la fera monter.

Vous vous sentirez plus léger. Vous vous sentirez plus élevé.

Et lorsque vous monterez plus haut, jusqu'ici, j'aurai l'occasion de vous serrer dans mes bras moi-même.

JÉSUS

# 139

# Masques

Cessez de vous mentir.

Vous avez inventé un personnage que vous voulez que tout le monde accepte pour qu'ils ne voient pas qui vous êtes vraiment.

Pourquoi voulez-vous vous cacher ?

Pourquoi ne vous aimez-vous pas ?

Je veux que vous sachiez qu'ici, au Ciel, nous ne nous occupons que de la vérité.

Vous pouvez cacher votre vrai moi à tous les autres.

Vous pouvez même le cacher à vous-même.

Mais vous ne pourrez jamais me le cacher.

Je vibre sur la fréquence de la vérité. Et en vibrant sur la fréquence de la vérité, j'attire la vérité.

En vous cachant constamment des autres, vous vous êtes caché de vous-même.

Vous ne savez plus qui vous êtes.

Vous ne savez plus qui vous pourriez être.

Comme je vous l'ai souvent dit : « Découvrez ce que l'Univers veut de vous et faites-en votre priorité principale. »

En ce moment, l'Univers veut que vous enleviez ces masques que vous avez créés et qui ne reflètent pas qui vous êtes, et que vous mettiez tout en suspens pour trouver qui vous êtes.

JÉSUS

# 140

# Priorités

Apprenez à reconnaître ce qu'il y a au centre de votre cœur.

À tout moment, vous avez un certain nombre de priorités. Elles peuvent être professionnelles, familiales, ou sentimentales.

Cependant, il ne me semble jamais voir de personnes avec des priorités émotionnelles.

Une priorité émotionnelle est quelque chose que vous devez expérimenter, sans vous soucier si cela est bon ou mauvais, beau ou laid. La forme qu'elle prend importe peu.

Pour que votre âme poursuive son évolution, pour qu'elle avance à une allure régulière, vous avez besoin de ressentir différentes émotions. Pour vous débloquer. Pour vous libérer. Pour aller de l'avant.

Faites ceci :

Pensez à une situation qui s'est répétée depuis un certain temps.

Quelle émotion provoque-t-elle en vous ?

Avez-vous étouffé ou refoulé cette émotion ? Vous êtes-vous permis de pleurer toutes les larmes de votre corps chaque fois qu'elle apparaît, ce qui peut être poignant mais pas vraiment libérateur ?

Refouler une émotion lorsqu'elle surgit est peut-être la raison pour laquelle ces situations se répètent toujours.

Ceci est votre priorité émotionnelle. Le moment est venu de déterrer cette émotion, parce qu'elle est bien cachée. Vous ne lui avez pas apporté l'attention qu'elle méritait.

Allez à votre cœur.

Apprenez à voir ce qu'il y a dedans, en son centre.

Acceptez cette émotion.

Pleurez.

Ouvrez votre cœur et laissez sortir l'énergie négative.

Et ensuite calmez-vous.

Lorsque nous acceptons nos priorités, tout reprend sa place, et nous commençons à prendre plaisir à la vie au lieu de vivre dans une mer de confusions.

Vos priorités émotionnelles sont vos priorités les plus importantes.

Après tout, elles sont logées dans votre cœur qui est votre lieu le plus sacré.

JÉSUS

# 141

# La prochaine tâche

Je vais vous dicter votre prochaine tâche.

Votre prochaine tâche est d'apprendre à faire vibrer la personne que vous êtes.

Sans déguisements, sans tromperie, sans minauderies.

La prochaine tâche, indépendamment de la question que vous avez posée – et vous pouvez reposer cette même question plus tard, une autre fois – est d'être vous-même.

Sans déviations ou omissions, sans emportements d'opportunisme puéril, sans essayer de lisser les problèmes.

Être qui vous êtes vraiment exige un engagement total.

Être votre vrai moi et respecter ce que vous ressentez vous demandera beaucoup d'énergie à cette période de votre vie.

Cela pourrait être le cas parce que vous n'avez jamais respecté votre essence et qu'il est maintenant temps de changer la direction des choses ou parce que vous vous êtes beaucoup exercé et qu'il est temps de faire le grand saut.

Vous seul pouvez le dire... bon, vous et moi, bien sûr.

Écoutez attentivement ce que je vais vous dire : fermez ce livre. Concentrez-vous sur votre cœur, et ressentez. Ressentez simplement. C'est tout.

Et plus vous vous habituerez à ressentir sans vous concentrer sur quoi que ce soit, plus vite vous vous connecterez à votre âme et découvrirez finalement qui vous êtes et ce que vous êtes venu faire ici.

JÉSUS

# 142

# L'horloge biologique

Il y a des moments où vous voulez faire les choses dont vous avez rêvé depuis si longtemps.

D'autres fois, vous vous sentez frustré parce que vous ne pouvez les faire.

Qu'est-ce qui ne va pas ici ?

Ce qui ne va pas c'est votre manque de respect envers votre horloge biologique.

Ce dont vous avez rêvé depuis si longtemps a peut-être franchi sa ligne de non retour.

Cela aurait dû être réalisé depuis longtemps. Le fait que vous ne l'ayez pas réalisé à l'époque ne veut pas dire que vous devez le réaliser maintenant, en dehors du délai qui lui était imparti.

Si vous essayez de réaliser aujourd'hui ce dont vous avez rêvé il y a quelque temps, vous finirez peut-être par ignorer vos rêves actuels.

Un rêve a une limite temporelle spécifique. Votre horloge biologique l'exige.

Vos organes et vos cellules sont coordonnées pour extraire les meilleures expériences de ce rêve pour votre évolution.

Si vous essayez de réaliser ce rêve à une date ultérieure, il ne sera rien d'autre qu'un mirage. Votre énergie n'est plus synchronisée pour qu'il arrive, et essayer de poursuivre sa réalisation ne vous apportera finalement que des frustrations.

Fermez les yeux. Méditez. Essayez de ressentir ce que votre horloge biologique veut présentement.

Oubliez vos vieux rêves. Concentrez-vous sur vos nouveaux rêves.

Concentrez-vous sur ce que vous pouvez être, sur ce que vous pouvez faire, et pensez au chemin qui vous permettra d'avancer quand vous êtes connecté à l'alignement actuel de votre énergie.

Et tout ce qui en sortira sera un nouveau rêve. Et vous aurez toutes les ressources pour qu'il devienne réalité.

JÉSUS

# 143

# Fatigue

La fatigue est un signe.

Ou vous êtes sur la mauvaise route, ou vous allez trop vite sur la bonne route.

L'important est de vous concentrer. Que vous soyez en train d'essayer de maintenir votre allure ou de changer de vitesse, ce qui est important est de vous centrer sur vous-même.

Arrêtez-vous. N'ayez pas peur de vous arrêter. Arrêtez-vous souvent, à intervalle régulier, pour respirer. Pour respirer et ressentir le présent.

Ceux qui sont sur la mauvaise route ne sentent pas la route sur laquelle ils sont. Ils ne s'intéressent qu'à une chose, arriver à destination.

Ceux qui vont trop vite ne sentent pas la route. Ils ne s'intéressent qu'à une chose, arriver à destination.

Quand ceux qui sont sur la mauvaise route arrivent, ils sont extrêmement déçus parce que la destination ne méritait pas tout le mal qu'ils se sont donné pour l'atteindre.

C'est bien ce qui devait arriver étant donné que la mauvaise route ne peut vous mener finalement qu'à une mauvaise destination.

Ceux qui vont trop vite n'atteindront jamais leur destination, parce qu'ils feront une chute avant d'arriver.

Comme vous pouvez le constater, quelle que soit la situation dans laquelle vous vous trouvez, le voyage n'est pas satisfaisant.

Et quand le voyage n'est pas satisfaisant, il est préférable de s'arrêter.

Arrêtez-vous. Respirez. Restez là où vous êtes. Et occupez-vous du présent, centrez-vous, pour que demain vos jambes aient plus d'énergie pour tirer le meilleur parti de chaque étape du voyage qu'il vous reste à faire.

JÉSUS

# 144

# Venez là-haut

Où en êtes-vous avec votre spiritualité ?
Venez-vous là-haut pour chercher quelque chose ?
Venez-vous là-haut pour recevoir quelque chose ?
Une sorte de bénédiction ?
Venez-vous ici au Ciel pour montrer de la gratitude pour quelque chose que vous avez reçu ?
Ou venez-vous pour être ?
Pour être qui vous êtes dans une nouvelle dimension ?
Si vous venez ici pour chercher quelque chose, arrêtez-vous. Ce n'est pas ici que vous trouverez ce que vous cherchez.

La meilleure réponse que vous trouverez est de savoir si oui ou non vous allez trouver ce que vous voulez.

Si vous venez pour montrer de la gratitude, c'est merveilleux. Je me réjouis que vous réalisiez que tout ce que vous recevez dans la matière vous est envoyé par le Ciel comme un geste de bonne volonté. Par contre, si vous venez pour être, pour vous exercer à être qui vous êtes, je serai si heureux que je ferai faire sonner les trompettes. Cela veut dire que vous êtes arrivé à la porte des dimensions, parce que vous avez reçu assez de lumière pour vous permettre de choisir la lumière.

Cela veut dire que vous vous êtes pardonné et que vous n'avez plus d'exigences à votre égard. Car vous avez choisi de ressentir toute votre douleur ainsi que tout votre amour, et vous savez déjà qui je suis et le bien que je peux apporter.

Cela signifie que vous comprenez le voyage que l'homme se doit de vivre et que vous voulez faire votre part.

Cela signifie que vous pensez à moi, et même si vous ne m'avez pas encore vu, vous savez que j'existe et que vous pouvez compter sur moi.

Cela signifie que vous avez offert votre âme au Ciel et que vous attendez d'heureuses nouvelles.

Par-dessus tout, cela signifie que votre âme a déjà touché la mienne.

JÉSUS

# 145

# Conseil

Un conseil pour vous :
Essayez d'être quelqu'un dont votre essence pourrait être fière.
Essayez d'être ce que le chemin voudrait que vous soyez.
Votre essence est votre partie la plus intime. Elle est l'énergie la plus pure.
Lorsque vous êtes quelqu'un dont elle peut être fière, c'est le signe que vous êtes déjà en contact avec elle, que vous savez et respectez ce qu'elle est.
Et vous voulez être comme votre essence parce que vous reconnaissez que cette énergie est unique et ne peut être déformée.
Lorsque vous essayez d'être quelqu'un d'autre, votre essence devient triste, abattue et renfermée. Quand vous vous acceptez et que vous vous pardonnez, elle devient libre, puissante et cristalline. Elle vit plus longtemps et est capable de remplir plus de missions sur Terre.
Vous vivez dans le bonheur parce que vous savez qui vous êtes et comment manœuvrer.
Et moi, d'en haut, je vois une autre étoile briller. Ceci est la connexion entre l'esprit, qui est la haute fréquence de l'acceptation, et de la lumière, la haute fréquence de l'essence.
Essayez d'avoir une manière de vivre qui soit conforme à celle que souhaiterait votre essence. Vous vivrez plus longtemps et vous serez plus heureux.
Et pour ce qui est de l'ego, cette voix dans votre tête qui vous dit de ne pas prendre de risques, de ne pas aller de l'avant, qui vous dit que vous êtes incapable, que cela n'en vaut pas la

peine, rejetez simplement cette énergie restrictive et envoyez-la nous.

Nous nous en occuperons.

JÉSUS

# 146

# Vous n'avez besoin de rien d'autre

Tout ce que vous avez aujourd'hui est précisément ce dont vous avez besoin pour passer à la prochaine étape de votre vie.

C'est tout. Juste cela. Ce qui est à votre disposition aujourd'hui est tout ce dont vous avez besoin.

C'est tout ce qu'il vous faut pour passer à la prochaine étape de votre vie.

Vous avez seulement besoin de ce que vous avez, de ce qui est à votre disposition.

Évidemment vous voudriez plus. Ceci est naturel. Bien sûr que vous voudriez de meilleures circonstances (c'est ainsi que vous pensez) afin d'atteindre vos objectifs plus rapidement.

La première question que je vous pose est la suivante :

Avez-vous besoin d'aller plus vite ?

Ne pensez-vous pas être capable de mieux vous habiliter, de mieux vous consolider, de mieux vous structurer en suivant la cadence à laquelle vous avancez maintenant ?

Ne croyez-vous pas que vous avez déjà attiré la vitesse exacte à laquelle vous avez besoin d'avancer pour dépasser systématiquement vos luttes ?

Seriez-vous capable de venir à bout de vos résistances si vous avanciez plus rapidement ?

Et ma dernière question pour vous est la suivante :

Voulez-vous que tout aille plus vite pour atteindre vos objectifs plus rapidement ?

Quels objectifs ?

Ne pensez-vous pas que sur ce chemin plus lent, plus restrictif, vous seriez plus en mesure d'accepter que ce ne sont pas vos vrais objectifs ?

Si vous continuez de vouloir davantage, de vouloir plus de choses, à un rythme plus rapide, le temps est venu pour vous de pleurer sur votre impuissance. Pleurez.

Pleurez parce que vous n'avez aucun pouvoir sur le déroulement des choses. Pleurez parce que c'est la seule chose qui vous reste à faire maintenant.

Pleurez et acceptez que ce soit tout ce que vous avez pour le moment. Voilà.

Et vous n'avez besoin de rien d'autre.

Tout ce que vous avez attiré, tout ce que vous avez à votre disposition est exactement ce dont vous avez besoin pour passer à la prochaine étape de votre vie.

Vouloir plus maintenant, c'est donner la parole à votre ego.

Et c'est tout ce que j'ai à vous dire.

JÉSUS

# 147

# Miroir

Ce qui est à l'intérieur est la même chose que ce qui est à l'extérieur.

C'est un dicton que vous devriez gardez à l'esprit toute votre vie.

Tout ce que vous attirez à l'extérieur de vous est en fait à l'intérieur de vous, enfoui profondément dans votre cœur.

Alors réfléchissez à ceci.

En quelle proportion attirez-vous de la violence ? Est-ce de la violence physique ou de la violence psychologique ?

Combien de personnes se disputent avec vous ? Combien vous maltraitent ?

Combien de personnes ne vous écoutent pas ? Combien vous blessent ?

Combien vous empêchent d'avancer ? Combien ne croient pas en vous ? Combien ne vous respectent pas ? Combien vous ignorent ?

Soyez conscient que tout ce qui vous est fait est le reflet de ce que vous faites à vous-même.

Ne souhaitez aucun mal à personne. Quiconque vous fait du mal ne fait que refléter votre être intérieur.

Vous vous faites du mal. Vous ne vous écoutez pas. Vous vous blessez. Vous voudriez avancer au-delà de vos moyens, dans les meilleures circonstances possibles. Vous ne croyez pas en vous et vous ne vous respectez pas. Enfin et surtout, vous vous ignorez.

Regardez-vous. Cessez de regarder les autres. Cessez de vous focaliser sur ce qu'ils font ou ne font pas pour vous.

Regardez-vous et voyez tout le mal que vous vous êtes causé en étant beaucoup trop exigeant envers vous-même… en voulant tellement… en allant si vite… en étant si intolérant avec vous-même… en ne vous pardonnant pas.

Regardez-vous et faites une pause.

Arrêtez-vous. Ressentez. Restez immobile.

Peut-être verrez-vous une subtile et faible lumière, la lumière qui appartient à votre essence.

Cette lumière attend simplement que vous la regardiez, au lieu de regarder les autres.

Que vous la valorisiez, plutôt que de valoriser les autres.

Et que vous l'aimiez.

Et lorsque vous le ferez, vous attirerez très certainement le véritable amour.

JÉSUS

# 148

# Blocage

Quand le voyage n'est pas favorable, plus vous vous efforcez d'avancer, plus l'Univers essaie de vous arrêter.

Quand le temps n'est pas encore venu pour que quelque chose arrive, plus vous forcez pour qu'elle arrive, plus l'Univers essaie de vous bloquer.

Lorsqu'un problème commence à faire surface, plus vous vous précipitez, plus l'Univers essaie de vous retenir pour que les choses aient le temps de se déployer.

L'Univers est sage.

Le système énergétique est parfait.

Et l'ego ruine tout.

Si une chose est bloquée énergétiquement, c'est parce que des forces mystérieuses savent qu'elle ne doit pas arriver.

Du moins, pas tout de suite.

Mais l'homme insiste. Il continue de pousser. Il insiste. Il insiste.

Il la veut.

Par conséquent, il commence à attirer toute sorte de problèmes. Des retards, des incertitudes, de la dépression, des accidents, du chagrin, des échecs, des trahisons, des pertes, des maladies, etc.

L'ego regarde tout cela en maudissant son malheur.

Il est incapable de reconnaître que tout cela n'est que la conséquence de ses propres actions, et non des actions elles-mêmes.

L'ego est incapable de comprendre pourquoi il attire autant de pertes.

L'ego est incapable de comprendre qu'il attire toutes ses pertes à cause de la force qu'il investit dans les choses.

La conscience par contre, elle, comprend. L'âme comprend.

Il s'agit d'élargir votre conscience et de céder à votre âme.

Et vous finirez par comprendre que d'en haut, tout semble absolument parfait.

Et je vous aimerai pour avoir réalisé cela.

Avec tout mon amour.

JÉSUS

# 149

# La réponse

Tout ce qui arrive dans la vie a un but.

Tout ce qui arrive, même la plus petite des choses que vous attirez a une raison d'être là, d'arriver précisément de cette manière, à ce moment et à cet endroit précis.

Tout dans la matière est agencé parfaitement pour que vous, les êtres humains, puissiez répondre en conséquence.

Conformément à qui vous êtes, bien sûr.

Conformément à qui vous choisissez d'être dans cette situation, à ce moment-là et dans ce lieu-ci.

À ce stade, vous pouvez demander : « Comment un lieu comme le monde physique, qui est si dense et lourd, répond-il à des impulsions si subtiles avec autant de perfection ? »

Et la réponse est simple :

Vous vivez dans un système énergétique, et ce système fonctionne quelle que soit la fréquence.

Si quelqu'un est dense, il attirera des personnes et des situations denses, via son système énergétique.

Si quelqu'un est lumière, il attirera des personnes et des situations lumineuses.

C'est simple, comme tout l'est quand on regarde d'en haut.

Par conséquent, et je reviens à ce que je vous ai dit plus tôt, la situation dans laquelle vous vous trouvez actuellement essaie de vous dire quelque chose. Elle essaie de vous montrer quelque chose, de vous mettre en lien avec vos émotions, de vous faire changer votre système de croyance, afin d'ouvrir votre esprit et de croire en de nouvelles possibilités, incluant de nouvelles possibilités pour vous en tant que personne.

La question ici est : qu'est-ce que tout cela veut dire ?

Pourquoi êtes-vous dans une telle situation ?

Qu'est-ce que vous devez apprendre de tout cela ?
Il se peut que je puisse vous répondre même d'en haut.
Mais pour ce faire, vous devrez venir là-haut.

Il y a une chose que vous devez accepter, c'est que vous n'avez pas la réponse et que vous ne la trouverez pas ici-bas.

Alors faites ce que je dis : trouvez la réponse dans votre Moi supérieur ou, si vous vous rappelez encore comment faire, fermez les yeux, détendez-vous et demandez : « Qu'est-ce que l'Univers essaie de me dire via cette situation ? »

Restez comme vous êtes. Vide. Ne vous concentrez sur rien. Posez-vous simplement la question.

Connectez-vous à votre sensibilité. Soyez intuitif. Soyez perspicace.

Vous allez croire que vous êtes en train d'imaginer des choses, mais ce n'est pas le cas.

Ce sera la réponse.

JÉSUS

# 150

# Cohérence énergétique

Qui êtes-vous ?

Êtes-vous votre propre personne, ou faites-vous ce que les autres veulent que vous fassiez ?

Qui êtes-vous vraiment ?

Laissez-moi développer ceci.

Quand quelqu'un vous fait mal, comment réagissez-vous ? Est-ce que vous lui faites mal en retour ?

Quand quelqu'un vous trompe, que faites-vous ? Vous le trompez à votre tour ? Vous attaquez ? Vous vous disputez ? Vous intimidez ? Vous jugez ? Vous blâmez les autres ?

Ce que je dois vous demander est simple :

Quand quelqu'un vous blesse et que vous le blessez à votre tour, pourquoi le faites-vous ?

Parce que vous êtes ce genre de personne, quelqu'un qui blesse les autres, ou l'avez-vous fait seulement parce qu'on vous a blessé ?

Si vous blessez quelqu'un parce que vous êtes ainsi, c'est votre choix. Je peux comprendre et même dire que je respecte votre choix, le choix de votre essence, cette personne que vous avez choisi d'être cette fois-ci.

Et je respecte cela même si je ne suis pas d'accord. Je ne suis pas d'accord avec cela mais je le respecte. Vous êtes qui vous choisissez d'être et je ne peux rien y changer.

Cependant, si vous blessez les gens en guise de représailles parce qu'ils vous ont blessé, si ce n'est pas un choix qui vient de votre essence, ce n'est pas ce que vous êtes. Si vous le faites seulement pour vous venger, nous sommes face à un problème.

En vous vengeant de quelqu'un, vous ne comprenez pas exactement ce que vous faites, vous descendez au niveau de la personne qui vous a blessé.

Vous êtes complètement en dehors de votre énergie.

Vous choisissez d'être comme l'autre personne.

Vous entrez dans un système énergétique inconnu, ne sachant pas quand vous reviendrez vibrer sur la fréquence de votre propre essence.

Croyez-vous que cela devrait être ainsi ?

Est-ce ce que vous choisissez pour vous-même ?

Soyez conscient que parfois nous vous envoyons des expériences extrêmement denses afin de mesurer votre cohérence.

Donc au lieu d'être toujours vous-même, vous finissez par naviguer sur les vagues de la fréquence énergétique des autres personnes : « Je fais cela parce qu'ils me l'ont fait. »

Et ainsi, avec chaque action, vous commencez à imiter les autres, sans réaliser à quel point vous vous êtes éloigné de votre vrai moi, à quel point vous êtes loin de votre lumière, et loin finalement de rentrer dans votre maison.

JÉSUS

# 151

# Pratiquez

Que savez-vous déjà sur le monde spirituel ?

Qu'avez-vous appris ?

Combien de fois vous êtes-vous surpris à reprendre les autres parce qu'ils n'avaient pas agi conformément à vos croyances ?

Combien de fois vous êtes-vous surpris à penser de manière différente et plus innovante ?

Combien de fois vous êtes-vous surpris à revoir des concepts ou à analyser de nouveau des situations dans une perspective spirituelle ?

Combien de fois avez-vous compris des choses en leur donnant une nouvelle dimension ?

Je crois qu'il y a en eu beaucoup.

Je crois que votre esprit est rempli de nouveaux concepts, de nouvelles stratégies de vie : « Comment vais-je faire ceci, comment devrais-je réagir à cela ? »

Mais la question que je vous pose maintenant est celle-ci :

Avez-vous mis ceci en pratique dans votre quotidien ?

Est-ce que vos actions sont en harmonie avec votre nouvelle conscience, avec votre âme ?

Vous savez quoi faire et comment le faire, mais le faites-vous ?

Honorez-vous l'engagement que vous avez pris avec votre âme ?

Le mettez-vous en pratique ?

Pensez à votre vie.

Pensez à votre vie au jour le jour, du moment où vous vous levez jusqu'au moment ou vous allez dormir.

Y a-t-il une cohérence spirituelle ?

Y a-t-il un engagement ?

Le moment est venu de commencer à prêter attention à l'engagement que vous avez pris avec votre âme.
À cet engagement avec votre énergie.
À cet engagement avec votre futur.

JÉSUS

# 152

# Aider les autres

Pourquoi désirez-vous tant aider ?

Pourquoi avez-vous ce grand besoin que les autres soient comme vous les avez idéalisés ?

Pourquoi vous efforcez-vous de provoquer ce changement ?

Pensez à ceci :

Si une personne choisit de ne pas changer – ou de faire ce qu'elle veut et ce en quoi elle croit – vous serez témoin des conséquences de ses choix, par conséquent, vous la verrez souffrir. Et peut-être qu'elle souffrira tellement que vous en souffrirez aussi.

Revenons à la première question :

Pourquoi désirez-vous tant aider ?

Parce que vous ne voulez pas souffrir, vous ne voulez pas être affecté par la souffrance des autres.

Cela n'est que l'une des logiques de l'aide ; l'autre consiste à aider pour vous sentir puissant et sage. Cependant, cela n'est pas la raison pour laquelle nous sommes ici aujourd'hui.

Voulez-vous quelques conseils ? Faites ceci :

Changez-vous vous-même. Concentrez-vous sur votre propre changement, sur votre propre transformation. Transformez votre énergie. Transformez-vous afin qu'un jour, si ceux qui choisissent de ne pas changer ont à endurer les conséquences négatives de ce choix, vous serez là pour les soutenir et leur enseigner que les conséquences sont le fruit de leur résistance et que l'heure est peut-être venue pour eux de changer. Ou de ne pas changer.

On ne peut jamais changer les autres.

La seule chose que l'on peut faire est de leur montrer notre amour et d'être un abri sûr pour ceux qui sont engagés dans la voie de leur propre changement.

JÉSUS

# 153

# Restriction

Je veux vous parler de la perte. De toutes les pertes. Quelle qu'en soit la forme.

Toute forme de restriction fonctionne comme une forme de perte.

Vouliez-vous que les choses aillent dans un sens mais elles sont allées dans un autre ? Perte.

Vouliez-vous que cela aille plus rapidement mais cela est allé lentement ? Perte.

Vouliez-vous que cela soit plus gros mais cela est tout petit ? Perte.

Vouliez vous que cela aille plus haut mais cela est allé plus bas ? Perte.

Vouliez-vous que cela soit plus long mais cela est plus court ? Perte.

Vouliez-vous de l'amour mais vous n'avez reçu que de la rage ? Perte.

Vouliez-vous de l'abondance mais vous ne connaissez que la restriction ? Perte.

Évidemment, chaque fois que l'Univers ne vous donne pas ce que vous voulez, vous éprouvez un sentiment de perte.

Qu'est-ce qui ne va pas ici ?

Est-ce parce que l'Univers ne vous donne pas ce que vous voulez ou est-ce parce que vous voulez trop ?

Qu'en pensez-vous ?

Chaque fois que l'Univers ne répond pas à vos souhaits, c'est parce que vos souhaits ne correspondent pas à l'énergie existante.

Vous avez de la difficulté à interpréter les signes. Vous ne recevez pas l'énergie qui prévaut et vous permettra de naviguer.

Pourquoi ne voyez-vous pas cela ?

Parce que votre esprit est obsédé par ce que vous pensez être bien.

C'est la seule chose qui a du sens pour vous – qui est « logique », comme l'ego aime à le proclamer.

Et si je vous disais que le monde traverse en ce moment une période de grande transformation et que ce qui est bien aujourd'hui peut ne pas l'être demain ?

Et si je vous disais que vous avez besoin d'apprendre à lâcher prise afin de pouvoir attraper l'énergie du changement qui approche ?

Ce que j'entends par tout cela est que chaque fois que vous attirez une forme de restriction, c'est le signe que vous devez allez au-delà de ce qui est « logique » pour pouvoir embrasser le changement.

Cela semble difficile, n'est-ce pas ?

Mais je vous assure que si vous mettez ce concept en pratique, vous serez l'un des pionniers des années à venir.

Et je serai là pour vous guider, vous inspirer et vous éclairer.

JÉSUS

# 154

# Être aventureux

Je vous parle. Je vous parle même si vous n'écoutez pas, même si vous ne reconnaissez pas ma voix. Je vous parle à travers les fleurs, les fruits et la nature.

Je vous parle à travers les sentiments qui montent en vous chaque fois que vous vous donnez l'opportunité de contempler.

Et chaque fois que je vous parle, je vous dis quoi faire. Je vous dis ce qui serait le mieux pour vous au niveau de l'évolution et de l'expérience. Au niveau de la lumière.

Mais vous ne m'entendez pas toujours. Vous ne regardez pas toujours les fleurs. Vous n'êtes pas toujours en contemplation.

Vous ne vous arrêtez pas toujours pour m'écouter.

Lorsque je vous parle, je vous donne des conseils, des indications. Je vous montre dans quelle direction se dirige votre vie et où elle devrait aller, où vous pouvez être plus heureux et où se trouve le malheur.

Vous avez toujours le choix. Je vous montre ces chemins. Je ne les choisis pas.

Pour ceux qui n'écoutent pas, il n'y a que perte. Ceux qui ne m'écoutent pas ne peuvent rien corriger. Ils doivent supporter la perte et essayer d'en tirer les leçons.

La but de la perte, quelle qu'en soit la forme, est de vous faire réaliser que vous êtes sur le mauvais chemin.

Mais quel est le vrai chemin ?

La perte est suivie par la prise de conscience que le changement est nécessaire. Mais où changez-vous ? Et que changez-vous ?

C'est la réponse que vous devez vous efforcer de découvrir.

Vous avez un avantage sur ceux qui n'observent pas les signes. Vous êtes conscient qu'il vous est nécessaire de changer. D'autres ne l'ont pas encore réalisé.

En résumé, vous avez seulement besoin de découvrir ce que vous devez changer.

Pour obtenir la réponse, regardez dans votre cœur. Dans ce que vous avez de plus intime. Regardez. Vous savez ce que vous devez faire, même si vous manquez encore de courage pour vous lancer. Et examinez ce que vous croyez être illogique, impulsif et immature.

Plus votre ego rabaisse votre rêve, plus il devient fort et impérieux. Profitez de vos pertes.

Si ce que vous pensiez être bien et sûr ne l'est plus, si ce que vous pensiez être bon ne l'est plus, si ce que vous considériez comme « normal » ne fonctionne pas, soyez aventureux.

Vous avez déjà perdu.

Vous avez déjà été renié.

Maintenant, prenez un risque en essayant de réaliser votre rêve le plus invraisemblable.

Utilisez votre perte pour aller à la recherche du bonheur.

JÉSUS

# 155

# Je veux parler

Je veux continuer à vous parler, comme je l'ai toujours fait. J'ai toujours exprimé mes opinions. J'ai toujours communiqué. Mais je communique d'une manière différente. Je communique à travers les sensations et non à travers les mots.

Je sais que cela est difficile pour vous parce que vous n'y êtes pas habitué.

Vous avez l'habitude de voir, d'entendre, de toucher, de parler, de lire.

Mais ressentir ? Cela doit vous sembler très étrange.

Essayez ceci. Fermez vos yeux. Respirez. Concentrez-vous sur votre respiration et rien d'autre. Restez ainsi un moment.

Puis faites une demande. Demandez que votre ego se retire. Vous sentirez quelque chose d'énorme partir. Ensuite, demandez que vos résistances soient retirées. Encore une fois, vous allez sentir quelque chose d'énorme partir.

Laissez-moi vous avertir que même si l'ego et vos résistances se retirent, ce n'est que temporaire.

Permettez à une lumière d'entrer par votre tête. Laissez-la descendre dans tout votre corps.

Ensuite, concentrez-vous sur moi. Ressentez-moi.

Soyez conscient de ma présence.

Lorsque vous vous sentirez le plus en paix, je serai là.

Lorsque vous sentirez une lumière bouger à l'intérieur de vous, je serai là.

Je serai là dans l'isolement de la vie quotidienne, dans la distance énorme qui sépare ce moment de réponse émotionnelle profonde que vous expérimentez maintenant, et la vie ordinaire dans la matière.

Et plus la distance sera grande, plus ma présence sera grande.

Et un jour, après avoir fait cet exercice de nombreuses fois, vous me trouverez. Je serai là, et je ferai en sorte que vous me ressentiez.

JÉSUS

# 156

# Ne pas avoir

Passons au sujet du jour.

Aujourd'hui, je souhaite parler de responsabilité.

Cependant, je ne souhaite pas parler de responsabilité en ce qui concerne ce que vous faites, car nous avons suffisamment évoqué ce sujet. Je ne souhaite pas parler de comment vous êtes responsable de ce que vous avez et encore moins de comment vous êtes responsable de ce que vous êtes.

Aujourd'hui, mon ami, je souhaite vous parler de la responsabilité de ce que vous n'avez pas.

Pensez à ce que vous n'avez pas : ce que vous aimeriez avoir aujourd'hui, ce que vous auriez aimé avoir dans votre vie et que vous n'avez toujours pas.

Reconnaissez qu'il y a une raison pour laquelle vous n'avez pas cela aujourd'hui.

Toute la matière et toute l'abondance vous sont accessibles ici-bas, sur Terre.

Tout est à la disposition de votre énergie. Si vous n'êtes pas capable de réaliser certaines choses, c'est simplement parce qu'elles ne font pas partie de votre énergie.

Elles ne vous sont pas destinées parce qu'elles ne sont pas en harmonie avec l'énergie que vous avez aujourd'hui.

Cependant, si vous changez votre énergie, les choses que vous désirez peuvent faire partie de votre système énergétique – pas les choses que vous désirez afin de devenir riche, ni celles que vous désirez pour pouvoir en faire étalage devant les autres, seules les choses que vous voulez parce qu'elles vous apportent du bonheur quand vous les utilisez. Car dans la matière, ce sont ces dernières qui vous aident à vous rapprocher de votre essence, puis de votre âme.

Et nous, d'en haut, nous ne refusons jamais la demande d'une âme quand elle est énergétiquement appropriée.

En résumé : vous êtes entièrement responsable pour les choses que vous n'avez pas aujourd'hui. Vous avez attiré cette situation par la force qui se dégage de votre vibration particulière. Et changer votre fréquence énergétique est une question de choix et d'engagement.

Maintenant, il ne dépend que de vous de faire votre choix et de démontrer votre engagement.

JÉSUS

# 157

# Opportunité

À proprement parler, tous les hommes sont égaux aux yeux de Dieu.

Ils ont tous reçu la même quantité de bonne volonté, la même quantité de tolérance, et les mêmes opportunités.

Tous reçoivent des signes. Tous ont des opportunités pour ce qui concerne l'extase, les visions, l'information spirituelle et la guérison. Chacun d'eux. Il n'y a aucune exception.

Certains d'entre eux profitent de cela. Ils l'acceptent. Ils s'engagent. Ils veulent évoluer, et se mettent au service de l'évolution.

Par-dessus tout, ils choisissent la lumière. Avec leur âme. Avec leur être.

Naturellement, ces personnes sont beaucoup plus près de moi.

Je ne dis pas qu'elles sont mieux ou moins biens, qu'elles sont tel type de personne ou tel autre.

Je ne prononce pas de jugement.

J'observe et j'aide.

Le dicton que vous utilisez ici-bas « quand l'élève est prêt, le maître apparaît », ne saurait être plus près de la vérité.

Pour ceux qui acceptent, j'aide, j'incite et je bénis.

Pour ceux qui me rejettent, je suis triste mais continue d'attendre.

Je sais que le jour du discernement viendra, quand ils s'éveilleront après des siècles d'inaction et de peur et qu'ils lèveront finalement les yeux vers moi.

Ils choisiront finalement la lumière.

Et je suis profondément reconnaissant envers ces personnes, car elles aideront à élever l'énergie de la Terre pour que d'autres acquièrent une plus grande conscience. Il n'y a rien que je ne leur pardonne pas, car leur engagement est intègre et fait disparaître toute incertitude.

JÉSUS

# 158

# Détachement

Vous devez lâcher tous les liens.

Vous ne devez pas attendre que les gens meurent pour vous détacher.

Le détachement par la mort est beaucoup plus douloureux et cruel.

Se détacher veut dire ne pas être dépendant émotionnellement.

Lorsque vous attendez que les personnes meurent pour mettre fin à votre attachement émotionnel, votre douleur est nettement plus grande.

Ils ne sont plus là.

Vous ne pouvez pas dire au revoir.

Vous ne pouvez plus leur dire à quel point vous les aimez.

Vous ne pouvez plus leur dire à quel point ils vous manquent.

Lorsque vous attendez que quelqu'un meure pour pouvoir vous détacher de lui, vous faites tout par à-coups.

Il n'y a pas de sérénité, pas de tranquillité.

Il n'y pas de paix.

N'attendez pas que les gens meurent pour vous en détacher.

Aller vers eux, dites-leur à quel point vous les aimez mais qu'indépendamment de cet amour vous avez besoin de partir et de continuer à vivre votre vie. Vous n'êtes plus dépendant d'eux. Vous n'avez pas besoin d'eux pour être qui vous êtes.

Pourtant le fait que vous deveniez indépendant ne diminue pas votre amour.

Cela diminue simplement votre dépendance émotionnelle.

Parfois l'Univers a besoin d'emmener les personnes que vous aimez loin de vous afin de provoquer le détachement.
Pourquoi ne pas le provoquer par avance ?

JÉSUS

# 159

# Une porte fermée

Quand une porte se ferme, vous ne la sentirez se fermer que si vous êtes debout devant elle. Si vous êtes là, vous appuyant contre elle, refusant de bouger.

Une porte se ferme bruyamment et cela ne constitue une perte que pour ceux qui ne voient pas d'autre chemin par où passer.

Ceux qui se sont élevés jusque là-haut, au Ciel... ceux qui voient les choses avec la distance que le Ciel encourage, qui sont conscients que les mauvaises choses arrivent pour vous faire changer de direction... Ces personnes n'ont pas senti que la porte s'est refermée.

Ils sentent simplement que ce n'est pas le bon chemin ou qu'il y a une autre porte ailleurs qu'ils doivent chercher... ou que le moment pour que cette porte s'ouvre n'est pas encore arrivé et qu'ils doivent simplement apprendre à attendre.

Quelquefois les personnes deviennent si déterminées à rouvrir une porte qu'ils ne voient pas l'ouverture beaucoup plus grande d'une autre porte à côté. Ils regardent ce qui se ferme et sont incapables de détourner leur regard vers ce qui s'ouvre.

Distance. Le secret est de prendre de la distance.

Distance, pour que vous puissiez voir l'éventail des opportunités ainsi que les impossibilités qui existent.

Distance, pour que vous puissiez voir les deux côtés de la situation.

Distance avec la Terre, pour que vous puissiez être là-haut, plus près de moi.

JÉSUS

# 160

# Vulnérabilité

Si vous vous sentez triste, soyez triste.
Tirez-en le meilleur parti.
Si vous avez envie de pleurer, pleurez.
Tirez-en le meilleur parti.
Ce n'est pas tous les jours que vous pouvez atteindre ce niveau de vulnérabilité.
Et la vulnérabilité est sublime. Elle vous fait réexaminer les choses, les relations.
Elle vous fait vous remettre en question.
Elle réveille à nouveau la flamme de la sensibilité extrême, la larme qui est prête à tomber au coin de votre œil.
Et cette sensibilité est votre plus grande arme. À travers elle, vous recevrez votre intuition, vos ordres cosmiques pour aller de l'avant.
Sans cette sensibilité et cette vulnérabilité, votre vie reste sur un plan mental et votre progression énergétique est annulée.
Cette tristesse est bien reçue. Elle fait partie du cycle de la vulnérabilité.
Et ce cycle doit être respecté.
Il y a des jours où vous vous réveillez en pleine forme et d'autres où vous vous sentez affreusement mal. C'est un cycle double qui ne s'arrête jamais de tourner. Vous travaillez sur votre tristesse, vous pleurez, vous faites le deuil de tout ce que vous avez perdu pour que lorsque le cycle change et que la joie apparaît, celle-ci soit vraie, grande, purifiée et généreuse.
Respectez ces cycles. Respectez votre tristesse autant que vous respectez votre joie.
Et prenez note de ce que ceux qui respectent les cycles sont toujours les bienvenus ici au Ciel.

JÉSUS

# 161

## Savoir ce qui vous motive

À quoi vous êtes-vous engagé ?

Vis-à-vis de qui vous êtes-vous engagé ?

Vis-à-vis de votre ego, qui est capable de vous donner l'argent et les possessions matérielles auxquels vous attachez tant d'importance ?

Est-ce vraiment vis-à-vis de lui que vous vous êtes engagé ?

Est-ce la raison pour laquelle vous courez ?

Est-ce cela qui vous motive ?

Ou vous êtes-vous engagé vis-à-vis de votre âme ?

Vivez-vous pour votre âme ? Est-ce votre âme que vous choisissez à chaque moment de votre vie ?

Choisissez-vous la paix, la tranquillité, le sentiment que tout est à sa place ?

Vous savez que la douleur et la difficulté importent peu et que c'est pour votre âme que vous acceptez de vivre votre réalité quotidienne.

C'est pour votre âme que vous rejetez les illusions et recherchez la vérité.

Toujours la vérité.

Vis-à-vis duquel avez-vous pris un engagement ?

Vis-à-vis de votre esprit, qui veut vous faire croire que tout se passera bien aussi longtemps que vous ignorerez la douleur que vous ressentez dans votre cœur tous les jours ?

Ou vis-à-vis de votre essence qui vous demande de pleurer si vous avez mal aujourd'hui, pour que demain vous vous sentiez vraiment mieux... vraiment bien ?

Vis-à-vis duquel avez-vous pris un engagement ?

Vis-à-vis de votre moi extérieur, qui a une grande envie de vêtements coûteux, de voitures et de belles maisons tout autant que d'un statut social stable ?

Ou vis-à-vis de votre moi intérieur, qui veut simplement de l'amour, seulement de l'amour, et rien d'autre que de l'amour ?

En touchant votre cœur, est-ce que l'amour inconditionnel que je vous envoie d'en haut laisse son empreinte en vous pour toujours ?

Vis-à-vis de qui vous êtes-vous vraiment engagé ?

Je ne critiquerai jamais votre choix, aussi affreux qu'il puisse paraître. Je respecte tous vos choix, toujours et à jamais.

Mais je veux savoir.

Je veux simplement savoir.

À quoi vous êtes-vous engagé ?

JÉSUS

# 162

# Être sensible

Je sais que vous êtes sensible. Vous ne le savez peut-être pas, mais je sais que vous l'êtes.

Votre sensibilité est dans vos pores, vos cellules, votre vibration.

Chaque fois que vous avez de la peine, le Ciel vous tombe sur la tête.

Et vous avez simplement besoin de montrer votre tristesse, votre vulnérabilité.

Comme je le dis toujours, « ressentez la douleur pour qu'elle passe rapidement ».

Votre sensibilité est un trèfle à quatre feuilles. C'est probablement votre plus grand don, le plus grand des trésors.

Être sensible est plus puissant qu'être intelligent.

Être sensible est plus puissant qu'être astucieux.

Être sensible est plus puissant qu'être riche, beau, habile et amical.

Être sensible est plus puissant que d'être fort.

Les personnes sensibles ressentent la douleur du monde.

Est-ce que cela fait mal ? Oui, en effet.

Mais c'est beaucoup plus vrai, plus harmonieux que de refouler votre sensibilité et d'errer comme un idiot qui vit avec l'illusion que tout va aller mieux... parce que nous savons que rien ne s'améliore lorsque nous faisons cela.

Être sensible, c'est avoir une connexion qui est complète, directe, ininterrompue et irréversible.

Est-ce plus difficile ? Oui, en effet.

Cependant, lorsque vous allez bien, lorsque vous êtes heureux – et vous allez commencer à l'être plus souvent – vous connaîtrez une joie illimitée.

Ce qui était de la joie devient de l'extase.

Ce qui était du bonheur devient maintenant un état de grâce.

Et ceux qui sont véritablement sensibles, ceux qui ont embrassé leur sensibilité en totalité, qui ne refoulent plus leurs émotions, qui acceptent tout, absolument tout, savent déjà ce que veut dire être dans un état de grâce.

Et ils ne veulent plus l'abandonner.

Et ils ne désirent plus changer de vie.

JÉSUS

# 163

# Un jour juste pour moi

J'aimerais vous voir sourire.

J'aimerais que vous chantiez pour moi.

J'aimerais que vous me consacriez une journée pour moi seulement. Pour m'entendre, me ressentir, et surtout pour me ressentir.

J'aimerais que vous consacriez une journée pour moi, une journée sans tristesse et sans lamentations.

Une journée composée seulement d'énergie. L'énergie de l'amour. Je veux que vous me ressentiez, calmement et librement, comme un rythme allégorique de lumière.

Vous resterez comme cela, immobile, simplement à ressentir, et vous commencerez à me laisser entrer lentement.

Tout d'abord, j'entrerai dans votre cœur, et vous commencerez immédiatement à ressentir mon amour.

Ensuite cette énergie commencera à pénétrer dans toutes les parties inconnues de votre essence, de votre corps et de votre énergie.

Ensuite votre propre lumière apparaîtra.

Après que vous m'aurez consacré un peu de temps, je brillerai encore plus à l'intérieur de vous.

Et lorsque cette journée que vous m'avez offerte arrivera à sa fin, lentement je partirai. Mais je vous laisserai là, immobile, vibrant pour moi.

Et moi, de là-haut, je serai heureux d'avoir apporté un peu plus de lumière sur Terre, à travers vous.

JÉSUS

# 164

# Qualité

Quelle est la nature de votre amour ?
Aimez-vous exprimer ce qui réside au fond de votre âme ?
Aimez-vous parce que vous ressentez ?
Aimez-vous pour partager ce que vous recevez de moi ?
Quel type d'amour exprimez-vous ?
Êtes-vous capable d'aimer et de montrer que vous aimez ?
Votre cœur est-il capable de se faire entendre ?
Ceux que vous aimez se sentent-ils aimés ?
Êtes-vous capable de dire que vous aimez ?
Êtes-vous capable de dire à quel point vous aimez ?
Ou non ?

JÉSUS

# 165

## L'amour véritable

Lorsque vous aimez quelqu'un, vous ne demandez rien en retour.

Le véritable amour est ressenti et transmis.

Vous n'avez pas besoin de recevoir. Votre amour ne diminue pas, même si vous recevez le contraire de ce que vous avez offert.

Le véritable amour, c'est quand vous aimez tout simplement.

Si vous êtes heureux de ce que vous recevez en retour, c'est merveilleux.

Mais l'amour ne doit pas dépendre de cela.

Ceux qui ont constamment des exigences, qui ont besoin que les autres fassent des choses pour être capables d'aimer, n'aiment pas vraiment.

Ils ont une vision faussée de ce qu'ils voudraient que leur amour soit.

Et ils persistent dans cette voie-là.

Ce n'est pas de l'amour, c'est une illusion.

Ceux qui exigent que les autres fassent ou disent certaines choses, et soient un certain type de personne, sont juste des manipulateurs.

Ce n'est pas de l'amour. C'est du contrôle.

Ceux qui aiment vraiment sentent que leur amour est inconditionnel.

Le leur est un amour pur, sincère, et dépourvu de « si » et de « mais ».

Ils aiment simplement.

Juste comme moi.

Juste comme je vous aime.

JÉSUS

# 166

# Être attentif

Je suis dans le son que produit la cuillère lorsque vous remuez votre thé.

Je suis dans la nature, dans les choses les plus simples.

Prêter attention aux plus petits détails, c'est me prêter attention.

Je sais que vous voulez me prêter attention lorsque vous méditez, priez, ou élevez vos sentiments jusqu'au Ciel. Je comprends cela et suis reconnaissant.

Mais soyez conscient que je suis aussi ici-bas, conférant ma lumière aux plus petites choses, celles sur lesquelles vous ne portez pas votre attention.

Vous croyez que je suis dans les choses importantes, et vous ne prêtez attention qu'aux choses importantes.

Et si je vous disais que je suis dans la pluie, dans la fleur sur laquelle vous marchez, dans l'animal dont vous ne prenez pas soin, dans chacune des manifestations de la vie ?

Et si je vous disais que je suis dans le son que produit la cuillère lorsque vous remuez votre thé ? Je suis dans le thé lui-même et dans la solitude de ceux qui le remuent.

Et si je vous disais que je suis à l'intérieur de vous, dans votre cœur, qui est la chose la plus importante de ce monde et à laquelle vous ne prêtez aucune attention ?

Et si je vous disais que je suis dans les larmes qui coulent de vos yeux quand vous décidez de pleurer et de libérer toute l'émotion qu'elles contiennent ?

Et si je vous disais que je suis dans ce grand et large sourire, dans le sourire sincère de ceux qui pleurent quand ils en ressentent le besoin et sont joyeux dans les bons moments de leur vie ?

La prochaine fois que vous faites la chose la plus simple au monde, pensez à moi.

Ouvrez votre cœur et laissez-moi y entrer.

Je serai là.

JÉSUS

# 167

# Profitez au maximum

Avez-vous déjà noté qu'il vous arrive quelquefois d'expérimenter des choses dans votre vie qui vous remplissent de joie ? Cela peut être des événements inattendus mais heureux ou des problèmes de longue date qui ont été finalement résolus avec succès.

Avez-vous déjà remarqué qu'il vous arrive de vivre, même s'ils sont brefs, des moments où vous êtes extrêmement heureux ?

Et que faites-vous de tout ce bonheur ? En profitez-vous au maximum ? Prenez-vous du plaisir à les vivre ? Profitez-vous de l'occasion pour ressentir, ressentir, ressentir, comme un moyen de compenser ces jours qui ne sont pas si bons et où vous pleurez beaucoup ?

Que faites-vous de toute cette joie ?

Vous courez immédiatement pour en faire part à quelqu'un. Vous êtes incapables de ressentir l'intensité de cette joie par vous-même.

Et n'avez-vous jamais remarqué que cette personne avec qui vous partagez votre joie ne vous retourne jamais cette énergie ?

Avez-vous remarqué que le mieux que puisse faire cette personne, puisqu'elle est extérieure à la situation, est d'être heureuse pour vous (ce qui n'est pas toujours le cas) ?

Vous continuez à partager avec elle, mais quand elle ne manifeste aucun enthousiasme, vous croyez qu'elle a un problème, alors vous allez vous confier à quelqu'un d'autre qui va réagir de la même façon. Votre élan commence à retomber jusqu'au moment où c'est vous qui n'êtes plus capable de ressentir d'enthousiasme.

Qu'avez-vous mal fait ?

Vous avez drainé votre énergie. Vous l'avez dispersée sur les autres. Vous ne l'avez pas gardée pour vous-même, pour vous remplir et vous illuminer.

Si vous regardez de plus près, vous réaliserez que vous ne gardez jamais rien pour vous. Puis vous blâmez les autres parce qu'ils ne montrent pas d'intérêt dans ce que vous faites et qu'ils ne vous comprennent pas.

Comme ils ne montrent aucun intérêt, arrive le moment où vous aussi vous cessez de vous souciez de quoi que ce soit.

Vous devez apprendre ce qui suit : parfois il faut savoir garder les choses pour soi.

Vous devez les considérer comme des secrets, du moins pour un temps. Gardez-les pour vous.

Profitez d'elles au maximum, soyez enthousiaste et montrez de l'intérêt. Et retenez cette énergie. Parfois vous vous sentirez sur le point d'exploser. Mais restez avec ce sentiment.

Cela permet de vous alimenter en énergie.

Cela permet de vous alimenter en lumière.

JÉSUS

# 168

# Amour et douleur

Il y a une différence entre l'amour et la vulnérabilité.

L'amour est une fréquence unique de contentement, de confiance et de générosité.

L'amour est un acte de solidarité d'une âme à une autre.

C'est quand les chakras du cœur se rencontrent finalement et s'envolent vers le Ciel.

C'est la plus grande chose qui existe. L'amour est le plus grand modèle de fréquence vibratoire que chaque être humain peut désirer.

La vulnérabilité est le contraire de la résistance.

Se permettre d'être vulnérable, c'est choisir de s'arrêter. De s'affranchir du contrôle. C'est accepter les instructions du Ciel dans votre vie ainsi que dans vos émotions.

Vous permettre d'être vulnérable, c'est vous laisser porter par le courant, sans peur ni résistance, simplement parce que cela doit être ainsi.

Simplement parce que s'affranchir du contrôle est en effet la seule manière pour vous de nous permettre de guider votre vie, de vous apporter des conseils judicieux qui sont ensuite exprimés par votre intuition.

Je ne peux parler – me permettre d'être entendu – qu'à ceux qui sont vulnérables. Je ne peux communiquer qu'avec ceux qui ont renoncé à leur ego et n'ont pas besoin de tout savoir.

Je suis celui qui sait tout.

Et pourquoi est-ce que je vous envoie un message sur la diffé-rence entre l'amour et la vulnérabilité ?

La réponse est simple : à moins que vous ne vous permettiez d'être vulnérable, vous n'aimerez jamais.

Si vous ne vous permettez pas de ressentir le courant de vos émotions, si vous ne vous permettez pas de ressentir la douleur quand elle vient, si vous ne vous permettez pas de céder à la douleur quand elle arrive, alors, comme je l'ai déjà dit, vous ne serez jamais capable de vous adonner à cette émotion qui vous cause tant de douleur.

L'amour.

Et vous serez prêt à vous confier inconditionnellement à l'amour seulement quand vous aurez reconnu que vous devez accepter la douleur quand elle apparaît... quand vous aurez compris que pour vivre de bonnes choses, vous devez passer par des moments de douleur... et quand vous aurez accepté complètement que tout est dualité, et que vous avez besoin d'équilibrer et d'accepter les deux côtés, chacun leur tour.

JÉSUS

# 169

# Deux chemins

Prendre le commandement de sa vie. Sentir ce qu'il est nécessaire de faire.

Faire ce qu'il est nécessaire de faire. Il y a des moments où la vie vous mènera à un carrefour si clair, si évident que vous n'aurez aucune autre alternative que de choisir.

Il se peut que vous n'ayez pas envie de choisir.

Il se peut que vous n'ayez pas envie de prendre de décisions.

Mais le jour viendra où la vie prendra elle-même l'initiative de vous mener au carrefour exact ou, pour être plus précis, à une fourche sur la route où vous devrez aller soit d'un côté, soit de l'autre.

Cotés opposés. Contraires. Et vous serez forcé d'avancer.

Vous ne pourrez pas rester à l'arrêt. Vous ne pourrez pas bouger.

Il n'y aura pas de route droit devant vous.

Il vous faudra soit tourner à droite, soit tourner à gauche.

Et c'est à ce moment-là que vous devrez prendre le commandement de votre vie.

Vous devrez vous concentrer. Vous devrez regarder à l'intérieur.

Et ne pas penser.

La plupart du temps, c'est ce que les personnes font quand elles doivent faire des choix.

Elles pensent.

Non.

Le moment sera venu de s'élever. De s'élever et de choisir la lumière.

Chaque fois que la vie vous mène à un carrefour ou à une intersection où vous êtes obligé de choisir, il y a normalement deux options.

Une route est lumière.

L'autre est presque toujours densité.

Je ne dis pas que l'une est bonne et que l'autre est mauvaise.

Je ne dis pas que vous devez choisir la bonne.

Vous pouvez même choisir la mauvaise.

Ce qui est important c'est que la lutte entre la lumière et la densité devienne visible pour que vous puissiez choisir.

Ce n'est pas le moment de penser. Ce n'est pas le moment de réfléchir.

C'est le moment de s'élever, d'essayer de sentir où se trouve la lumière et de la suivre.

Tel est mon ordre.

C'est ce que prendre le commandement de votre vie veut dire.

Deux chemins. Devoir choisir. Accepter de choisir la lumière.

Prendre le commandement. S'élever afin de ressentir laquelle des routes est celle de la lumière.

Choisissez. Suivez ce chemin.

Bonne chance !

JÉSUS

# 170

# Le point de départ exact

Vous pouvez découvrir le sens de vos problèmes.
Tout ce qui vous arrive vous parle.
L'Univers vous parle constamment.
Chaque situation dans laquelle vous vous trouvez a un sens.
Chaque situation dans laquelle vous vous trouvez a eu un début. Un point de départ.
Un point à partir duquel le problème a commencé.
Et c'est à ce moment que vous trouverez la réponse.
Mais ce moment peut ne pas avoir été le point de départ exact.
Lorsque je dis le point de départ exact, je veux dire que même si vous croyez que le début du problème est quand celui-ci a commencé, cela peut ne pas être entièrement vrai.
Un problème qui est apparu la semaine dernière peut en fait remonter à l'année précédente, quand les fondations ont été posées.
Et c'est à ce point de départ exact que se trouve le problème.
Et la solution.
Quel type d'énergie émanait de vous au moment exact où ce problème a commencé ? Quand a-t-il vraiment commencé ?
Et lorsque vous aurez répondu à cette question, pensez à ceci.
Est-ce que l'énergie que vous émettiez à ce point de départ exact est la même énergie qui émane du problème que vous avez attiré actuellement ?
Apaisez votre cœur et demandez-lui :
Quand cela a-t-il commencé ?
Quel était le point de départ exact ?
Quelle énergie émanait de moi à ce moment précis ?

Et lorsque vous découvrirez l'énergie initiale de ce problème – l'énergie que vous avez émise à cet instant, vous serez peut-être en train d'entrer dans l'Histoire.

À ce moment-là vous aurez l'opportunité rare de changer cette énergie, en la faisant basculer dans sa polarité opposée.

De toute évidence, il est possible d'apprendre de vos expériences et de changer le cours des événements.

Et quand ce temps arrive, quand vous êtes capable de suivre ce long et douloureux processus, vous aurez l'énergie pour élever votre fréquence et pour ne plus jamais attirer des situations avec une énergie similaire.

Je le garantis.

JÉSUS

# 171

# Perfectionnisme

Chaque fois que vous avez un problème, peu importe lequel, essayez de comprendre ce qui émanait de vous au moment précis où il a commencé. (Pour apprendre comment faire, lisez le message précédent.)

Lorsque vous avez compris ce que vous avez émis pour avoir attiré ce que vous avez maintenant, posez-vous cette question :

« Pourquoi est-ce que je persiste à émettre cette fréquence énergétique ? »

« Qu'est-ce que j'essaie de cacher ? »

Qu'importe la réponse, vous trouverez toujours un dénominateur commun à toutes vos réponses :

« Je veux cacher mon imperfection. »

Vous voulez que les autres vous voient comme étant parfait afin d'être aimé, afin de ne pas être rejeté.

En résumé :

Aucune sorte d'action, aussi insignifiante soit-elle, ne réussit si elle découle du besoin de perfection ou du rejet des limites de la personne en question. Des problèmes surgiront.

C'est pourquoi il est important de reconnaître l'émotion qui anime une personne qui veut être parfaite.

Parce que cette émotion s'appelle karma.

JÉSUS

# 172

# Choisir en premier

Les personnes sont ce qu'elles sont.

Vous ne pouvez pas les rendre meilleures, ni les rendre moins bonnes.

Vous ne pouvez rien faire pour elles qu'elles n'ont pas choisi à l'origine.

Ce que vous pouvez faire, c'est les aider à choisir.

Et comment faites-vous pour les aider à choisir ?

En choisissant en premier.

En faisant votre choix.

En choisissant la lumière et en changeant votre fréquence vibratoire.

Parce que lorsqu'elles voient que vous avez changé, elles vont croire qu'il est possible de changer.

Et quand elles réaliseront qu'il est possible de changer, elles commenceront à se regarder elles-mêmes.

Et elles essayeront de changer. Et cette tentative de changement est déjà un changement en soi. Le fait qu'elles croient qu'il est possible de changer est déjà un énorme changement.

Voyez-vous pourquoi il est si important que vous changiez en premier ?

Vous pourriez dire : « Mais me changer est plus difficile. »

Bien sûr que c'est difficile. C'est la raison pour laquelle cela est si important.

Si vous voulez que quelqu'un fasse quelque chose, vous devez le faire en premier.

Et si vous voulez que quelqu'un agisse d'une certaine manière, vous devez agir de cette manière en premier.

Il se peut même qu'il ne fasse pas ce que vous vouliez, mais votre transformation a déjà commencé.

Et c'est ce qui importe vraiment.

JÉSUS

# 173

# Résistance

Pensez à un soldat.

Imaginez ce soldat à la guerre. Pensez à ce qu'il ressent.

Un soldat à la guerre, sur le champ de bataille, devant faire face aux balles perdues et à la mort de ses camarades, comment croyez-vous qu'il se sente dans son cœur ?

C'est une explosion. Une explosion d'émotions, d'anxiété, de mort, de torture et de brutalité.

Le cœur de ce soldat, qui était autrefois un enfant et croyait en la vie, qui une fois a demandé à JÉSUS de mettre fin à toutes les guerres et lui a demandé que tous les hommes vivent unis comme des frères. Et maintenant il est là, de l'autre côté de son rêve, dans cette tranchée ensanglantée, faisant face à toute son histoire énergétique.

Pourquoi croyez-vous que tout cela arrive ?

Pourquoi croyez-vous qu'un enfant qui a désiré la paix se retrouve plus tard à faire la guerre ?

L'Univers est parfait, dis-je.

« Comment peut-il être parfait ? », demandez-vous.

Pensez au fait que l'homme descend sur Terre pour faire vibrer sa lumière dans la densité.

Pensez au fait que l'homme doit s'affranchir de ses résistances afin que sa lumière puisse vibrer. Gardez à l'esprit que quel que soit l'événement que nous lui envoyons, quel que soit le type de circonstances qu'il attire, et quelle que soit la vie qu'il mène, le plus important est qu'il abandonne ses résistances.

Malgré tous les avertissements que nous transmettons, malgré toutes les expériences que nous envoyons, l'homme insiste pour rester fort, tenir ferme, se cramponner et augmenter sa résistance.

Et plus il attire un grand nombre de guerres, moins il s'autorise à être vulnérable, moins il cède à la lumière et à ses émotions, et plus il continue d'opposer une résistance.

Même quand il réalise que plus il résiste, plus les choses s'aggravent, il continue à écouter cette implacable voix usante qu'on appelle l'ego.

Ce serait plus facile si vous pouviez comprendre que si les choses ne sont pas résolues à l'intérieur de cette fréquence vibratoire, il est préférable de s'élever au niveau de votre propre fréquence.

Ce serait plus facile.

Mais non, vous préférez croire que vous avez réponse à tout, et donc vous vous enfoncez toujours plus.

Quand finirez-vous par comprendre cela ?

JÉSUS

# 174

# Aimer simplement

L'amour ! Ah, l'amour. Saviez-vous que la moitié de l'humanité n'ouvre pas son cœur par peur d'être rejetée ?

Saviez-vous que la moitié des gens attendent d'être aimés pour pouvoir aimer en retour ?

Saviez-vous qu'un grand nombre de gens restent avec leur partenaire parce qu'ils se sentent aimés mais non parce qu'ils aiment ?

Pensez-y.

Imaginez qu'une personne en aime une autre.

Imaginez que l'autre personne ne l'aime pas en retour.

Imaginez qu'au lieu de continuer à vibrer sur cette fréquence de rejet, la première personne continue à aimer simplement. Elle se focalise simplement sur l'amour qu'elle ressent. Elle se focalise simplement sur la force de sa propre vibration sans rien attendre en retour. Qu'arrive-t-il ?

Ce qu'il se passe est que cette personne ne se sent pas rejetée, et par conséquent, ne diminue pas son amour et ne vit pas dans la restriction.

Non. Elle aime.

Elle aime simplement. Et cela élève son énergie de telle façon qu'elle finira par attirer un amour véritable.

JÉSUS

# Une nouvelle vie

Une nouvelle vie vous appelle maintenant.

Une nouvelle vie, de nouvelles personnes, de nouveaux événements et de nouvelles occasions. Le passé est mort. Il devait mourir.

Tout ce qui était important jusqu'à maintenant ne l'est plus ; peut-être que cela n'a jamais été important. Toutes ces théories qui paraissaient viables n'existent plus.

Vous êtes venu ici pour mourir. Pour affaiblir, casser et diminuer votre résistance.

Rien ne doit être parfait. Mais tout doit être nouveau.

Nouvelle vie, nouvelles opportunités.

Les choses qui étaient importantes autrefois ne le sont plus. Maintenant tout ce que vous voulez utiliser qui appartient au passé – toute personne, occasion, circonstance ou type de comportement – toute peur de sentiment sera grandement punie.

Le cycle est terminé.

Le flux s'est arrêté.

Maintenant, je veux que tout soit nouveau.

Laissez la vie se présenter elle-même et vous verrez à quel point elle est merveilleuse et bien organisée.

JÉSUS

# 176

# Le meilleur

Faites ressortir ce qu'il y a de meilleur en vous.

Les yeux expriment ce qui est à l'intérieur de l'âme.

Allez et découvrez.

Permettez au dieu (ou à la déesse) que vous êtes de se montrer.

Vous êtes tous des dieux. Pourquoi essayez-vous de fuir cette réalité ?

Pourquoi essayez-vous de courir, de manipuler, de mentir, de séduire et d'obtenir ce qui n'est pas à vous ?

Faites ressortir ce qu'il y a de meilleur en vous.

Vous avez une essence. Vous avez une lumière. Vous avez une âme.

En vibrant là, vous brillerez avec encore plus d'éclat.

Allez à la recherche de votre lune, votre vie inconsciente.

Sortez-la au grand air, regardez-la dans les yeux, et laissez-la partir.

Seulement alors je pourrai toucher votre cœur. Et en sentant mon toucher, il réagira. Il s'ouvrira, sourira et s'illuminera de joie.

Mais vous devez être conscient et choisir ce qu'il y a de meilleur en vous.

Cela devrait être un choix que vous faites quotidiennement, heure par heure, minute après minute, chaque moment.

À chaque incident, à chaque rejet, jugement ou sentiment de culpabilité, choisissez ce qu'il y a de mieux en vous.

Pleurez autant que nécessaire, mais choisissez-vous.

Et vous verrez comment, en faisant cela, la vie change de fréquence et commence à s'éclaircir une fois de plus.

JÉSUS

# 177

## Aucun engagement

Vibrez sans aucun engagement.
Vous n'êtes engagé à rien et vis-à-vis de personne.
Personne n'a à s'engager vis-à-vis de vous.
Personne n'a à faire quoi que ce soit pour vous.
Tout ce que les personnes vous font fait partie de la fréquence vibratoire que chaque personne a choisie pour elle-même.
Les gens ne vous ont rien fait. Ils se le font à eux-mêmes.
Et vous aurez à porter seulement le fardeau que vous êtes censé porter.
Imaginez que personne ne vous doit rien. Il n'y a pas de « il ou elle doit ».
Imaginez que les personnes ont leurs limites et agissent en fonction, soit en restant dans la densité, soit en choisissant la lumière.
Je dis « en restant dans la densité » parce que vous êtes déjà dans la densité. Si vous restez comme vous êtes, vous resterez dedans.
Afin d'évoluer, vous avez besoin de changer.
Choisissez la lumière.
Choisissez la plus haute vibration que vous êtes capable d'atteindre et maintenez-vous là.
Restez là.
À chaque étape, un être s'élève plus haut, jusqu'au jour où il est capable de se débarrasser de sa douleur et de venir vibrer près de ma lumière.

JÉSUS

# 178

## Le bon côté

Aujourd'hui nous allons travailler sur notre bon côté.

La joie d'être vivant, la joie d'être capable de choisir la meilleure fréquence sur laquelle vibrer.

Aujourd'hui nous allons nous réjouir. Nous allons célébrer le fait que même si la vie est double, elle a son bon côté.

Aujourd'hui, vous n'avez pas besoin de pleurer. Vous n'avez pas besoin de travailler sur ce que vous avez perdu, sur votre tristesse ou votre lassitude.

Aujourd'hui, il s'agit d'honorer notre communion. Le fait que vous faites partie de tout ce qui est vivant, et que vous êtes capable de comprendre qu'il y a beaucoup de surprises qui vous attendent durant ce voyage.

Tout est en train d'être préparé avec soin. Nous joignons nos forces pour que tout le travail que vous avez accompli soit récompensé.

Je suis en train de préparer l'arrivée d'une étoile pour vous guider de plus près.

C'est ma façon de vous faire savoir que vous vous êtes bien comporté.

C'est ma façon de vous dire merci.

JÉSUS

# 179

# Prononcer des jugements

Vous savez que je n'encourage pas le jugement.

Vous savez que juger c'est croire que vous êtes meilleur que les autres.

C'est croire que vous savez tout et les autres rien.

C'est croire que vous seul avez la formule pour résoudre les choses et que tous les efforts des autres sont vains et hors de propos.

C'est ce que juger veut dire.

Juger incite à la division.

Maintenant, je souhaite vous parler d'analyse.

Analyser, c'est considérer que quelque chose est correct ou incorrect, selon votre propre énergie.

Et ceci est quelque chose que je recommande de tout cœur.

Aujourd'hui, certaines personnes n'analysent plus rien parce qu'elles ont peur de porter des jugements.

Elles croient qu'analyser, essayer de comprendre ce qui est bon ou mauvais pour elles est en soi une forme de jugement.

Et en conséquence de cette perte de leur faculté d'analyse, elles continuent sans avoir la moindre idée de ce qui leur arrive.

En résumé, vous devriez réfléchir aux lignes suivantes.

Si je crois que quelqu'un ou quelque chose est bien par rapport à ma propre énergie, je suis dans l'analyse.

Si je crois que quelqu'un « devait faire » ou « aurait dû faire » les choses différemment et qu'il est « ce genre de personne-là » ou « ce genre de personne-ci » parce qu'il ne l'a pas fait, je suis dans le jugement.

Comme quelqu'un ici-bas a dit : « Je ne suis pas d'accord avec ce que vous dites mais je défendrai jusqu'à la mort votre droit de le dire. »

Et c'est ce qui fait toute la différence.

JÉSUS

# 180

# N'importe quoi fera l'affaire

N'importe quoi fera l'affaire quand vous avez besoin de continuer à travailler sur quelque chose dans votre vie. Lorsque vous allez au cœur du problème, dans l'essence de l'émotion que ces problèmes causent, c'est une manière de relâcher plus de densité et de libérer plus de karma.

Vous êtes des objets de mémoire. Vous êtes pratiquement absents du présent.

Vous êtes à quatre-vingts pour cent dans le passé et à vingt pour cent dans la peur de remonter dans ce passé, c'est la raison pour laquelle vous projetez tout dans l'avenir.

« Je vais le faire. »

« Je vais avoir du succès. »

Ce sont des déclarations classiques faites par quelqu'un qui projette tous ses espoirs dans l'avenir, ne comprenant pas que le futur est composé des choix qu'il fait aujourd'hui.

Mais pour faire des choix maintenant, vous avez besoin d'être synchronisé dans l'ici et maintenant et de savoir comment répondre aux impulsions que le présent vous apporte, pour relâcher de la densité.

Et ce n'est que lorsque vous relâchez de la densité dans l'ici et maintenant que vous pouvez être assez purifié pour faire des choix aujourd'hui qui continueront de construire un meilleur lendemain.

Comme je l'ai dit, n'importe quoi fera l'affaire pour que vous puissiez travailler sur l'ici et maintenant.

Tout ce qui vous arrive, absolument tout – si vous trébuchez sur une marche, ou qu'un enfant ou un parent vous embête – aide à identifier ce que vous ressentez.

Et au moment où vous êtes concentré sur ce que vous ressentez, considérez cette émotion comme une mémoire d'une vie antérieure où vous vous êtes trouvé dans une situation identique. Et faites appel au faisceau de lumière pour extraire cette densité de votre cœur.

C'est tout. C'est ainsi que cela fonctionne. Maintenant, c'est à vous de choisir où l'utiliser.

Je crois que vous pouvez l'utiliser tout le temps, n'importe quand, n'importe où.

Chaque fois que quelqu'un vous ennuie ou vous met mal à l'aise.

C'est ainsi que cela fonctionne.

Utilisez-le.

JÉSUS

# 181

# Mère

Asseyez-vous. Reliez-vous à vous-même.

Ressentez la pulsation dans chacune de vos veines. Ressentez chaque nerf, chaque muscle. Ressentez le battement de votre cœur. Ressentez les nombreux mouvements involontaires qui vous traversent.

Maintenant que vous avez ressenti votre corps, ressentez votre âme. Ressentez son éclat.

Même si vous ne pouvez pas la voir briller, croyez en la luminosité qui en émane et qui ne se fatigue jamais de créer.

Maintenant, ressentez la lumière. Cette lumière enchanteresse qui vient de là-haut et fait tout briller autour de vous.

Et cette luminosité est liée à votre âme et nous ne faisons qu'un.

Et pour quelques instants, vous ne faites qu'un avec la nature, le Ciel, avec le cosmos.

Et pour un instant vous êtes Dieu.

Et après que de nombreuses années se sont écoulées, après que de nombreux vents ont soufflé, cette lumière sera toujours là, cette luminosité intense qui garde l'humanité éveillée.

Cette lumière, mon fils, est la mère.

La mère est énergie. Et si c'est de l'énergie, c'est la plus grande des énergies.

Vous sentirez que cette lumière vous garde, vous guérit et vous tient constamment compagnie.

Cette lumière vous comprend, vous ressent et est facile à vivre. Elle ne vous maltraite pas. Au contraire, elle vous amène toujours à donner le meilleur de vous-même.

Cette lumière est votre mère. Ne croyez pas que vous trahissez votre vraie mère dans cette vie. Non, votre mère ici-bas sera toujours votre amour, votre référence sur Terre, dans la matière.

Cependant, vous avez besoin de davantage.

Et aujourd'hui vous allez recevoir davantage.

Vous allez avoir votre mère de lumière. De là-haut. Du Ciel.

Asseyez-vous. Reliez-vous à vous-même.

Et permettez à cette lumière d'entrer.

Vous allez vous sentir léger et purifié. Vous allez sentir que tout en vaut la peine. Vous comprendrez les raisons de vos erreurs.

Vous comprendrez que le Ciel vous attend lorsque vous choisirez de l'accepter.

Vous comprendrez la nouvelle version du temps et le moment nouveau qui arrive pour faire des choix.

Vous ressentirez le choix à faire.

Et à la fin, lorsque vous aurez baigné dans la lumière de votre mère, lorsque vous aurez senti l'éternel pardon de toutes les créatures, vous sourirez. Et ce sourire sera fixé dans le Ciel en vous attendant.

Comme un signe.

Comme un signe qui attend une lumière.

Et cette lumière, c'est vous.

JÉSUS

# 182

# Le calme

Il y a un calme.

Un calme ressenti par ceux qui sont droits. Ceux qui font ce qui doit être fait.

Ceux qui sont là où ils ont besoin d'être.

Peu importe où ce lieu peut se trouver.

Et ce calme est la plus grande preuve vivante que tout ce qui arrive est censé arriver. Mais c'est encore davantage.

Cela veut dire aussi que vous avez fait ce que vous deviez faire pour que toutes les situations se déroulent.

C'est le calme qui vient avec « Enfin, la fin ». C'est le calme d'une mission accomplie.

Une mission accomplie et une âme émancipée.

JÉSUS

# Permettez-vous de ressentir

Permettez-vous de ressentir. Juste comme vous vous sentez maintenant. Respectez cela.

Il y aura des moments où vous ne voudrez pas sentir comme vous vous sentez, des moments où vous préférerez ressentir autre chose.

« Je sais que le cours des événements ne devrait pas être modifié, pourtant je ressens tout le contraire. »

Ce que vous ressentez est ce que vous devez ressentir. Respectez-le et honorez cela. Honorez ce que vous ressentez car c'est votre don le plus précieux.

Tout ce que vous avez fait jusqu'à cet instant, tout ce que vous avez expérimenté jusqu'à maintenant n'a rien fait d'autre que de vous préparer à cette importante vérité.

Vous êtes ce que vous ressentez.

Vous êtes ce que vous aimez.

Et vous pouvez vous heurter à des ouragans, à des tornades, à la méchanceté.

Mais jusqu'à ce que vous acceptiez ce que vous ressentez, même si cela veut dire tout perdre, même si cela vous laisse dans les profondeurs du désespoir... jusqu'à ce que vous acceptiez ce que vous ressentez, vous serez incapable d'être un être humain avec un système énergétique défini. Votre système énergétique sera vague, insaisissable et hostile.

Ce que vous ressentez est votre don le plus précieux. Cependant, pour que votre lumière brille, vous devez accepter vos sentiments et, plus important encore, les suivre jusqu'au bout.

L'acceptation fait seulement partie du processus.

Et vous ne voulez pas laisser les choses inachevées, n'est-ce pas ?

JÉSUS

# 184

# Dire « je suis désolé »

Savez-vous ce que le mot « désolé » veut dire ?
Avoir des remords. « J'ai plein de remords. Soulagez-moi de cette culpabilité. »
Qu'est-ce que cela signifie ? Cela veut dire que les personnes croient qu'il faut s'excuser seulement lorsqu'elles font quelque chose de mal délibérément.
Est-ce que cela veut dire que vous ne devez pas vous excuser lorsque vous faites quelque chose de mal involontairement ?
Est-ce que cela veut dire que si vous faites mal à quelqu'un vous ne devez pas vous excuser juste parce que cela n'était pas prémédité ?
Et qu'en est-il de l'autre personne ?
Celle qui a été blessée ?
Ne réalisez-vous pas que même si cela n'était pas intentionnel, cette personne a quand même été blessée ? Qu'elle a souffert à cause de ce que vous lui avez fait ?
Délibérément ou non ?
Nous devons assumer la responsabilité de nos actions.
Et si vous avez fait mal à quelqu'un, que ce soit intentionnel ou non, dites que vous êtes désolé.
Excusez-vous.
Souciez-vous de cette personne.
Évidemment, il a attiré cela. Il a attiré quelqu'un pour le blesser, pour pouvoir traiter sa douleur et finalement s'en libérer. Mais cela ne vous ôte pas votre responsabilité.
Le fait que le Ciel vous ait utilisé comme instrument pour délier cette personne ne veut pas dire que vous avez pris la décision de le faire souffrir, consciemment ou inconsciemment.

315

Quelles que soient les circonstances, vous êtes responsable de la douleur. Vous devez vous occuper de cette personne.

« Je suis désolé, je ne voulais pas vous faire de mal. »

« Je ne savais pas, je n'ai pas réalisé, je suis désolé. »

Et serrez-la dans vos bras. Une étreinte aide toujours à soigner les blessures. Et ce faisant vous allez purifier énergétiquement la situation.

Tout le monde fait des erreurs, ce n'est pas la question. Ce qui importe, c'est de les corriger.

Et tout le monde ne sait pas comment dire : « Je suis désolé. »

JÉSUS

# 185

# Votre gorge qui se serre

Votre gorge qui se serre, c'est un signe.

Vous avez passé votre vie entière à l'ignorer, en allant toujours de l'avant comme si ce n'était pas important. Comme si cela ne faisait pas partie de vous. Comme si cela n'était pas un appel de votre âme.

Chaque fois que vous avez fait quelque chose qui a provoqué cette lourdeur, chaque fois que vous avez pris une décision, fait un choix, pensé à quelque chose qui a provoqué ce serrement dans votre gorge, vous avez pensé que c'était étrange mais vous avez continué d'avancer.

« La vie doit être vécue », avez-vous pensé.

Cette douleur ne s'est pas arrêtée, elle ne vous a pas arrêté, et elle ne vous a pas fait reconsidérer votre situation. Cela ne vous a pas fait reporter votre voyage, au moins jusqu'à ce que vous en connaissiez la cause. Non. Vous vous êtes dit que cela passerait. C'est de l'anxiété. De la dépression. Je vais prendre quelque chose. Cela passera.

Mais la lourdeur ne disparaît pas. Et vous vous habituez à vivre avec, vous vous en accommodez.

Jusqu'à ce qu'elle fasse partie de qui vous êtes.

Vous commencez à croire que c'est naturel, que c'est comme cela que l'on vit, que la vie est ainsi.

Et votre âme qui crie, appelant à l'aide, demandant votre soutien, peut communiquer avec vous seulement de cette façon, en vous faisant ressentir que votre gorge se serre.

Et en négligeant cette douleur, vous négligez votre âme.

Et votre âme a désespérément besoin de vous...

Elle a besoin de votre attention, de votre respect et de votre sagesse. Elle a besoin de vos conseils, de votre ruse et de votre intelligence pour que vous ne la maltraitiez pas, que vous ne l'excluiez pas en prétendant qu'elle n'existe pas.

Pour que vous ne la rejetiez pas et ne la changiez pas, ne soyez pas irrespectueux envers elle. Non. Elle a besoin que vous soyez qui vous êtes vraiment, fidèlement et librement.

Elle a besoin de votre sagesse afin de se montrer.

Elle a besoin que vous choisissiez d'aller vers la lumière.

JÉSUS

# 186

# Se révéler

Révélez-vous. Révélez-vous. Révélez-vous.

C'est tout ce que je peux vous dire.

Je peux et dois vous dire de vous révéler, de révéler ce que vous êtes venu faire ici, d'ouvrir votre cœur et votre âme.

Si les gens ne le comprennent pas, alors ils ne comprennent vraiment pas.

Mais ce n'est pas une excuse pour ne pas être qui vous êtes et le révéler au monde.

Le monde existe seulement pour que vous puissiez vous révéler sans peur d'être rejeté.

Sans peur d'être ridiculisé.

Combien de choses ne faites-vous pas parce que vous avez peur d'être exposé ?

Combien d'expériences avez-vous manquées par peur de vous tromper ?

La peur de faire des erreurs empêche une personne de se révéler.

Et moins elle se révèle, plus elle s'enfonce dans un puits de conformité et de monotonie.

Un jour viendra où cette personne se réveillera et ne saura plus qui elle est, parce qu'elle aura passé son temps à se fuir et à fuir les autres. Elle n'aura aucune idée de qui elle était. Et elle n'aura aucune idée de qui elle pourrait devenir.

La vie est faite d'expériences. Chaque fois que vous rejetez une expérience par peur d'être exposé, par peur de faire des erreurs et d'être jugé, chaque fois que vous abandonnez parce que vous ne souhaitez pas être exposé ou jugé, vous empêchez votre âme de vivre des expériences. Et ce faisant vous l'empêcher de gagner en connaissance et en sagesse.

N'oubliez jamais. Ce qui importe n'est pas de faire ou de ne pas faire des erreurs.

Ce qui importe n'est pas d'arrêter ou de ne pas arrêter d'en faire. Le monde est double et imparfait. Vous portez cette dualité et cette imperfection, et par conséquent, il est plus que probable que vous allez continuer à faire des erreurs, indépendamment du fait que vous vous révéliez ou non.

Ce qui importe, c'est votre manière de réagir face à ces erreurs, ce que vous apprenez d'elles, et jusqu'où elles peuvent vous permettre d'évoluer.

C'est une logique différente, j'en suis conscient. Mais les choses sont ainsi.

JÉSUS

# 187

# Karma

Pensez à quelque chose que vous voulez faire mais êtes incapable de faire.

Ou, mieux encore, une chose que vous ne voulez pas faire parce que vous savez qu'elle vous causera une grande douleur.

Vous ne voulez pas la faire mais savez que vous devez la faire.

Vous savez cela, non pas grâce à votre esprit ou votre ego.

Vous le savez par intuition, et l'intuition est la plus grande forme de sagesse qui puisse exister.

Pensez à quelque chose que vous devez faire mais que vous ne pouvez tout simplement pas faire.

Quelque chose qui ne se fait pas. Qui ne fonctionne pas.

Vous essayez mais vous ne pouvez tout simplement pas le faire.

Pensez-y. Concentrez-vous dessus. Concentrez-vous uniquement sur cela.

Vous remarquerez que quelque chose remue dans votre poitrine. Un sentiment de peur. Une sensation de gêne, une envie incontrôlable de fuir.

C'est probablement votre plus gros nœud.

Votre plus grande difficulté.

Un de vos karmas. Le karma est quelque chose qui vous a causé beaucoup de douleur dans une autre vie. Il est bloqué, et c'est quelque chose que vous fuyez de toutes vos forces dans cette vie-ci.

Vous avez une mémoire de cette vie dans laquelle cela vous a causé tant de souffrance. Une mémoire inconsciente, mais une mémoire quand même.

Et cette mémoire vous empêche de faire quelque chose de similaire dans cette vie-ci.

321

Et vous pouvez demander : « Si je ne peux pas le faire, pourquoi est-ce que je veux le faire ? Pourquoi est-ce que je sais qu'il faut que j'en passe par là ? »

Et je vais répondre : parce que ce karma doit être libéré dans cette vie-ci.

Et si vous êtes venu dans cette vie afin de nettoyer ce karma, tant que vous n'aurez pas revécu cette mémoire et accepté la douleur, vous ne pourrez pas libérer cette énergie karmique. Et vous ne feriez rien qui en vaille la peine ici.

En résumé :

Identifiez la chose la plus difficile à faire pour vous, ou même, pensez à la faire. Laissez la peur s'emparer de votre cœur, ouvrez votre cœur, enlevez la densité, pleurez si vous en ressentez le besoin, mais purifiez-vous.

Et chaque fois que vous y penserez, cela fera un peu moins mal.

C'est la manière de nettoyer le karma.

C'est la manière de commencer à donner du sens à la réincarnation.

JÉSUS

# 188

# Apparences

Pensez à quelque chose dans votre vie que vous avez résolu.
Cela n'a pas été facile à résoudre, mais vous y êtes arrivé.
Cela a pris du temps, cela a été dur, mais vous avez réussi, n'est-ce pas ?
Pensez à quelque chose qui semble avoir été résolu.
Pensez-y vraiment. Donnez libre cours à votre imagination.
Maintenant, commencez à déconstruire ces images.
Déconstruisez toutes les images qui vous viennent à l'esprit. Enlevez toutes les couches de matière et toutes les couches de protection qui existent.
Et lorsque vous aurez tout retiré, il ne vous restera qu'une émotion.
Permettez à cette émotion de grandir dans votre poitrine. Permettez-lui de grandir dans votre poitrine malgré la sensation étrange que vous ressentez.
Laissez-la prendre le dessus. Commencez à respecter cette émotion, même si elle semble contradictoire, même si vous ne la comprenez pas.
L'émotion est détentrice de la sagesse. Acceptez-la, quelle que soit cette émotion.
Et vous verrez que le problème n'est pas aussi bien résolu que ce que vous pensiez.

JÉSUS

# 189

# Héros

Qui est votre héros ? Comment est-il ? Quelles sont ses qualités ? Qu'admirez-vous chez lui ? Quelles qualités voyez-vous en vous ?

« J'aimerais beaucoup être comme lui, avoir ce qu'il a et faire ce qu'il fait. »

Vous êtes-vous déjà surpris à penser cela ?

Savez-vous ce que cela veut dire ?

Cela veut dire que vous voulez être ou avoir ou faire des choses qui ne vous sont pas destinées, du moins pas pour le moment.

Cela veut dire que vous perdez tant de temps à centrer votre attention sur quelqu'un d'autre et sur ce qu'il a, qu'il n'y a plus de place pour vous concentrer sur ce que vous avez de meilleur en vous.

Je ne dis pas que vous ne serez, n'aurez et ne ferez jamais ce que cette personne est, a ou fait. Ce n'est pas ce que je veux dire.

Ce que j'essaie de dire est qu'importe ce que vous voulez être, avoir ou faire, cela devra être basé sur ce que vous êtes déjà, sur ce que vous avez déjà et sur ce que vous faites déjà. C'est le point de départ. C'est à partir de là que vous pourrez élargir la dynamique.

C'est vous qui développez ce qui existe déjà, non quelqu'un d'autre qui existe et qui vous transmet ensuite ses dons.

Car lorsque vous vous focalisez trop sur ce qu'est une personne, ce qu'elle a et ce qu'elle fait, votre attention est limitée. Vous ne voyez pas cette personne dans sa totalité. C'est comme si elle n'avait que des qualités et aucun défaut. Donc, en voulant être comme cette personne, ce que vous dites dans le fond, c'est que vous ne voulez avoir aucun défaut. Et cela n'est pas possible.

Vous pouvez avoir des héros, vous pouvez souhaiter être comme quelqu'un que vous admirez, mais vous devez reconnaître que tout commence en vous. Vous pouvez développer ce que vous avez. Vous pouvez même commencer à être ou à avoir de nouvelles choses.

Mais vous ne pouvez jamais être quelqu'un d'autre.

Simplement parce qu'il n'y a pas deux énergies pareilles.

JÉSUS

# 190

# Méditation

Faites cette exercice.
Fermez les yeux, respirez.
Respirez profondément.
Permettez à une lumière de pénétrer en vous par le haut de la tête.
Même si vous ne la voyez pas, ressentez-la.
Ressentez ma lumière pénétrer et bouger à travers tout votre corps.
Ensuite concentrez-vous sur les personnes que vous aimez.
Imaginez qu'elles sont à l'intérieur de votre énergie. Vous les avez emmenées à l'intérieur parce que vous les aimez tant.
Et maintenant, une par une, retirez-les de votre énergie.
Peu importe combien de temps cela vous prend.
Enlevez-les de votre énergie, une par une.
Demandez à chacune de vos cellules de s'ouvrir afin d'expulser l'énergie de ces personnes de votre système énergétique.
Vous ne les sortez pas de votre vie. Vous les sortez seulement de votre système énergétique. Lorsque vous avez fini, respirez une autre fois. Profondément. Et à nouveau permettez à ma lumière de pénétrer par votre tête et de circuler dans votre corps entier.
Maintenant, passons à votre travail ou à vos études, quel que soit ce que vous faites pendant plusieurs heures par jour, tous les jours.
Vous allez enlever cette énergie qui est à l'intérieur de vous.
Peu importe le temps que cela prend, travaillez à enlever l'énergie de vos tâches quotidiennes de votre système énergétique, cellule par cellule.

Ensuite, l'argent. Concentrez-vous sur cette énergie. Retirez-la. Laissez cette énergie sortir de votre corps.

Ne paniquez pas. Vous n'enlevez pas l'argent de votre vie mais plutôt son énergie, qui est dense et arrogante.

Respirez. Recevez la lumière à travers votre tête. Maintenant, vos relations émotionnelles, l'amour ou le manque d'amour.

Enlevez cette énergie. Permettez à chaque cellule d'expulser cette force énergétique.

Maintenant, la santé ou le manque de santé. Chaque cellule chassera l'énergie qui appartient à la santé.

Maintenant, les personnes que vous n'aimez pas ou avec qui vous ne vous entendez pas bien.

Ressentez leur énergie. Supprimez-la de l'intérieur de chaque cellule.

Et en dernier, vos problèmes. Retirez-les, relâchez l'énergie de vos problèmes, et plus encore, relâchez toute l'énergie qui ne vous appartient pas.

Et continuez à recevoir ma lumière qui descend de votre tête.

Et concentrez-vous pour enlever l'énergie qui n'est pas la vôtre. Chaque cellule sera moins occupée pour permettre à ma lumière d'entrer.

Ressentez ma lumière.

Demandez-moi d'entrer.

Et j'entrerai en vous. Et nous resterons ensemble dans la lumière jusqu'à ce que le monde vienne nous secouer pour nous réveiller.

JÉSUS

# 191

# Rage

Qu'est-ce que la rage ?

La rage, comme je dis toujours, est l'« air bag » de la tristesse.

Qu'est-ce que j'entends par là ?

Ce que je veux dire est que lorsque vous vous fâchez contre quelqu'un ou quelque chose, c'est parce que vous êtes triste.

Et votre tristesse vous fait mal. Elle vous fait très mal. Donc votre ego en arrive à la conclusion suivante : « Pourquoi faut-il que je souffre ? Parce que quelqu'un m'a fait mal. »

Et vous trouvez quelqu'un à blâmer. Et vous cessez immédiatement de vous centrer sur vous et commencez à vous focaliser sur quelqu'un d'autre, la « personne coupable ».

Après l'avoir jugée continuellement, vous commencez à ressentir de la rage.

J'ai quelque chose à vous dire.

La rage se nourrit d'elle-même. Plus vous sentirez de la rage, plus de rage vous sentirez. Et tôt ou tard, vous tomberez malade.

Vous tomberez malade parce que vous êtes constamment en colère, parce que ce poison à l'intérieur de vous, cette fréquence extrêmement basse finira par s'infiltrer dans vos cellules et les tuera.

C'est cela que vous voulez ?

La seule solution est de transformer cette rage en tristesse.

Êtes-vous rempli de rage ? Arrêtez-vous.

Et réfléchissez.

Êtes-vous triste ? Pourquoi ?

Restez dans ce sentiment de tristesse.

Restez comme vous êtes. Pleurez si vous en avez besoin.

Concentrez-vous sur votre tristesse et non sur la personne qui vous a prétendument fait mal.

Qui sait si ce n'est pas vous qui l'avez attirée – si l'Univers ne vous a pas envoyé cette personne – pour vous blesser, pour provoquer votre tristesse, pour qu'en étant triste vous puissiez regarder à l'intérieur de vous et trouviez une personne belle, sensible et avec une énergie élevée ?

Qui sait ?

Jusqu'à ce que vous ressentiez de la tristesse, vous ne serez pas capable de regarder à l'intérieur de vous et sentir à quel point votre âme est pure.

Si vous continuez à ressentir de la rage, vous ne pourrez vous concentrer sur vous-même, vous allez vous focaliser uniquement sur ceux qui sont prétendument coupables, et vous ne regarderez jamais à l'intérieur de vous-même.

Réfléchissez-y.

L'Univers n'est-il pas parfait ?

Je pense que si.

JÉSUS

# Questions

Même si vous ne me voyez pas, vous pouvez me poser des questions.

Même si vous ne m'entendez pas, vous pouvez me poser des questions.

Même si vous ne ressentez pas ma lumière, vous pouvez me poser des questions.

Et le secret est la vacuité. C'est aller au point zéro, rester vide. C'est la quantité d'ego et de résistance que vous pouvez retirer. Le nombre de pensées et de densité mentale que vous pouvez retirer.

Le secret réside dans la capacité à être intuitif, mais plus important encore, dans la capacité à croire en l'intuition. Le secret réside dans la capacité non seulement à ressentir mais plus important encore, dans la capacité à croire en ce que vous ressentez.

Faites ce qui suit.

Avez-vous une question ?

Bien. Nous allons vous donner une réponse.

Faites ce qui suit.

Asseyez-vous confortablement. Respirez.

Commencez à placer vos pensées sur une étagère, que vous trouverez suspendue au Ciel.

Devenez un observateur de vos propres pensées. Mais ne critiquez point.

N'exprimez aucune opinion.

Un autre grand secret pour venir au Ciel est de n'avoir aucune opinion.

Moins vous aurez d'opinions, plus vous serez ouvert à ce que j'ai à vous montrer.

Maintenant, permettez à une lumière de pénétrer par le haut de votre tête.

Même si vous ne la voyez pas, laissez-la entrer.

Cette lumière va circuler dans tout votre corps et vous vous sentirez plus léger.

Alors, et seulement alors, posez votre question.

Ne pensez pas à la réponse. Ne pensez pas à la réponse, ne serait-ce qu'une seconde.

Attendez juste. Posez votre question et attendez.

Attendez sans vous former une opinion, sans y penser.

N'oubliez pas que vous êtes simplement un observateur.

Bientôt, vous allez commencer à sentir quelque chose.

Restez comme vous êtes. Ne pensez pas. N'essayez pas de vous former une opinion.

Continuez juste à être un observateur d'événements.

Au point zéro. Complètement vide.

Et la réponse commencera à se déployer devant vous.

Cela peut être une image, cela peut être une émotion, mais quoi qu'il apparaisse, ce sera rempli de sens.

Et si vous êtes capable de rester au point zéro sans critiquer, sans juger, sans rien vouloir, absolument rien d'autre que la vérité d'en haut, du Ciel, la réponse à vos questions va commencer à apparaître et elle sera forte, puissante et claire afin de dissiper vos incertitudes.

Vous pouvez ne pas aimer la réponse. Vous pouvez vous sentir triste ou vibrer de bonheur.

Mais voici la vérité que j'ai pour vous, et au moins vous avez la consolation de savoir que vous n'avez plus besoin de vibrer sur la fréquence de l'illusion.

Et cela est déjà en soi un grand exploit.

JÉSUS

# Révérence

Révérez la lumière. Laissez-lui savoir à quel point vous l'aimez, à quel point vous vous identifiez à elle, à quel point elle compte pour vous.

C'est l'étoile qui éclaire votre vie, le bateau qui navigue au-delà de l'horizon, vous emmenant dans des dimensions ancestrales pour que vous puissiez sauver les morceaux perdus de votre âme.

Montrez de la révérence, reconnaissez à quel point la lumière est magnanime et forte, à quel point elle est suprême, à quel point elle est devenue le maître de votre énergie.

Et suivez-la. Suivez-la jusqu'au bout du monde, si besoin est, pour pouvoir sauver ce qu'il y a de plus pur en vous, pour découvrir ce qu'il y a de plus originel en vous et pour ajouter de la couleur à votre vie.

Pour donner de la saveur à votre existence, pour lui donner du sens, cédez à la lumière.

Cédez et reconnaissez qu'il n'y a pas d'autre chemin que de vivre en communion.

Montrez de la révérence.

Il n'y a pas d'autre chemin pour évoluer que celui-ci.

Montrez de la révérence.

Prenez un engagement.

Et prenez la résolution qu'à partir de maintenant vous ne vous tromperez, ni ne vous mentirez ni ne vous leurrerez jamais plus vous-même.

Pas même pour échapper à la douleur.

Plus jamais.

JÉSUS

# 194

# Édification

Tout ce qui est là-haut est à connaître et à savoir ici-bas.

Tout ce que vous voyez là-haut est à compléter ici-bas.

Tout ce que vous ressentez, tout ce que vous percevez est destiné à vous aider à être édifié.

L'homme ressent, perçoit, et va sur Terre pour être édifié.

C'est le procédé. Il n'y en a pas d'autre.

Ici-bas, vous voulez faire ce qui vous met le plus à l'aise, et ce qui est le moins compliqué pour vous.

Vous pouvez même vous induire en erreur en croyant que vous devez faire des choses qui sont ardues mais essentielles, étant donné que vous les faites pour les autres...

Ou parce que vous les faites pour moi.

Je n'ai pas besoin que vous fassiez quoi que se soit pour moi.

Je suis bien.

Mais vous ne l'êtes pas.

Vous devez venir ici, abandonnez votre ego, et commencer à recevoir de l'information, recevoir des instructions sur ce que vous devez ou ne devez pas faire.

Pas ce que vous devez faire, mais plutôt ce que vous devriez faire, car nous ne faisons que des suggestions. Le choix final sera toujours le vôtre.

Et une fois que vous avez compris et accepté que ce que vous voulez n'est pas toujours approprié à votre voyage (bien que les choses là-haut vous soient destinées et le seront presque certainement)...

Quand vous réalisez que vous ressentez profondément que vous devez faire certaines choses, même si vous ne savez pas pourquoi, et que vous les faites...

À ce moment-là, vous serez une âme initiée, et votre vie changera radicalement.

À ce moment-là, vous aurez la force qui vient de l'âme, et tout deviendra facile, clair et pur.

À ce moment-là, vous vous serez rapproché de moi.

JÉSUS

# 195

# Vous le méritez

Imaginez que la vie vous attende. Imaginez que la vie dont vous n'avez jamais osé rêver, une vie remplie de musique et de chansons, soit prête à se dévouer à vous dans toute sa grandeur.

Imaginez qu'il y ait une vie où vous soyez heureux, où tout ce qui vous entoure soit en accord avec votre énergie discrète et subtile.

Imaginez une vie où vous puissiez être, ressentir, parler et vivre, et où tous ceux qui vous entourent comprennent vos racines, vos motifs et votre logique.

Imaginez que cette vie, qui est disponible pour vous, soit d'une grande portée et puisse vraiment vous élever.

Et que les concessions que vous avez à faire – parce qu'ici bas, dans ce monde de dualité, les concessions sont toujours une nécessité – soient minimes, sûres et paisibles.

Cette vie existe.

Elle existe et elle est prête pour vous. Elle est prête à se présenter.

Mais vous devez faire un choix.

Vous devez choisir pour la mériter.

Pour mériter le bonheur, pour mériter de vivre sans culpabilité, mériter la bonté, la compréhension et l'affection. Pour être digne d'amour.

Et surtout, être digne de l'amour inconditionnel.

Le mien.

De là-haut.

Et lorsque vous aurez choisi tout cela, vous vous débarrasserez de vos anciennes habitudes, vous vous débarrasserez de vos dépendances émotionnelles, vous vous débarrasserez de vos concessions sans fin, et vous regarderez à l'intérieur de vous-même.

Et vous verrez votre essence rayonner.

Et vous verrez qu'elle aussi mérite une chance.

Et vous la chercherez avant de chercher quoi que ce soit d'autre.

Elle deviendra l'étoile qui vous guidera pour la vie.

Et vous ne considérerez plus les autres comme des béquilles émotionnelles, mais comme des compagnons de voyage sur votre chemin.

Dont vous n'exigerez rien.

À qui vous donnerez l'amour inconditionnel que vous serez venu chercher là-haut, au Ciel.

Et ainsi, vous sentant léger et fluide, vous commencerez à voler à travers l'existence en cherchant votre propre vie.

Et votre vie aura de la place pour se révéler.

Et vous aurez l'opportunité de l'étreindre.

Et ensemble vous parcourrez les cieux jusqu'à l'éternité,

JÉSUS

# 196

# Chercher l'amour

Je veux que vous réfléchissiez à cette pensée.

Les êtres humains ne viennent pas sur Terre pour obtenir de l'amour.

Ils viennent sur Terre pour donner de l'amour.

L'amour qu'ils viennent chercher là-haut.

Pensez-y.

Les êtres humains viennent sur Terre sans aucune connexion, aucune spiritualité et sans liens.

Et comme les êtres humains ont besoin d'amour, ils ont une tendance naturelle à essayer de trouver l'amour ici-bas sur Terre.

Et il arrive justement que d'autres êtres humains cherchent aussi à répondre à leurs propres besoins.

Et ainsi les chemins de chacun se croisent par nécessité.

Ils ont besoin les uns des autres. Ils ont besoin de compréhension, d'amour et d'affection. Et ils recherchent cela dans les autres.

Bien sûr, cela ne peut jamais fonctionner.

Nos besoins coïncident rarement avec ce que les autres ont à nous offrir.

Ce n'est pas la logique avec laquelle les choses fonctionnent. En vérité, les humains ne devraient pas rechercher ces sentiments chez les autres.

Cela ne marche presque jamais.

Parce qu'alors ils exigent des choses en retour.

Vous avez juste à regarder les couples pour voir cela. Quels sont les reproches qu'ils se font ?

La plupart du temps leurs reproches sont basés sur des attentes qui n'ont pas été satisfaites. « Je veux qu'il soit ce type de personne et il ne l'est pas, je veux qu'elle fasse ceci mais elle ne le fait pas. »

Chacun demande ce qu'il veut de l'autre et est incapable de respecter cette personne pour qui elle est vraiment.

Quel est le résultat ?

Indigentes vies que celles où les personnes essayent de remplir leur vide émotionnel par leur partenaire.

Quel est le résultat ?

La seule solution viable est pour les êtres humains de commencer à lever les yeux au Ciel.

De répondre à leur besoin là-haut.

Ils peuvent venir ici, au Ciel, pour la compréhension, la protection, le soutien, la bonté, l'enjouement, l'affection, l'engagement, la sécurité et le confort spirituel.

Mais surtout, ils peuvent venir ici au Ciel pour l'amour inconditionnel.

Ce sentiment dans lequel vous êtes aimé pour qui vous êtes, sans restrictions et sans réserve, avec toutes vos qualités et tous vos défauts, avec votre vulnérabilité et votre bravoure.

Je suis celui qui vous aime.

Et vous allez conserver cet amour dans votre cœur d'une telle manière que vous ressentirez ensuite le besoin de le distribuer à travers le monde entier à toutes les âmes qui croiseront votre chemin.

Et de cette façon, vous aurez rempli l'une des plus grandes missions que l'homme a sur Terre :

Apporter de l'amour à la Terre plutôt que d'emporter de l'amour de la Terre.

Pensez à cela, venez là-haut et voyez à quel point tout peut être différent.

Du moment que vous me regardez.

JÉSUS

# 197

# Des ailes

Soulevez vos ailes pour vous envoler. Prenez soin de vos ailes avec affection, diligence et détermination.

Avec affection pour qu'elles puissent grandir librement et sans fardeau.

Avec perfection pour que le Ciel vous apparaisse toujours comme le grand et respectueux créateur des étoiles.

Et avec détermination, pour que vous n'abandonniez jamais, même si vos ailes sont loin de pouvoir voler et sont loin du Ciel et de la lumière.

« Comment dois-je m'occuper de mes ailes ? », demandez-vous.

C'est simple, mon ami, comme toutes les choses là-haut, au Ciel.

Élevez-vous.

Augmentez votre vibration. Prenez soin que toutes vos pensées, vos actions, vos inquiétudes reflètent toujours, et à chaque occasion, la plus haute des énergies que vous êtes capable de concevoir.

Prenez soin que votre ego, votre jugement, votre culpabilité et votre résistance restent toujours à des années-lumière de votre énergie.

Prenez soin de chérir vos rêves même quand vous n'êtes pas capable de les réaliser.

Un rêve non réalisé est toujours un rêve.

Ou il peut se transformer en frustration.

Le choix est le vôtre.

Et le plus important, quand vous allez monter au Ciel, prenez soin de soulever vos ailes aussi haut et aussi loin que votre énergie peut vous le permettre.

Élancez-vous au plus haut des cieux avec toute la force de ma protection.

Et lorsque vous reviendrez sur Terre, lorsque vous reviendrez à votre vie de tous les jours, vous sentirez ce royaume supérieur à l'intérieur de votre corps.

Et si vous fermez les yeux et respirez, vous serez encore capable de sentir le mouvement de vos ailes dans votre dos.

Et personne ne saura ce qui est arrivé.

Et personne ne saura que vous pouvez voler et que vous avez des ailes puissantes.

Personne ne saura à quel point vous êtes heureux.

Ce sera un secret.

Le vôtre et le mien.

Le vôtre, le mien et celui de tout l'univers.

Lorsque quelqu'un essayera de couper vos ailes, vous comprendrez qu'il y a des concessions que vous ne ferez jamais.

Et c'est l'une d'entre elles.

JÉSUS

# 198

# La vie qui se présente

Votre vie a de la force. Elle a de l'énergie.

Elle a sa propre volonté.

Si vous arrêtiez de faire toutes les choses que vous faites aujourd'hui, si vous arrêtiez de vous inquiéter, si vous arrêtiez de rationaliser et de tout contrôler, vous vous apercevriez de quelque chose de phénoménal.

Un phénomène dont peu de personnes sont témoins, précisément parce qu'elles sont incapables d'arrêter de faire ce qu'elles sont en train de faire, incapables d'arrêter de s'inquiéter, de rationaliser et d'essayer de tout contrôler.

Et si vous êtes capable de faire cela, vous serez finalement capable de voir la vie se présenter elle-même.

Vous réaliseriez que la vie bouge d'elle-même. Elle avance par elle-même.

La vie avance de son plein gré, remplie de gravité énergétique.

Vous seriez seulement là où vous avez besoin d'être.

Vous feriez seulement ce que vous avez besoin de faire.

Ceci est une loi universelle inflexible.

Et tout ce qui la contredit n'attirera que douleur, pertes et souffrance.

Et qui sait où vous devriez être maintenant et ce que vous devriez faire maintenant ?

Qui ? demandez-vous.

Vous ? Votre ego ?

Non. La vie.

Seule la vie sait où aller, quelle direction prendre et comment y arriver. La vie seule.

Et si vous cessiez de penser que vous savez, que vous pouvez et que vous devez, vous permettriez à la vie de vous porter.

Vous mettriez la vie en premier.

Vous reconnaîtriez que c'est bien.

Et la vie – légère et libre, telle est sa nature – répondrait aux nécessités de votre voyage et vous apporterait le succès.

Et tout serait à sa juste place. Et à la fin nous nous rencontrerions là-haut pour commémorer votre vie.

JÉSUS

# 199

# La foi

La foi ouvre le canal.

Pensez à cette phrase. Pensez à ce qu'elle signifie, à ce qu'elle essaie de dire.

Le fait que vous croyez en ce que vous voyez, en ce que vous entendez, et surtout en ce que vous ressentez… le fait que vous comprenez à quel point la communication avec le Ciel est sensible et que vous vous consacrez à explorer cette connexion… le fait que vous réalisez que l'acte de croire est lui-même subtil et courageux, tout ceci vous conduit à une immense ouverture de votre canal.

Et plus le canal s'ouvre, plus vous devenez intuitif et plus vous croyez… et plus le canal s'ouvre.

Tel est le cycle. Tel est le chemin.

En vérité vous n'avez qu'une alternative.

Choisir de croire en ce que vous ressentez, en votre intuition, et, ce faisant, ouvrir les portes à une merveilleuse et authentique façon d'être dans la vie.

Ou être envahi de doutes, cesser de croire, permettre à votre ego d'entrer, et vivre une vie pleine de frustration et de douleur.

Comme toujours, le choix est le vôtre.

La seule chose que je peux dire est que même si vous croyez, même si vous ne comprenez pas, même si les choses ne sont pas très claires, vous allez vous ouvrir à la foi, débutant un long et imperceptible voyage qui vous emmènera dans les plus riches royaumes de votre âme.

Et par la suite, dans les plus intenses royaumes de l'énergie où vous pouvez vibrer.

Il n'y a pas de mot pour décrire cet état.
Il va bien au-delà du domaine de la parole.
Il entre dans le domaine de Dieu.

JÉSUS

# 200

# Aimants

Tout d'abord, analysez ce que vous attirez.

J'ai beaucoup parlé en détail de ce sujet dans mes communications.

C'est simple.

Vous attirez tout ce qui vous arrive – les objets, les personnes, les obstacles, les circonstances et les événements.

À l'intérieur de votre poitrine, il y a un diamant qui est comme un magnifique aimant.

Cet aimant communique avec l'Univers et attire les situations qui ont la même fréquence vibratoire.

S'il y a de la violence dans ce diamant, vous attirerez de la violence.

S'il y a de la compassion, vous attirerez de la compassion.

Tout ce qui est à l'extérieur reflète ce qui est à l'intérieur.

Et vous devez choisir à l'intérieur ce que vous souhaitez manifester à l'extérieur.

Si vous pouvez saisir cette règle très simple et très précise, vous réaliserez qu'il est possible de choisir de changer la vie en utilisant votre libre arbitre.

En bref choisissez de changer ce qui est à l'intérieur de vous. Cessez de regarder à l'extérieur.

Comme le dit le dicton : « Changez, et le monde changera avec vous. »

JÉSUS

# 201

# Déchiffrez

Pour commencer, analysez ce que vous avez.

J'ai expliqué cela dans le message précédent. Vous pouvez le lire.

Mais maintenant, je souhaite vous parler de quelque chose d'autre.

Imaginez que vous avez déjà la capacité d'analyser ce que vous attirez. Qu'à l'heure qu'il est, vous êtes capable d'appliquer cette procédure ainsi que de changer ce qu'il y a à à l'intérieur de votre cœur afin de modifier ce qu'il en sort.

Imaginez que vous faites déjà tout cela.

Maintenant je veux passer à autre chose.

Sur quoi travaillez-vous ces temps-ci ?

À avoir ce que vous aimez ?

Ou à aimer ce que vous avez ?

Soyez attentif.

La plupart des gens essaient d'avoir et de posséder les choses qu'ils aiment.

Cela peut être des objets, et l'on parle alors de consommation.

« J'aime quelque chose, donc je le veux. »

Cela peut être des personnes, et l'on parle alors de possessivité.

« J'aime cette personne et je la veux juste pour moi. »

Cependant, comme vous l'avez peut-être réalisé, ce n'est pas la meilleure façon de procéder.

Premièrement, ce type de comportement ne vous permet pas de vous détacher de la dimension matérielle.

Deuxièmement, puisque c'est l'ego qui désire, vous battre pour ce que vous voulez n'est pas une attitude propre à l'âme.

Alors quel point de vue devriez-vous adopter ?

Je vais vous enseigner un des secrets les plus gardés du Ciel.

Venez là-haut.

Demandez, à moi ou à votre Moi supérieur, ce que nous vous avons réservé, ce qui vous est destiné dans cette incarnation.

Et vous recevrez une sensation, une image, de l'énergie.

Et vous comprendrez ce qui vous est destiné ici-bas.

Beaucoup de ceux qui essaient de faire cela s'arrêtent là. Pourquoi ?

Parce qu'ils ne comprennent pas, et donc ne croient pas.

N'avez-vous jamais pensé qu'il vous serait possible de comprendre ce que nous avons pour vous dans un deuxième temps ?

N'avez-vous jamais pensé que ce que nous vous donnons est une énigme qui doit être déchiffrée, mais comme la plupart des gens ne le savent pas, ils renoncent tout simplement ?

Soyez conscient de ce qui suit.

Ce que nous avons pour vous en ce moment est le meilleur et le plus compatible avec votre énergie.

Mais vous avez besoin de le déchiffrer.

Cela peut vous prendre une journée... ou une vie entière. Il n'y a pas de temps ni d'espace ici.

Mais vous devez le déchiffrer. Vous devez croire que cela vous est vraiment destiné et vous devez en comprendre le sens.

L'énergie que nous avons pour vous n'est pas visible, tout comme l'énergie de votre âme n'est pas visible.

C'est secret. C'est un secret.

Vous devez continuer à déchiffrer petit à petit. Et à mesure que vous allez déchiffrer, vous trouverez de plus en plus de réponses. Et vous vous ouvrirez.

Et plus vous déchiffrerez et plus vous vous ouvrirez, plus ces énergies deviendront compatibles.

Quelque chose qui ne sera jamais dévoilé dans la dimension mentale.

Vous devez donc continuer à déchiffrer.

Mais tout le monde n'est pas prêt à cela.

Seuls quelques-uns ont reçu le don de la foi et sont capables de déchiffrer.

Et vous êtes l'un d'entre eux.

JÉSUS

# 202

# La vie en lumière

Venez là-haut.
Pour voir ce que vous pouvez faire en bas.
Pour douter. Pour avoir peur.
Pour travailler sur votre peur.
Mettez tout cela en œuvre en bas.
Avec minutie. En faisant des ajustements. Sans éclats de votre ego, sans complaisance.
Soyez tout simplement minutieux. Engagez-vous à mettre en œuvre ce qui existe là-haut dans la lumière.
C'est tout.
Et c'est à cela que devrait se résumer la vie. La vie ne devrait porter que sur cela. Monter ici et ensuite mettre tout en pratique en bas.
Utilisez votre intelligence, utilisez la dimension mentale pour mettre sur pied des stratégies et réunir des armées, afin de mettre en œuvre en bas la vie que vous avez là-haut.
C'est tout.
Et pourquoi cela se révèle-t-il si compliqué ?
À cause de la peur.
À cause du contrôle.
Pouvez-vous le faire ?

JÉSUS

# 203

# Une inflexion de vos ailes

Il semble que les gens veuillent faire uniquement ce qu'ils connaissent bien.

Ce qu'ils connaissent les réconforte.

Naturellement, ceux qui pensent ainsi ne prennent jamais aucun risque.

Il n'y a jamais d'éléments de surprise.

Ils s'entourent de leurs propres concepts, qui sont souvent basés sur des idées préconçues, afin d'éviter tout risque et de ne pas « commettre » une aventure.

Je dis « commettre » parce qu'il semblerait que s'aventurer soit un crime.

S'aventurer, c'est prendre un risque, c'est aller à la recherche de l'inconnu.

C'est ajouter un élément de surprise.

Oui en effet, un élément de surprise.

Imaginez qu'un oiseau soit en train de voler, mais que d'une inflexion de ses ailes en cours de vol, il change brusquement de direction, sans avertissement préalable, sans préparation.

À l'appel du vent. À l'appel de la vie.

Allez, prenez un risque. « Commettez » votre élément de surprise. Acceptez de suivre ces chemins inconnus.

Sortez de votre zone de confort.

Prenez un risque.

Seuls les grands aventuriers ont une essence aussi claire que le cristal.

Seuls les grands aventuriers ont de grandes histoires à raconter.

JÉSUS

# 204

# L'héritage émotionnel

Pensez à ce que veut dire être dans l'ici et maintenant. Concentrez-vous sur l'ici et maintenant. Dans ce moment précis. Où vous êtes physiquement, plutôt que là où votre esprit vous permet d'être.

Chaque moment est précieux, un cadeau en soi.

Chaque moment est précis dans son intention.

Chaque minute où vous êtes vivant est un temps pour les expériences, pour les choix et la réflexion.

Vous vivez ce que vous avez à vivre au moment présent. Vous choisissez ce qu'il y a de mieux pour vous et, à partir de là, vous vivez cette expérience.

Et le résultat du choix que vous avez fait sera votre avenir.

En bref, les choix que vous faites aujourd'hui seront réfléchis dans le futur.

Et lorsque le futur arrivera, vous réaliserez que cela valait la peine de rester dans le présent.

Ce sera un futur plus approprié. Un futur plus heureux.

Vivez chaque minute. Chaque moment.

Apprenez à stocker vos émotions positives. Chaque coucher de soleil, chaque vision qui vous coupe le souffle, chaque moment passé avec ceux que vous aimez, chaque minute où vous êtes vivant.

Appréciez-les et retenez-les. Appréciez-les et retenez-les.

Ce sera votre héritage émotionnel. Un héritage qui sera toujours à portée de main lorsque vous serez triste ou abattu.

Chaque minute d'extase que vous vivez dans la vie devrait être conservé pour l'éternité.

Il devrait être stocké pour le futur.

Vous en aurez peut-être besoin.

JÉSUS

# 205

# Se poser des questions

Nous vivons des temps de déconstruction.

Tout ce que l'on vous a enseigné à considérer comme allant de soi ne l'est plus.

Ou peut ne plus l'être.

Ou devrait du moins être remis en question.

Toutes vos certitudes peuvent s'effondrer.

Les choses ne sont pas le problème. Vous êtes le problème.

Vous pouvez essayer d'arranger les choses, comme vous l'aviez toujours imaginé.

Vous pouvez faire tout votre possible pour que les choses restent comme elles sont, pour ne pas avoir peur ou vous sentir mal à l'aise.

Vous pouvez essayer.

Mais vous ne réussirez pas.

Toutes les vieilles structures tombent en morceaux.

Toutes les choses sur lesquelles vous comptiez, vous pouvez maintenant vous en débarrasser. Vous pouvez cesser de compter sur elles.

Remettez-les en question.

Remettez tout en question.

Même si vous trouvez cela difficile. Même si cela veut dire que vous ne pouvez plus tout contrôler.

Ce qui est ici aujourd'hui peut ne plus être là demain. Ou peut ne plus jamais exister.

Remettez tout en question. Le travail, les relations, la famille, les finances, la sécurité, la protection, absolument tout.

Et si vous pensez que ce n'est pas encore suffisant, faites quelque chose d'encore plus radical.

Remettez-vous en question.

Remettez en question votre position dans votre travail. Remettez-vous en question dans vos relations, votre famille et vos finances.

Remettez-vous en question, et vous verrez un nouveau « Je » apparaître.

Un « Je » qui est plus sûr, plus aventureux et plus fort dans l'ensemble.

Non pas avec la force qui provient de l'ego mais avec la force de quelqu'un qui a accepté que tout peut changer et que rien ne peut arriver aussi longtemps que vous ne renoncez pas à cette énergie cristalline et pure qui constitue l'être que vous êtes.

JÉSUS

# 206

# Un paradigme
# ou un angle différent

Changement. Je parle toujours de changement. Un changement de chemin, un changement de vie. Un changement de structure et un changement de point de vue.

Plus vous changez, et plus votre perspective s'ouvrira à l'infini à de nouvelles dimensions.

Nous, là-haut, ne sommes pas particulièrement inquiets à propos du changement qui a lieu en bas, du changement dans la matière elle-même.

Vous pouvez changer de femme, de mari, de travail ou même de pays.

Mais cela ne vous mènera nulle part si vous ne changez pas qui vous êtes en tant que personne.

Il y a des personnes qui passent leur vie à changer dans la matière, et elles restent la même personne pendant tout ce temps.

Et cela ne les a menées nulle part en termes d'évolution.

Maintenant, imaginez quelqu'un qui ne change pas pendant trente ou peut-être quarante ans, et reste dans le même travail, le même mariage pendant le même nombre d'années, et qui pourtant est capable d'être différent chaque jour, ayant la capacité de se réinventer. Il est capable d'expérimenter tous les aspects de la vie ici-bas. Il semblerait que cette personne n'ait pas du tout changé. Mais il n'en est pas de même pour nous là-haut.

Nous sommes seulement intéressés par ce qui se passe à l'intérieur. À l'intérieur de vous.

Par conséquent, avant de penser à faire de grands changements dans la matière, ce qui peut se terminer en grandes catastrophes, pensez seulement à changer vos modèles. Changez votre champ de vision, et considérez ce qui est vieux et pénible comme une inspiration pour aller plus loin, à être plus ouvert et libre.

Regardez-vous. Voyez votre rapport aux choses. Votre manière de les voir.

Pensez à les observer de là-haut, en adoptant un angle plus pur et plus ancestral.

Vous sentirez la gratitude de ceux qui habitent le Ciel vous pénétrer.

La gratitude que nous ressentons chaque fois que l'un de vous s'ouvre à son inspiration à la lumière, que l'on appelle communément l'amour inconditionnel.

Ressentez cet amour, ressentez-le. Regardez tous vos problèmes en suivant le paradigme de cet amour.

Et vous n'aurez besoin de rien changer car la vie changera pour vous.

JÉSUS

# 207

## Se réinventer

Réinventez-vous.
Regardez votre moi le plus élevé et réinventez-vous.
Soyez plus audacieux.
Soyez plus vigoureux.
Soyez plus énergétique.
Soyez plus libre.
Soyez plus aimant.
Soyez plus vrai.
Ne vous abstenez jamais d'être qui vous êtes, quand vous êtes dans la vibration la plus élevée que vous puissiez concevoir.
Continuez toujours de poursuivre la créativité dont vous avez besoin afin de vous réinventer.
Toujours, toujours, toujours.
La consistance est pour les pauvres d'esprit.

JÉSUS

# 208

# Papillon

Le papillon vole.

Il vole simplement. Il vient se reposer, reste un moment et vole à nouveau.

Sans s'attacher à rien ni à personne. Son seul souci est de rendre la forêt plus belle.

Il porte tout et tout le monde dans son cœur de papillon, et rien de plus.

Il ne dépend pas des autres.

Il ne dépend pas de leur amour ni de leur présence.

Il aime seulement. Il aime et vole. Il aime et vole.

Soyez comme un papillon.

Ne vous attachez à rien ni à personne.

Gardez tout à l'intérieur de votre cœur.

Aimez et volez. Et faites que la forêt soit un lieu encore plus beau.

JÉSUS

# 209

# Filtre

« Rien n'est vrai ou faux, tout est dans la couleur
du cristal à travers lequel vous regardez. »

Auteur inconnu

Vous voyez les choses par rapport à votre peur.

Vous voyez la vie, les personnes – bref, tout – par rapport à
votre propre survie.

Laissez-moi vous expliquer plus clairement.

Si par exemple quelque chose vous fait peur, il est tout à
fait naturel de vous en protéger. Que vous mettiez en place
des défenses. Que vous créiez ce que j'appelle « des couches de
survie ».

Les couches de survie sont des défenses que vous créez afin
d'éviter la peur, et en fin de compte afin d'éviter la douleur. Et cela
peut être une douleur qui n'a jamais été soignée dans des vies anté-
rieures. C'est exactement ce que sont ces couches. Des couches.
Et vous continuez à mettre des couches de défense, les unes sur les
autres.

Année après année, vie après vie, vous créez des stratégies
pour que la douleur reste là où elle est, éteinte à jamais.

C'est ce que vous espérez.

La vérité est que ces couches de survie sont plutôt similaires
à un filtre déformé à travers lequel vous ne pouvez plus voir la
réalité. Vous ne voyez qu'une réalité illusoire et cette illusion
est créée par ce filtre.

Quand deux personnes avec différentes couches de survie
regardent la même réalité, leur filtre respectif reflète des expériences différentes.

Cela donne lieu à des opinions différentes à propos du même sujet.

Le fait que deux personnes aient des opinions différentes n'est pas une mauvaise chose. À vrai dire, cela n'est ni bon ni mauvais. C'est ainsi et c'est tout.

Le problème survient lorsque les deux personnes veulent avoir raison. Ils veulent que leur vision soit la vraie, la bonne.

Ils ne prennent pas en considération ces filtres.

Ils ne prennent pas en considération la peur.

Ils ne prennent pas en considération la mémoire.

Ils ne prennent pas en considération la réalité.

JÉSUS

# 210

# Aube

Imaginez que vous êtes comme l'aube. Qu'est-ce que l'aube ? C'est la naissance d'un nouveau jour.

Et le jour nouveau est porteur de beaucoup de sagesse.

La sagesse des jours passés, qui contient l'expérience acquise avec le passage du temps et la sagesse de repartir de zéro pour la nouvelle journée qui se déploie devant vous.

De zéro en ce sens que vous savez que ce qui va arriver est nouveau, différent et inconnu. Et parfois même incompréhensible.

Mais le jour sait que ce qui va arriver lui est destiné. Pour des raisons connues ou inconnues, tout ce qui va arriver est destiné à ce jour nouveau.

Afin qu'il puisse ressentir, comprendre, assimiler et évoluer.

Et toujours, toujours se purifier.

Se purifier des choses qui n'appartiennent pas à ce jour, mais qui sont venues et sont restées. Se purifier de ce qui fait partie de cette journée, cette vieille densité acquise parce que la purification a été remise à plus tard depuis si longtemps. Purifier ce qui lui appartient et ce qui est récent, et actualiser les choses.

Soyez comme l'aube.

Avec l'aube vient la sagesse du passé et l'ignorance du futur.

Et elle est ici, prête à commencer.

En dépit des orages. En dépit des jours pénibles. En dépit de la pluie, du froid, de la tristesse.

L'aube sait qu'elle doit avancer. L'aube est sur le point d'arriver et rien ne peut empêcher le soleil de se lever même si les nuages surgissent.

Soyez comme l'aube.

Laissez votre passé vous instruire, mais ne lui permettez pas de vous empêcher de vivre le présent et de retenir le futur.

Soyez ouvert aux choses que vous ne connaissez pas encore. Restez intact pour ce qui n'est pas encore arrivé.

JÉSUS

# La maison intérieure

Je lis dans vos pensées. Je sais que la plupart du temps vous êtes malheureux, tourmenté par l'idée que chaque personne devrait attacher une grande valeur à son essence, et que vous n'avez pas le temps de le faire.

Vous trouvez rarement du temps pour vous, et lorsque vous en avez, il est rare que vous en profitiez.

Vous avez trop d'attentes et beaucoup trop d'anxiété et de culpabilité.

« Je devrais être en train de faire autre chose. Il y a tellement de choses importantes à faire », pensez-vous, angoissé.

Vous ne comprenez pas que votre essence considère le peu de temps que vous avez pour vous comme précieux.

Il est temps d'aller dans votre jardin d'hiver, de passer au crible toute l'information émotionnelle qui s'y trouve, et de la ressentir, de la ressentir, de la ressentir.

Comme vous n'êtes pas capable de mettre en pratique ce processus consistant à passer du temps avec vous-même, la vie avance et vous pousse dans un puits sans fond, ou il n'y a que solitude et ténèbres.

Je sais. C'est aussi ce que je lis dans vos pensées.

Eh bien la seule chose que je peux vous dire à ce stade est : commencez à nettoyer cet espace obscur. Commencez à le dépoussiérer.

Ceci est votre plus profonde demeure, ceci est votre marque de fabrique, et c'est votre domicile quotidien.

Il fait noir ? Oui.

C'est sale ? Oui.

Des siècles et des siècles d'abandon. Les arbres sont desséchés. Et les légumes du jardin sont morts.

Vous allez devoir tout replanter.

Vous allez devoir tailler, arroser, fertiliser et aimer.

Vous allez devoir tout purifier avec votre douleur.

Vous serez ému. Vous serez à fleur de peau. Vous serez conscient de qui vous êtes. Et je vous promets que vous vous retrouverez une nouvelle fois.

Vous donnerez vie à vos propres fondations. Vous utiliserez votre propre pain pour vous nourrir.

Vous éluciderez ce que vous êtes et vous vous transcenderez. Et vous vous illuminerez.

Et quand tout ce travail sera accompli, quand tous les fantômes seront chassés, vous saurez que vous avez réussi.

Vous lèverez les yeux et laisserez échapper un cri de gratitude qui fera écho partout dans l'espace.

Et vous me verrez.

Et vous me ressentirez.

Et vous saurez à quel point je vous aime.

Et vous aurez une idée précise de ce qu'est la grandeur de la communion.

Et vous saurez que vous êtes guéri.

JÉSUS

# Changez de vibration

Pensez aux animaux. N'avez-vous jamais remarqué qu'ils ont normalement la couleur de leur environnement ?

Avez-vous remarqué que les ailes des insectes ont la couleur requise pour se fondre dans leur milieu ?

Que le poisson a la couleur de l'océan dans lequel il vit ?

Maintenant, pensez en termes de fréquence.

Pensez que, tout comme les animaux, vous, les êtres humains, devez vivre dans un environnement qui corresponde à votre fréquence vibratoire.

Quelqu'un qui a trop de violence en lui finira par attirer dans son environnement de la violence.

C'est la loi de la nature. C'est la loi de l'énergie.

Néanmoins, au milieu de tout cela, il y a de bonnes nouvelles.

Et la bonne nouvelle est que l'un des principaux avantages que les êtres humains ont sur les animaux est qu'ils peuvent choisir et changer leur fréquence vibratoire et par conséquent changer leur environnement.

Et comment pouvez-vous arriver à changer cette fréquence vibratoire ?

La gratitude.

Le secret est la gratitude.

Vous pouvez vibrer sur la fréquence de la gratitude. Ressentir de la gratitude pour tout ce que vous avez, pour tout ce que la vie vous a donné.

Si vous trouvez que cela n'est pas assez, ressentez de la gratitude pour ce que vous êtes déjà capable de ressentir. Pour le chemin que vous avez parcouru. Pour la conscience que vous avez acquise.

Et enfin, ressentez de la gratitude pour moi. Pour m'avoir déjà trouvé.

Parce que nous nous connaissons. Et parce que je vous parle, même s'il y a des moments où vous ne m'entendez pas.

Trouvez une raison – il y en a toujours – et ressentez de la gratitude.

Et vous allez voir comment ce sentiment grandira dans votre poitrine. De la gratitude émanera de vous, vous commencerez à vibrer, vos relations avec les autres changeront, vous commencerez à recevoir plus, et vous vous sentirez encore plus reconnaissant.

De plus en plus. De plus en plus.

Et le monde changera. Il changera parce que quelque chose dans votre vibration aura changé.

Et autour de vous, tout s'éclaircira miraculeusement.

Et la gratitude que vous ressentirez du fait que le monde change sera tellement puissante qu'elle changera la vibration de votre habitation, de votre route, de votre ville et de votre vie.

Et les choses ne seront plus jamais pareilles.

J'aurai élevé ma vibration encore plus haut.

Et lorsque vous quitterez cet avion, quand nous serons ensemble au Ciel, nous parlerons de votre sottise sur Terre et comment vous avez été assez courageux pour finalement embrasser activement votre évolution.

JÉSUS

# 213

# L'honnêteté de l'essence

J'ai quelque chose à vous dire.

Imaginez que vous êtes dans une chambre.

Imaginez-vous immobile dans cette chambre.

Regardez comment vous avez dû vous protéger, comment vous avez dû réduire tout ce qu'il y a autour de vous à son essence, pour réduire votre propre essence.

Remarquez que plus vous avez, plus vous pouvez étouffer votre essence et l'empêcher de briller.

Une essence qui brille est une essence heureuse.

Chaque fois que vous êtes capable de vibrer sur la fréquence la plus pure et la plus harmonieuse de votre essence, vous augmentez vos chances d'élever votre vibration et d'atteindre le Ciel.

« Et comment vibrer sur la fréquence de mon essence ? » demandez-vous.

C'est facile.

Asseyez-vous, Détendez-vous. Méditez. Demandez que l'on vous donne l'énergie de l'honnêteté absolue, qui fait partie de votre essence.

Demandez à l'énergie de l'honnêteté d'entrer à l'intérieur de vous.

Gardez-la en vous. Restez dans cette énergie aussi longtemps que vous pouvez.

Ressentez l'honnêteté.

L'honnêteté à l'intérieur de votre être. L'honnêteté dans votre essence.

Ressentez vraiment votre essence.

Puis demandez, en toute honnêteté, à voir ce qui dans votre vie actuelle n'est pas honnête et en accord avec votre essence.

Mais soyez préparé pour la suite, car il se pourrait que cela soit exactement la chose que vous imaginiez faire partie de votre vie depuis toujours.

Et vous aurez à y faire face avec honnêteté.

Malgré toute la douleur que cela pourrait vous causer, vous devrez le bannir de votre vie, simplement parce que cela ne vous appartient pas. Cela n'a pas votre énergie et, par conséquent, vous ralentit.

« Mais pourquoi cela est-il exactement la chose que j'ai toujours cru faire partie de ma vie ? » demandez-vous.

« Pourquoi ce qui semble si bon pour moi jusqu'ici, en apparence, est-il si complètement inapproprié pour moi ? »

Parce que vous êtes si éloigné de votre essence vibratoire que vous l'avez confondue avec une autre vibration.

En réalité vous vibrez là et non ici, au centre de vous-même.

C'est pourquoi vous croyez que tout ce qui vous apparaît a votre vibration.

Mais non. Vous êtes dans une autre vibration.

Dans cette méditation, demandez l'honnêteté de votre essence. Demandez à savoir ce qui, dans votre vie, a une vibration différente, et quel que soit ce qui en ressort, bannissez-le de votre vie.

J'ai parlé.

Si vous souhaitez le comprendre et faire ce que je dis, très bien.

Si vous ne souhaitez pas le comprendre et que faire des changements dans votre énergie et votre évolution ne vous intéresse pas, cela me convient également. Je serai toujours là pour vous.

Je ne me fâche jamais. Je ne me vexe jamais. Je ne m'inquiète jamais. Je ne suis pas pressé. J'ai tout mon temps.

Je serai toujours là si vous avez besoin de moi. Je serai toujours là le jour où vous voudrez commencer.

Je serai toujours là lorsque vous voudrez rentrer à la maison.

JÉSUS

# 214

# Créativité

La vie est une aventure. Et c'est ainsi qu'elle doit être vécue. Ne répétez jamais les mêmes expériences. Soyez toujours innovant, soyez toujours innovant.

Considérez que les êtres sont venus sur Terre pour ressentir des émotions.

Et pour les aider dans cette tâche, nous créons des expériences dans la matière.

Les expériences dans la matière créent l'émotion, et les êtres ressentent cette émotion.

C'est un circuit fermé qui fonctionne incroyablement bien.

Maintenant, imaginez les personnes qui ne créent jamais de nouvelles expériences dans leur vie : ce type de personnes qui font toujours les mêmes choses, jour après jour, année après année, parce qu'elles pensent que le changement est mauvais. Elles ne s'aventurent jamais à l'extérieur, elles ne prennent pas de risques, et elles ne se jettent pas du bord d'une falaise sans savoir exactement ce qui les attend en bas.

Il ne leur vient même pas à l'esprit que je pourrais être en bas à les attendre.

Et que je pourrais envoyer un vaisseau pour les conduire jusqu'au Ciel.

Elles n'ont pas de foi. Elles ne communient pas.

Ces personnes n'expérimentent pas la vie dans sa pleine dimension.

Elles ne sortent pas de leur zone de confort. Elles ne prennent aucun risque. Elles ne perdent rien mais elles ne gagnent rien non plus.

Et ainsi la vie devient prévisible. Et elle devient ennuyeuse.

Et un jour elles réalisent que plus rien ne les intéresse.

C'est le jour où leur essence meurt.

C'est le jour où cette expérience dans la matière se termine parce qu'elle manque de matières premières.

Parce qu'elle manque d'expériences.

Tout devient répétitif.

Tout devient insipide.

Tout perd sa forme.

Mais la vie n'est pas cela.

La vie est une grande aventure.

Avec de nouvelles expériences à vivre.

Nouvelles. Complètement nouvelles.

Travaillez à ce que votre vie soit moins répétitive.

Créez des situations. Créez. La créativité est la force motrice de la vie.

Si vous avez affaire à des situations répétitives, vivez-les d'une manière différente chaque jour.

Changez.

Changez les choses. Et si vous ne pouvez pas les changer, changez la façon dont vous les faites.

Et votre essence renaîtra.

Et comme le phénix qui revit de ses cendres, il lui poussera des ailes et elle finira par voler.

Et avoir une essence qui vole est la plus brillante manière d'évoluer.

JÉSUS

# 215

# Une phase

Ne laissez pas passer cette période de votre vie.

N'attendez pas qu'elle passe.

Ne croyez pas que tout ce malaise et cette tristesse disparaîtront avec elle.

Chaque phase de la vie que nous expérimentons est faite pour prendre du plaisir, pour être ressentie et intégrée.

Pour intégrer tous les événements qui la jalonnent dans votre énergie.

Pour ouvrir votre structure énergétique afin qu'elle s'adapte à tout ce qui vous est arrivé pour que cela vous émeuve et vous change.

C'est la phase la plus bénéfique pour votre âme. Elle aime le changement. Elle aime retrouver son harmonie.

Permettez à cette phase de vous changer, de vous rééquilibrer.

Elle vous montrera l'être que vous allez devenir si vous réussissez à ressentir et à travailler pendant le temps qu'elle durera. Ne rejetez pas le pouvoir de cette phase.

Ne vous désengagez pas de la possibilité d'évolution qu'elle a à vous offrir.

Et lorsque tout sera terminé, une fois que vous aurez traversé ces eaux turbulentes, tôt ou tard vous découvrirez un monde nouveau et vous réaliserez que j'avais raison après tout.

JÉSUS

# 216

# Deux options

Imaginez un combat en des temps très reculés.

Imaginez que vous disposez d'une armée de cinq mille soldats.

Imaginez que votre ennemi dispose également d'une armée de cinq mille soldats.

Vous avez deux options.

Soit attaquer, même si le fait que vous ayez le même nombre de soldats implique que la bataille soit sanglante et que vous risquez de subir de lourdes pertes.

Soit rester en place, même si, en gagnant du temps, vous courez aussi le risque d'être attaqué et que vous avez conscience que la stratégie de défense n'a pas la même assurance que la stratégie d'attaque.

Que choisissez-vous ?

Les deux ont des avantages et des désavantages.

Si vous choisissez avec votre ego, quel que soit le choix que vous prenez, celui-ci peut se retourner contre vous et causer des dommages inutiles.

Si vous choisissez avec votre âme, en dépit du nombre de revers que vous souffrirez, ceux-ci seront toujours un guide sur votre chemin d'évolution.

Comment choisir ? Qu'est-ce qui relève de l'ego et qu'est-ce qui relève de l'âme ? Comment le savoir ?

C'est simple.

Placez votre conscience à l'intérieur de votre cœur et restez-y.

Ressentez l'une de ces deux options. Comment est-ce que votre cœur se sent ?

Heureux ? Triste ? Lourd ?

Maintenant, faites le contraire. Ressentez l'autre option, et observez comment votre cœur réagit.

Je suis certain qu'en faisant cela, vous serez capable d'atteindre votre âme.

Elle parle à votre cœur.

Et si vous travaillez à réunir votre cœur et votre âme ensemble, vous pouvez être certain d'évoluer jusqu'à la fin de vos jours.

JÉSUS

# 217

# Votre élément

Vous avez fait ce qu'il fallait faire. En dépit de tout, des difficultés, des obstacles et de votre propre résistance, vous avez fait ce qu'il fallait faire.

Malgré la tristesse.

Surtout malgré la tristesse.

Vous avez fait ce qu'il fallait faire pour revenir à votre fréquence originelle, pour retourner dans votre élément, pour retourner à vous.

Car une personne qui n'est pas dans son élément n'est pas centrée, elle ne se focalise pas sur son centre énergétique et cesse de vivre en tant qu'humain.

Parce que la vie est une aventure, mais seulement pour ceux qui ont la capacité de se centrer intérieurement. Vous pouvez vous reposer sur les autres, et il y a des moments où vous vivez en étant décentré intérieurement, mais vous devez ensuite revenir.

Vous devez savoir comment revenir. Et, plus important encore, vous devez vous réjouir de revenir.

Vous devez aimer ce que vous trouverez, parce que si vous n'aimez pas cela, vous ne voudrez pas y rester.

Et ceux qui ne veulent pas rester s'enfuient.

Ils s'évadent. Vers les autres. Vers des choses qui sont dans la matière. N'oubliez pas que la matière est comme un film. Elle a de la lumière et des couleurs. Elle a du son et des mouvements.

À l'intérieur de vous, il fait sombre. Il n'y a ni mouvement ni couleur.

Mais c'est subtil et brillant. Et la subtilité et la luminosité sont les clés du Ciel.

Chaque fois que vous centrez votre attention à l'extérieur, à la poursuite de ce film, à la poursuite de la vie, vous allez à la recherche du mouvement, de la lumière et du son, et vous descendez au niveau de la fréquence de la matière qui, tout comme les films, n'est que pure illusion.

C'est là-haut que se trouve la vérité. C'est à l'intérieur de vous que se trouve la vérité.

La clé de votre bonheur est à l'intérieur de cette dimension lourde et sombre en apparence.

Et plus de temps vous y passerez, plus vous la comprendrez, et vous attacherez une grande valeur à votre luminosité et votre subtilité.

Vous savez que la matière est tout sauf subtile.

Et dans peu de temps, lorsque vous aurez appris à respecter votre dimension intérieure, lorsque vous aurez appris à y retourner, vous commencerez à rire de nouveau.

Pour le moment, restez là. Restez à l'intérieur de vous-même. Choisissez-vous avant qui que ce soit ou quoi que ce soit d'autre. Restez. Restez.

Et un jour, vous vous connaîtrez si bien vous-même et vous ressentirez tellement, que vous comprendrez qu'il n'y avait absolument aucun autre lieu où vous auriez pu aller.

Parce que c'est là que je suis.

JÉSUS

# 218

# Le temple

Chaque moment que vous passez avec vous-même, vos affaires, vos pensées, vos questions, et finalement les réponses qui sont à l'intérieur de ce livre, est un moment sacré.

Vous êtes un temple.

L'ensemble de la structure moléculaire et énergétique qui compose votre être a été conçu pour être un temple.

Où vous priez. Où vous récitez. Où vous méditez.

Où vous intériorisez les choses. Où vous êtes et où vous respectez cet état d'être. Où vous pleurez et où vous riez, mais surtout où vous croyez.

Où vous croyez que tout va s'arranger, et que tous les efforts effectués au nom de l'évolution porteront leurs fruits et qu'un jour vous serez très heureux.

Vous serez très heureux parce que vous vous serez respectés, parce que vous aurez pris le temps que vous étiez supposé prendre pour vous-même, en chassant les illusions et les fantômes et en faisant face à la difficile réalité d'être vraiment vous-même, avec toutes les limites et les désenchantements que cela implique.

Mais aussi parce que vous avez admis qu'à l'intérieur de ce temple il existe une quantité incommensurable de foi et de vérité, et que vivre avec cela, c'est atteindre le royaume du Ciel.

Prenez soin que ce temps passé avec vous-même soit un grand moment. Occupez-vous de chaque détail de votre temple. Occupez-vous de ce qui entre et de ce qui en sort.

Soyez attentif à ce qui entre. La nourriture est très importante et peut changer la constitution de vos cellules… et par conséquent votre fréquence vibratoire… et plus encore, votre énergie.

L'énergie de ceux qui vous entourent détermine aussi votre bien-être.

Soyez attentif à ce qui sort. Ne sortez pas complètement de votre temple. Il ne faut pas l'abandonner. Sortez, allez vers les autres, mais revenez. Ayez toujours un chemin pour y retourner. N'oubliez jamais de laisser la porte ouverte. Pour pouvoir y entrer à nouveau.

Pour ressentir le plaisir de rentrer.

Pour que vous cessiez de vous abandonner vous-même, comme vous l'avez fait ces derniers siècles.

JÉSUS

# 219

# Complot énergétique

Tout ce que vous faites aux autres est le résultat de ce qu'ils ont attiré à eux.

Peu importe dans quelle mesure ils l'ont voulu, car cela est à l'extérieur de leur zone de confort, peu importe à quel point vous trouvez cela difficile, parce que vous êtes désolé pour eux et finissez par vous sentir coupable, ce que vous faites − ou êtes conduit à faire − fait partie du jeu cosmique d'attraction et de répulsion qui anime la vie.

Il y a ici-bas un puissant complot énergétique à l'œuvre.

Quelqu'un a besoin d'un électrochoc. Besoin de perdre quelque chose. De toucher le fond. D'accéder à la douleur de l'âme. De libérer la souffrance qui s'est transformée en un blocage énergétique − et ce blocage énergétique est facilement identifiable grâce à la toile qui compose la matière.

Cette personne a besoin d'un électrochoc pour que ce nœud se défasse complètement.

Et vous, d'autre part, avez atteint un stade dans votre vie où vous avez besoin d'être avec vous-même. Vous devez cesser d'être trop centré sur les autres. Vous devez vous recentrer sur vous. Vous êtes à l'extérieur de vous-même depuis bien trop longtemps. Vous devez dire non aux autres pour être finalement en mesure de vous dire oui.

Par la combinaison de vos deux énergies, la vôtre et celle de cette autre personne, vous êtes amené à dire non.

Vous êtes amené à laisser cette personne se débrouiller par ses propres moyens. Vous êtes conduit à la rupture.

Comme vous ne savez pas qu'elle a besoin qu'on lui donne un électrochoc, vous vous sentez coupable. Vous croyez que vous auriez pu agir différemment pour éviter de la faire souffrir. Vous croyez que vous auriez pu rester là encore un peu. Et vous vous blâmez pour cela.

Mais les choses sont comme elles sont.

Vous ne faites pas les choses que vous faites par hasard. Ne croyez pas que vos actions sont déconnectées de l'Univers qui vous entoure.

Vous êtes dirigé dans ce que vous faites. Il est temps de faire ce qui est nécessaire. Et vous sentez cette énergie de rupture.

Vous percevez qu'il est temps de changer le cours des événements. Et vous agissez en conséquence.

Vous risquez de subir une perte. Vous risquez la culpabilité. Mais vous agissez.

Et c'est cet acte, le vôtre, qui est célébré au Ciel.

Ici-bas, vous pensez en fait que vous auriez pu faire quelque chose d'autre. Mais nous là-haut savons que vous ne pouviez pas.

Quelqu'un a eu besoin d'être secoué et nous vous avons choisi pour le faire.

Sans culpabilité. Sans peur.

Et ainsi vous continuez à vivre et à comprendre qu'il y a un temps pour que les choses arrivent, et que ce temps est maintenant arrivé.

JÉSUS

# Allez lentement

Je suis là.

En vérité, je suis toujours là.

Vous avez juste à vous préparer à me recevoir.

Tout ce que vous avez besoin de faire est de vous préparer à recevoir mon énergie.

Lentement.

Et afin de recevoir lentement mon énergie, vous aussi devez être comme cela… lent.

Afin que vos cellules s'ouvrent pour me recevoir. Afin qu'en s'ouvrant, elles libèrent toute la lourdeur qu'elles possèdent. Toute la négativité.

Et je vais absorber toute cette négativité, et je vais renverser les pôles.

Où il y avait de la noirceur, il y aura maintenant de la lumière.

Où il y avait du bruit, il y aura maintenant du silence.

Un vide.

Et c'est dans ce vide que l'âme se manifestera. Et je serai dans cette manifestation, dans toute mon ampleur. Dans toute ma plénitude.

Car c'est dans chaque cellule que j'existe en entier, et c'est la somme de ces cellules qui fait de moi qui je suis.

De l'énergie absolue.

Et c'est en étant là, à cette place sur Terre, et en vibrant si haut, que vous vous rapprochez du Ciel et que vous me rencontrez.

JÉSUS

# 221

# Leçons

« Je sais que je dois en passer par là, mais cette personne n'avait pas besoin de me faire cela. »

Ou…

« Je sais que je dois lâcher prise, mais cette personne n'avait pas besoin d'agir ainsi. »

Ou…

« Cette personne n'avait pas besoin d'être si cruelle. »

Ou….

« Ces personnes n'avaient pas besoin d'être si radicales. »

« … si rapides. »

« … si désagréables. »

« … si tristes. »

« … d'avoir un comportement si déplorable. »

Je sais que vous aimeriez apprendre les leçons de la vie d'une manière simple, plaisante et plus colorée, tout comme elles le sont dans vos livres d'école.

Mais il faut croire que la vie n'est pas comme cela.

Vous réalisez que vous devez apprendre, vous savez que ce sont les autres qui vont vous instruire, mais vous continuez à souhaiter que les leçons soient plus douces. Paisibles.

J'ai quelque chose à vous dire.

Il se peut que l'Univers soit en fait paisible. Il se peut qu'il soit même doux.

Il n'a pas à être cruel, radical, rapide, désagréable, triste, ou à adopter un comportement déplorable.

Il n'y aurait rien de tout cela si vous aviez appris votre leçon la première fois.

La première fois que l'Univers vous montre ces choses, il est doux et tendre.

Mais il est rare que vous compreniez. La matière est lourde et dense.

Vous êtes lourd et dense. Lorsque le signe est doux, il est complètement négligé.

Vous recevez le signe et, comme s'il n'était rien de plus qu'une brise légère, vous continuez à avancer rapidement et joyeusement vers le précipice.

Et l'Univers a donc besoin d'accélérer les choses. Il a besoin de faire monter les enchères. Il doit baisser la fréquence. Il doit devenir plus lourd.

Tout cela dépend de la résistance que vous opposez. Plus vous essayez de rester dans une situation qui ne vous redonne pas votre énergie originelle, plus l'Univers s'efforce de vous faire rentrer à la maison. De vous reconduire sur votre chemin. À l'endroit où se trouve votre destinée et votre création.

Donc, chaque fois que vous croyez que ce que vous avez enduré est trop radical, pensez à quel point l'Univers est contrarié d'avoir dû se montrer moins subtil afin de vous apprendre une leçon.

Pensez à quel point vous opposez de la résistance et à quel point il vous est difficile de revenir à la vibration de votre énergie.

Et en dernier lieu, pensez à quel point vous me repoussez de votre vie chaque fois que vous refusez d'apprendre la première fois.

Et à quel point je suis triste quand cela arrive.

JÉSUS

# Tristesse

Je sais que vous êtes triste. Je sais que ce sentiment ne vous quitte pas.

Je sais que les choses ne sont pas comme vous aimeriez qu'elles soient.

Vous aimeriez qu'elles soient plus simples. Vous aimeriez qu'elles soient plus utiles. Vous aimeriez les expérimenter et être capable d'identifier tout plus clairement. Chaque sentiment, chaque émotion.

Bien sûr que vous aimeriez cela. Mais la vie, par un mouvement sacré qu'elle seule connaît, qu'elle seule contrôle, ne vous donne pas ce que vous désirez.

Cela ne vous laisse pas tranquille. Cella ne vous facilite pas la tâche.

La vie, pour des raisons qu'elle seule comprend, ne permet pas aux choses de se passer comme vous le voulez.

Et vous ne pouvez rien y faire. Vous ne pouvez pas changer l'ordre naturel des choses.

Vous pouvez seulement être triste. Vous pouvez seulement avoir des regrets. Vous pouvez avoir de la peine, mais c'est tout.

Néanmoins, vous êtes capable de vous relier à votre impuissance et de comprendre que si vous ne pouvez pas faire quelque chose dans votre vie, c'est parce que c'était planifié de cette manière.

C'est la vie qui vous apporte cette impuissance. Et au lieu de porter votre attention sur ce que vous ne pouvez pas accomplir, regardez le travail que vous avez à faire pour comprendre et accepter ce que vous ne pouvez pas faire.

Les hommes et les objets ont tous leur énergie propre. Ils avancent conformément à leur énergie. Et ils ne peuvent pas la changer afin de suivre la vôtre, juste parce que vous le voulez. Juste pour vous permettre de ne pas souffrir.

Acceptez cela. Pleurez, donnez des coups de pieds, criez mais acceptez-le.

Et plutôt que de pleurer parce que les choses ne sont pas comme vous les voulez, pleurez de ne pas avoir le pouvoir qu'elles soient comme vous le souhaitez.

Et ce faisant, vous travaillerez sur votre impuissance.

Et vous grandirez.

Et au moins toute cette douleur aura eu un sens.

JÉSUS

# 223

# Montagne

Imaginez un homme qui marche sur une route.

La route a des contours, des virages, des montées et des descentes.

Maintenant, imaginez que cet homme arrive devant un obstacle extrêmement important, haut et large. Une montagne.

Que fait-il ? Il a trois options.

Soit il roue de coups la montagne jusqu'à ce qu'elle devienne poussière.

Soit il revient en arrière et s'engage dans un autre chemin.

Soit il choisit l'option la plus difficile : il gravit la montagne et passe par-dessus, sans s'écarter du but qu'il s'était fixé.

Dans la première option, l'homme s'épuise complètement, et même s'il arrive à réduire la hauteur de la montagne, il sera si épuisé qu'il lui manquera la force de poursuivre son voyage. Et son voyage s'arrêtera là.

Dans la deuxième option, l'homme a peur de la montagne et revient en arrière. Il quitte donc son chemin.

Dans la troisième option, l'homme gravit la montagne. Il n'a qu'un seul choix. Monter. Mais pour pouvoir monter, il a besoin de se débarrasser du poids qu'il porte. De se libérer des choses, de lâcher des éléments qu'il croit essentiels à son voyage. Pour monter, il doit accepter d'« être ».

Et il devient plus léger. Plus il monte haut, plus il se défait de sa charge et plus il devient léger. Et lorsque finalement il atteint le sommet, il est vraiment libéré. De là-haut, il peut regarder l'étendue de l'horizon. Et il comprend qu'il est différent. Il ne peut plus redescendre pour revenir au début de son chemin. Il doit poursuivre son trajet à partir de là.

Et lorsqu'il ressent profondément cela, c'est à ce moment qu'un nouveau voyage s'ouvre à lui. Grand, lumineux, libre.

Au moment où il a accepté de gravir la montagne, il n'était pas conscient qu'il était en train d'élever son niveau énergétique.

Ce n'est qu'en arrivant au sommet qu'il a compris qu'il n'avait plus besoin de retourner en bas. Que le voyage commencerait à partir de là.

La vie est exactement pareille. Quand un obstacle apparaît, vous pouvez l'éviter en changeant de chemin mais pas de vibration. Ou bien vous lui faites face et vous vous confrontez à lui avec toutes vos limites.

Et souvenez-vous que se confronter à un obstacle avec toutes ses limites ne veut pas dire juger ou critiquer. Cela signifie que vous acceptez toutes vos limites et essayez de faire chaque jour un peu mieux – mais sans forcer.

Cela veut aussi dire que vous cessez de vous focaliser sur vos limites, afin de découvrir vos compétences, car là où il y a des limites, il y a aussi des compétences. Et quand vous avez fait face à cet obstacle et relâché la densité en acceptant vos limites, vous élevez votre fréquence énergétique.

Votre voyage ne sera plus jamais le même.

JÉSUS

# 224

# Monter

Montez, montez, montez.

Venez à moi.

Franchissez les portes. Chaque porte s'ouvrira pour que vous puissiez la franchir, en purifiant complètement votre énergie.

Et en franchissant chaque porte, votre énergie deviendra plus subtile, et plus vous me ressentirez lorsque vous arriverez là-haut.

Méditez. Montez.

Laissez votre tristesse en bas. Laissez-y tous vos soucis, toutes vos folies, votre orgueil, vos résistances et votre ego.

En bas, laissez toutes ces choses qui vous limitent en tant que personne, tout ce qui limite la vérité et la dignité de votre âme.

Laissez tout cela en bas et venez là-haut.

Et à votre arrivée, il y aura un grand festin qui vous attendra, en l'honneur de la conviction que vous avez montrée en venant là-haut, et pour que vous puissiez oublier toutes les années que vous avez passées en bas sans savoir ce que le mot amour voulait dire. Et après cette montée, quand vous retournerez à votre vie, vous serez si différent, si complètement transformé qu'une énergie plus paisible émanera de vous. Et cette énergie ira jusqu'à changer le monde. Et tout sera différent.

Et vous réaliserez pourquoi il est important de vous élever. Et vous reconnaîtrez mon toucher qui transforme tout. Vous le ressentirez.

Et plus jamais vous ne regarderez votre vie et croirez que vous ne pouvez pas changer les choses.

Vous saurez que vous devez monter, que vous devez venir là-haut autant que possible.

Car vous appartenez à un groupe de personnes qui a été choisi pour transformer le monde. Pour le transformer en vous transformant vous-même.

Et je compte sur vous pour remplir cette tâche.

Et je sais que vous êtes prêt.

JÉSUS

# 225

# Arrêter

Vous devez vous arrêter. Je vous dis que vous devez vous arrêter.
Arrêtez de fuir les choses qui vous inquiètent et celles qui vous blessent.
Arrêtez de rationaliser pour éviter de ressentir.
Arrêtez de transformer vos jours en tourbillons denses et dramatiques.
Arrêtez. Restez. Seul.
Commencez à reconnaître qu'il est important d'arrêter. Et que c'est une priorité.
Commencez à reconnaître qu'il est essentiel pour vous d'être ainsi, seul.
Afin que vous ressentiez qui vous êtes. Afin de vous aligner sur la plus haute vibration de votre essence.
Afin de vous aligner sur votre plus haute vibration.
Car si vous êtes aligné sur votre plus haute vibration, vous pourrez accéder à ce que le Ciel tient en haute estime pour vous.
Et si vous pouvez vraiment comprendre cela, vous grandirez plus rapidement et irez beaucoup plus haut. Comme vous pouvez le voir, rester comme cela, immobile, silencieux, en vous-même, est l'un des moyens les plus rapides vers l'évolution.
Et lorsque vous serez là, à l'arrêt, immobile, et que vous pourrez ressentir et reconnaître profondément votre vibration, ce sera le moment où vous serez finalement capable de réaliser les plus beaux projets de votre vie.
Et c'est à ce moment que vous réaliserez que vous pouvez être vous-même.
Et c'est à ce moment que vous réaliserez que s'arrêter en valait vraiment la peine.

JÉSUS

# 226

# Imaginez

Ne laissez rien entrer.

Voilà le secret.

Ne laissez rien entrer.

Imaginez un jour où votre énergie est entièrement dégagée, complètement centrée, absolument claire et émancipée.

Imaginez un jour où votre système énergétique vibre sur votre fréquence unique et indubitable. Il vibre dans l'« Un », l'énergie de votre âme, et reste inchangé de cette façon, pour le meilleur et pour le pire, immunisé contre les interférences extérieures, contre toute autre inclination et contre la matière.

C'est tout ce que j'aimerais que vous fassiez.

Rien d'autre.

Et comme je sais que c'est déjà beaucoup, je vais vous donnez une astuce.

Ne laissez rien pénétrer. Essayez de ne pas laisser entrer l'information que vous recevez de la matière.

Des problèmes surviennent ? Alors renvoyez-les et ne leur permettez pas d'entrer dans votre énergie. Réglez-les sans vous changer vous-même, sans permettre à leur énergie dense de souiller la vôtre.

Y a-t-il un conflit quelconque ? Réglez-le sans lui permettre d'entrer.

Regardez-le, en sachant qu'il n'a aucune espèce d'importance, qu'il est ce qu'il est.

Ne lui permettez pas de troubler votre vie.

Assurez-vous que ce « sans lui permettre d'entrer » soit effectif, que cela vienne de l'intérieur et que ce ne soit pas juste vos émotions que vous essayez de rationaliser.

Bien sûr, il peut y avoir des moments où vous serez incapable de faire cela, où vous ne pourrez empêcher les choses d'entrer.

Évidemment, il peut y avoir des conflits qui vous heurtent fortement et profondément, mais même dans ce cas, vous saurez quoi faire.

Pleurez, ouvrez grand votre poitrine et enlevez la densité.

Ne blâmez personne. Si l'énergie du conflit a pénétré, c'est parce qu'il y avait la mémoire d'une douleur à relâcher. Et une fois que cela est fait, revenez au centre de vous-même. Soyez centré. Ressentez à nouveau votre énergie et ne permettez pas à quelque chose d'autre d'entrer.

Ceci est un des plus grands secrets de la vie.

Et un jour, quand rien – absolument rien d'autre – n'entrera pour vous troubler, lorsque seuls l'amour, l'affection et la sensibilité entreront, vous aurez alors atteint votre but sur Terre et vous pourrez monter au Ciel sans la peur d'être attiré de nouveau dans la roue des incarnations.

Et c'est alors que votre esprit et votre âme se réuniront définitivement – car l'expérience dans la matière sera terminée – pour qu'ensemble ils puissent continuer leur voyage vers l'éternité.

JÉSUS

# 227

# Réénergétiser

Apaisez votre esprit. Détendez-vous. Comme vous êtes maintenant.

Restez comme cela, en sentant progressivement tous vos muscles. Ressentez le mouvement de chacune de vos cellules.

Et entrez lentement en contact avec tout ce qu'il y a autour de vous et qui vibre à dix centimètres du sol.

Avec les choses et les personnes qui vibrent plus haut.

Vous commencez à vous connecter avec la haute énergie qui vous entoure.

Vous me demandez ce que vous devez faire pour pouvoir vous connecter ? Vous avez seulement à ressentir. Ressentez votre énergie profondément.

Vous ne devez penser à rien. Juste ressentir.

Mais ne vous permettez pas de ressentir l'énergie dense, lourde et négative.

Non.

Recherchez autour de vous – les yeux fermés, bien sûr – une énergie plus élevée. Plus pure.

Je suis certain que vous pourrez la sentir.

Et restez comme cela. Simplement en la ressentant. Permettez à cette plus haute énergie d'entrer à l'intérieur de vous.

Puis, une fois que vous vibrez dans cette énergie, cherchez les personnes et les choses qui ont cette même vibration.

Ne quittez pas le lieu où vous vous trouvez. N'ouvrez pas les yeux. Imaginez l'extérieur. Cela peut être dans les arbres ou les animaux. Ressentez leur vibration.

Ressentez-la et attirez-la vers vous.

Ceci est une recette pour se réénergétiser. Faites-le. Maintenant.

Et qu'est-ce que ce message a à voir avec ma question ? vous demandez- vous.

Absolument rien. Mais c'est ce que je voulais vous dire aujourd'hui.

JÉSUS

# 228

# Signes

Beaucoup de personnes croient que la vie fonctionne au moyen de signes.

Si les choses vont bien, si elles sont fluides, vous devriez continuer à aller de l'avant.

Si elles ne sont pas fluides, vous devriez les abandonner.

Et beaucoup de personnes ne prêtent pas attention à ces signes.

Mais une fois qu'elles ont réalisé que les coïncidences n'existent pas, elles essaient de « lire » la vie.

Au moyen des signes bien sûr.

Mais cette lecture est encore très rudimentaire : « Si tout se passe bien, avancez. S'il y a des obstacles, revenez en arrière. »

Et elles appliquent cette formule pour tout. Et comme elles sont ouvertes aux signes de la vie, elles pensent que l'ego est sous contrôle. Cela ne pourrait être plus éloigné de la vérité.

Si la vie est si facilement « lisible », pourquoi tenir en si haute estime le Moi supérieur et l'essence ?

Parce que ce sont les seuls qui peuvent répondre à vos questions les plus profondes.

Tout ce qui reste sans réponse de votre Moi supérieur et de votre essence trouvera une réponse par l'ego, et par conséquent ne pourra être résolu.

Alors réfléchissez à ce qui suit.

Il y a quelque chose que je dois faire, et cela requiert un engagement fort de ma part. Alors, la vie va disposer sur mon chemin des obstacles variés pour tester à quel point je suis fidèle à mon engagement.

Imaginez que pendant cette période vous renonciez parce que vous interprétez que ces obstacles sont le signe qu'il faut que vous fassiez marche arrière.

Voyez-vous pourquoi cela n'est pas si simple ?

Et maintenant vous demandez :

Comment puis-je savoir quand les obstacles sont un piège pour tester mon engagement, et quand ils sont le signe que les choses ne vont pas fonctionner ?

Comment puis-je le savoir ?

Votre Moi supérieur. Voilà la réponse. Seul votre Moi supérieur peut vous dire quoi faire. Seul votre Moi supérieur peut vous indiquer les motifs de cette initiative.

Si vous n'êtes pas encore capable de vous connecter à votre Moi supérieur, utilisez votre intuition.

N'utilisez jamais votre dimension mentale. N'utilisez jamais votre ego.

Et maintenant que je vous ai expliqué les principes fondamentaux des coïncidences et des signes, laissez-moi embrasser votre front pour que vous puissiez vous sentir en paix.

JÉSUS

# Comptez sur nous

Il semble que vous en faites trop.
Vous investissez beaucoup d'efforts dans les choses.
Vous investissez beaucoup d'efforts dans tout.
Est-ce que je peux vous poser une question ?
Pourquoi ne comptez-vous pas sur le Ciel ?
« Parce que le Ciel ne va pas me donner ce que je veux »
répondez-vous.

Et je vous le dis, si vous comptez sur nous, si vous croyez en
nous, chaque fois que le Ciel ne vous donne pas quelque chose,
c'est seulement parce que cela ne vous est pas destiné.

JÉSUS

# Une chose

Essayez de vous consacrer à une seule et unique chose.
Ne vous inquiétez de rien d'autre.
Ne vous tracassez de rien d'autre – en dehors de vos tâches quotidiennes, bien sûr. Ne vous concentrez sur rien d'autre.
Ne faites qu'une seule et même chose. Et celle-ci continuera à remplir vos méditations, vos inspirations. Soyez attentif à tous les détails. Chacun d'eux.
Mettez de l'amour dans tout ce que vous faites. Mettez de l'amour dans cette chose qui occupe toutes vos pensées.
Et plus important encore, montrez de la gratitude.
De la gratitude parce que vous êtes vivant, parce que vous êtes capable de vivre profondément cette expérience.
Et par la gratitude, vous viendrez à moi.
Et je descendrai par cet improbable canal que vous avez créé avec votre gratitude.
Et je serai là en un instant.
Et je peux personnellement vous aider à arranger cette action, cet événement.
Et tout ce que vous ferez aura mon énergie.
Et mon énergie émanera de vous et de vos actions.
Et tout le monde sentira mon énergie.
Et vous deviendrez finalement un canal pour transmettre de l'énergie pure.
C'est votre mission.

JÉSUS

# 231

# Se débarrasser de son moi mort

Vous avez un « moi » mort à l'intérieur de vous.
Débarrassez-vous-en.
Cessez simplement d'être qui vous étiez.
Débarrassez-vous de vos masques.
Mettez de côté vos insistances, vos habitudes et vos obsessions.
Débarrassez-vous de tout ce qui est ancien et vous réaliserez que cela est mort.
Que cela était déjà mort bien qu'encore à l'intérieur de vous.
Cherchez à faire quelque chose de nouveau, de nouvelles aventures, de nouvelles expériences.
Demandez à votre essence ce qu'elle aimerait que vous fassiez.
Demandez-lui ce qu'elle ressent.
Demandez-lui ce qu'elle veut être.
Demandez-lui tout, et ensuite faites ce qu'elle vous dit de faire.
Et elle vous emmènera sur un chemin brillant, régulier et pur.
Un chemin de lumière qui est justement votre chemin originel.
À ce moment-là, votre ancien moi n'existera plus.
Vous ressentirez de nouvelles choses et vibrerez à une fréquence beaucoup plus élevée.
Et des choses vont commencer à arriver au niveau de vos cellules.
Et des choses vont commencer à arriver dans votre vie.
Tout sera à sa place.
Tout cela parce que vous avez accepté de vous débarrasser de votre moi mort et que vous étiez prêt à aller à la poursuite de votre moi éternel qui était toujours là, bien que vous ne

puissiez pas le voir ; vous ne pouviez pas le ressentir et aviez ainsi cru qu'il était parti.

Mais il n'était pas parti et ne partira jamais. Il est votre moi qui a toujours été ici mais qui est maintenant plus pur, plus clair et plus équilibré.

C'est celui que vous devez suivre si vous souhaitez vraiment commencer votre voyage vers le Ciel.

JÉSUS

# 232

# Merci

Merci pour toutes vos bénédictions.
Merci pour cette incarnation.
Merci d'être capable de vibrer dans la matière.
D'apprendre d'elle.
Merci pour la vibration.
Merci pour les émotions incroyables, bonnes ou mauvaises,
fortes ou faibles, que je suis autorisé à ressentir tous les jours.
Merci pour les jours.
Merci pour la douleur qui, une fois libérée, se transforme en
joie.
Merci pour la nuit qui, une fois vécue, se transforme en jour.
Laissez tout être exactement
Comme cela doit être
Que je puisse arriver précisément
Là où je peux voir
La lumière
Là où je peux avoir
La lumière.

JÉSUS

# Un pacte

Relâchez le « moi » qui contrôle. Relâchez-le. Renoncez à contrôler les événements. Renoncez à essayer de tout contrôler.

Qu'importe ce que c'est, qu'importe ce que vous essayez de contrôler, lâchez-le. Confiez-vous.

Confiez-vous à moi afin de vous sentir plus en sécurité. Certaines personnes sont incapables de passer leur douleur au Ciel. C'est trop abstrait. Si vous vous sentez comme cela, confiez-vous à moi.

Mais confiez-vous vraiment. Relâchez tout.

Avez-vous remarqué que plus vous vous efforcez de contrôler une situation, plus elle vous glisse entre les doigts ? Ce sont des opposés – le summum du travail de la dualité dans la matière.

Relâchez le « moi » qui contrôle. Relâchez-le. Abandonnez-le.

Apprenez à suivre le courant de la vie, à permettre aux choses de passer. Et une fois que vous aurez compris que le contrôle vous mènera où vous ne devez pas aller, vous comprendrez qu'il ne vous mènera jamais où vous devez aller.

Et c'est triste. C'est très triste parce que si vous ne lâchez pas prise, vous allez inévitablement retourner là, vie après vie après vie, pour trouver votre rythme et découvrir votre propre fréquence qui vous emmènera là-haut à votre place au Ciel.

Lâchez prise. Confiez-vous à moi. Tournez-vous vers le Ciel. Facilitez votre accès à l'énergie. À la lumière.

Libérez-vous de la violence et de la résistance. Laissez tout cela partir pour toujours.

Et c'est un pacte que vous faites avec vous-même.

Un pacte avec l'énergie.

Un pacte avec la lumière.

JÉSUS

# 234

# S'élever

Écoutez les cloches sonner.
Les entendez-vous ?
Elles s'approchent pour annoncer que vous êtes prêt pour votre prochain voyage.
Pour le prochain plan.
Pour le prochain niveau.
Non, vous n'allez pas mourir. Vous allez simplement monter à un autre niveau dans cette vie. À une autre fréquence.
Toutes vos cellules vibrent plus rapidement après les expériences que vous avez vécues et la purification que vous avez connue grâce à elles.
Le monde énergétique est prêt à vous élever à un haut niveau de fréquence vibratoire.
Et en haut, cela peut se révéler vraiment plus difficile pour vous, étant donné que vous continuez à vivre ici-bas dans votre quotidien dans la matière.
Mais tel est le défi : avoir un comportement énergétique exemplaire.
N'arrangez pas les choses pour vous sentir plus à l'aise.
Faites face à vos peurs. N'essayez pas de contrôler les événements.
Ne contrôlez pas les personnes. Ne manipulez pas.
Ne faites rien dont vous ne pouvez être fier.
Ceci est mon conseil, le conseil d'un vieil homme sage dont le but est que vous viviez d'une manière spirituelle et saine, ici-bas.
Avant tout, trouvez votre essence.
Faites-en une priorité dans votre vie.
Parlez-lui et écoutez ce qu'elle veut.

Et une fois que vous commencez à réaliser que cela vous rend heureux, allez de l'avant. N'ayez pas peur.

Il se peut que ce soit une des rares fois où l'on vous donne l'opportunité d'apprendre à connaître votre âme.

JÉSUS

# 235

# L'appel

La vie vous appelle.

La vie vous appelle pour sortir de votre stagnation.

La vie vous appelle pour de nouvelles et grandes aventures.

Tout ce que vous avez à faire est de dire oui. Vous avez seulement besoin d'accepter de prendre l'engagement d'honorer ce que vous êtes venu faire ici sur Terre, qui est d'être qui vous êtes vraiment. Aussi longtemps que vous pouvez être qui vous êtes, à chaque occasion, le reste se mettra en place.

Venez voir la vie.

Quittez ce cocon, ce sentiment vaste mais artifiCiel de confort dans lequel vous êtes entré.

« Si je ne prends pas de risques, je ne perdrai jamais » pensez-vous.

Mais vous ne gagnerez jamais rien non plus, dis-je.

Alors fermez les yeux, respirez profondément, déployez vos ailes, et apprenez une fois pour toute qu'apprendre à voler commence à l'intérieur de vous.

JÉSUS

## 236

# Être d'accord pour recevoir

Être d'accord pour recevoir. Telle est la question. Vous avez tous l'habitude de donner, et c'est précisément là où réside le contrôle. Lorsque vous donnez, vous contrôlez l'évolution des événements. Vous contrôlez les événements et vous contrôlez les personnes à qui vous donnez.

« Tant que cette personne accepte de recevoir ce que je lui donne, c'est qu'elle m'accepte. Elle ne me rejette pas », vous dites-vous.

En limitant votre personne à donner, en essayant de contrôler l'affection des autres, vous commencez à vous bloquer.

Ceux qui croient que donner est la seule chose importante se retrouvent bloqués.

Ils se retrouvent bloqués parce qu'ils ne lâchent pas prise et continuent de contrôler.

Ils ne savent pas se détendre ni recevoir.

Recevoir, c'est ne plus contrôler. Recevoir, c'est accepter. C'est être conscient qu'il peut y avoir d'autres moments où vous aurez besoin de recevoir et où vous ne recevrez rien.

C'est accepter que vous pouvez vous retrouver à la merci de quelqu'un, que vous pouvez être vulnérable et souffrir.

Et vous ne voulez pas souffrir, n'est-ce pas ?

Je comprends, mais pensez au fait que vous ne recevez rien pour éviter cette souffrance.

Et si vous faites tout cela pour être accepté, pour éviter d'être rejeté, vous avez besoin de réaliser qu'en ne recevant pas, vous êtes en fait en train d'attirer le rejet.

Réfléchissez.

Comment est-ce possible pour quelqu'un de finir par attirer le rejet alors qu'il a fait les choses les plus extrêmes pour l'éviter ?

Réfléchissez.

Mon conseil :

Ouvrez-vous. Ouvrez-vous à la vie. Cessez de contrôler. Permettez-vous de recevoir.

Les gens veulent vous donner. Mais vous êtes fermé. Vous préférez ne pas recevoir pour ne pas perdre le contrôle. Vous préférez être dans le besoin et la souffrance.

Les gens veulent donner et vous souffrez. Cela ne peut pas aller.

Ouvrez-vous.

Ouvrez-vous.

Même si cela vous fait mal, ouvrez-vous.

Même si vous vous retrouvez dans le besoin, ouvrez-vous.

Même si vous vous sentez mal, ouvrez-vous.

Même si vous croyez que les gens vont vous blesser, ouvrez-vous.

Même s'ils vous blessent, ouvrez-vous.

Ouvrez-vous. C'est la seule raison de votre présence ici.

C'est la seule raison pour laquelle vous n'avez pas encore élevé votre vibration pour être plus près de moi.

Ouvrez-vous.

Toujours.

JÉSUS

# 237

# Reprogrammez

Pour que vous puissiez vivre de nouvelles expériences.

Pour que vous puissiez expérimenter de nouvelles situations, de nouvelles émotions – et vous savez que les nouvelles émotions sont la seule chose qui vous fera changer, qui changera radicalement votre vie.

De nouvelles émotions reprogrammeront votre cerveau.

Qui reprogrammera vos cellules.

Qui reprogrammeront vos organes.

Qui reprogrammeront votre corps.

Qui reprogrammera votre vie.

Qui reprogrammera la vie de ceux près de vous.

Qui reprogrammeront votre ville.

Qui reprogrammera le monde énergétiquement.

Qui reprogrammera l'Univers.

Et tout ce qui existe n'a qu'un seul objectif, et c'est celui de reprogrammer l'Univers.

Note : lisez le message qui suit.

JÉSUS

# Nouvelles émotions

Pour que vous viviez de nouvelles choses, de nouvelles situations et de nouvelles émotions.

Lisez le message précédent et revenez ensuite à celui-ci.

Il ne sert à rien de chercher de nouvelles motivations énergétiques dans la vie.

Tout ce que vous pouvez avoir ou faire dans votre vie actuelle peut changer votre façon de ressentir, mais seulement pour une courte durée.

Un événement arrive à l'extérieur de vous, il provoque une émotion en vous. Vous vivez cette nouvelle expérience émotionnelle, votre système énergétique perçoit ce changement en cours, il ne se sent pas en sécurité et commence à demander à votre ancienne énergie de revenir, et vous retournez vite à vos vieilles habitudes.

Votre système de croyance, qui active votre système de défense, est tellement puissant qu'il est rare que quelqu'un élève d'une façon permanente sa fréquence vibratoire grâce à quelque chose qui vient de l'extérieur.

Cela ne se produit que très difficilement.

Mais le contraire ne pourrait être plus juste – mais c'est aussi plus difficile.

Cela fonctionne ainsi.

Premièrement vous parvenez à une nouvelle synthèse, une nouvelle façon de voir les choses.

Ensuite vous croyez à cette nouvelle synthèse. Vous commencez à l'incorporer à votre système énergétique et à votre processus de pensée.

Vous commencez à vibrer sur cette fréquence.

Et vous reprogrammez l'Univers.

JÉSUS

# 239

# Vous

Voici ce que vous allez faire aujourd'hui : vous allez mettre de la musique que vous aimez vraiment.

Vous allez vous asseoir à votre place préférée, un endroit dans votre maison que vous ressentez être à vous, qui vous permet d'être qui vous êtes, sans concessions. Une place qui n'exige rien de vous et vous permet d'être.

Simplement d'être.

Asseyez-vous à cet endroit, fermez les yeux, et faites appel à vous.

Vous allez faire venir votre vrai moi. N'y pensez pas. N'en inventez pas un. Ressentez-le juste.

Rassemblez votre énergie. Celle de la personne que vous êtes vraiment.

Et regardez. Observez. Ressentez. Surtout, ressentez.

Qui est cette personne ?

Vous reconnaissez-vous ?

Est-ce que cette personne est vous ? Ou avez-vous besoin d'aller plus loin pour être cette personne ?

À quoi pense cette personne ?

Pensez-vous aux mêmes choses qu'elle ?

Et que pense cette personne de ces choses ?

Pensez-vous la même chose d'elles ?

Et comment se sent cette personne ?

Ressentez-vous ce qu'elle sent ?

Vous sentez-vous ainsi ?

En quoi croit cette personne ? Et vous ?

Est-ce que cette personne croit en moi ?

Est-ce que cette personne m'aime ?

Et vous ?

Laissez cette personne venir à moi.
Laissez-la s'élever.
Et maintenant élevez-vous aussi.

JÉSUS

# 240

# Sentir l'amour

Nous allons méditer. Venez. Venez méditer avec moi.

Asseyez-vous confortablement à un endroit où vous vous sentez bien.

Mettez de la musique que vous aimez.

Fermez les yeux et respirez profondément plusieurs fois.

Vous n'avez pas besoin de visualiser quoi que ce soit à ce stade. Ressentez plutôt une lumière vous envahir. Une lumière pure, une lumière qui guérit.

Lorsque vous vous sentez léger et purifié, pensez à toutes les bonnes choses que vous avez ou que vous avez eues dans votre vie.

Les émotions et les expériences fabuleuses que vous vous êtes permis d'avoir durant votre vie.

Les meilleures journées.

Les meilleures nuits.

Faites appel à l'énergie des personnes que vous avez aimées et que vous continuez à aimer dans cette vie.

Même celles qui n'ont pas toujours été gentilles avec vous mais que vous avez aimées.

Même celles qui vous ont fait du mal mais que vous avez continué à aimer.

Faites appel à l'énergie de toutes ces personnes. Et ressentez l'amour.

Ressentez l'amour que vous avez pour eux.

Reconnaissez que malgré tout ce qui est arrivé entre vous, ils sont dans votre vie pour vous apprendre à aimer.

Et à honorer l'amour qui est en vous.

Ils sont dans votre vie pour vous montrer que vous devez puiser dans tout cet amour qui se trouve en vous.

Pour pouvoir aimer sans rien attendre en retour.

Plutôt que d'être quelque chose que vous utilisez pour faire du troc, l'amour est une bénédiction pour ceux qui le ressentent. Pour ceux qui peuvent le ressentir. Simplement le ressentir.

Retenez l'énergie de ces personnes. Et aimez.

C'est tout. Aimez, aimez, aimez.

Et sans tenir compte de leur réponse à votre amour, vous sentirez votre énergie changer de vibration et s'élever.

Et lorsque votre poitrine sera sur le point d'exploser du fait de tout cet amour qui en émane, vous élèverez votre conscience et viendrez me montrer votre amour.

Car vous ne pouvez m'aimer que si vous aimez les autres − si vous aimez leurs âmes −, et êtes capable d'aimer la vie.

Par conséquent, lorsque votre poitrine sera sur le point d'exploser du fait de l'amour que vous ressentirez pour l'humanité malgré tous ses défauts, vous m'aimerez immédiatement.

Et vous vous aimerez, car vous faites partie de cette race immensément imparfaite et pourtant magique que l'on appelle humanité.

JÉSUS

# 241

# Réalisation

Vous ne vous en rendez peut-être pas compte, mais la situation dans laquelle vous vous trouvez suit un certain schéma.

Elle a une fréquence vibratoire. Ella une tonalité énergétique.

Vous avez besoin de comprendre cela.

Peu importe qui vous a mis dans cette situation, vous-même ou quelqu'un d'autre.

Peu importe si la personne vous a fait mal ou si c'est vous qui avez fait mal à quelqu'un.

Peu importe si la personne vous a fait souffrir ou si c'est vous qui avez causé la souffrance des autres.

Peu importe tout cela, vous devez réaliser que cette situation n'est pas unique dans votre vie et que l'émotion qu'elle provoque vous est familière.

Vous n'avez peut-être pas vécu exactement la même situation dans votre vie, mais vous avez sûrement vécu d'autres situations qui avaient une charge émotionnelle similaire.

Ce que vous ressentez maintenant, indépendamment de qui, quand et comment cela a été provoqué, indépendamment de tout enjeu extérieur au cœur, ce que vous ressentez maintenant est quelque chose de familier.

Plus que familier, c'est quelque chose qui vous appartient.

C'est une émotion qui vient de votre âme, une densité qui n'a pas encore été dissipée, et qui maintenant remonte encore à la surface pour que vous compreniez qu'il faut que vous vous en occupiez.

Par conséquent, arrêtez de vous focaliser sur ce qu'il y a à l'extérieur de vous.

Saisissez cette émotion qui vous est si familière.

Oubliez les autres personnes. Arrêtez de penser aux choses et aux circonstances.

Centrez-vous sur votre poitrine. Centrez-vous sur cette émotion et attirez-la à vous. Tirez. Tirez. Ressentez. Ressentez.

Et quand cette émotion vous envahira parce que vous aurez décidé de l'accepter comme étant vôtre, comme faisant partie de vous, alors seulement il sera temps de l'enlever. De s'en débarrasser.

Réalisez ceci.

Vous ne serez jamais capable de vous débarrasser de quelque chose que vous n'acceptez pas faire partie de vous.

Ceci est un concept que vous devriez garder en tête tout au long de votre vie.

Premièrement, acceptez que cela vous appartient. Puis enlevez-le.

« Et comment puis-je l'enlever ? » me demandez-vous.

Et je réponds : « Renoncez à cette émotion. Regardez-la comme si elle était à vous, mais pas dans cette vie-ci. Elle vient d'un passé lointain et n'a plus d'utilité ici. »

Renoncez-y. Réalisez que vous n'avez plus besoin de cette émotion pour être la personne que vous êtes maintenant. Cette émotion n'est pas créative, elle n'est pas positive. Et aujourd'hui votre cœur n'a de place que pour des émotions constructives et positives qui aident votre âme à évoluer.

Renoncez à ce que vous ressentez.

Cessez de croire que ce sont les autres qui vous ont mis dans cette situation.

Réalisez que c'est vous qui vous êtes mis dans cette position chaque fois que vous donnez aux autres le rôle de méchant.

Comprenez cela et vous vous rapprocherez de la vérité.

JÉSUS

# 242

# Le poids du monde

Savez-vous pourquoi vous avez mal au dos ?
Parce que c'est là que vous portez le poids du monde.
Le poids de toutes ces personnes que vous voulez sauver – et que vous croyez pouvoir sauver.
Le poids de toutes les choses que vous souhaiteriez être différentes, sans comprendre qu'elles sont ainsi parce que votre énergie le leur a demandé, afin de faire apparaître en vous ce sur quoi vous devez travailler.
Le poids de votre insistance pour que tous ceux autour de vous soient bien – sans comprendre que cela ne fera aucune différence s'ils ne le sont pas.
Tout cela a un nom. Le poids que vous portez sur votre dos a un nom.
La culpabilité.
La culpabilité, c'est lorsque vous essayez d'assumer la responsabilité du choix des autres et du type de vie que ces choix attirent.
Vous ne pouvez assumer la responsabilité que de deux choses, les choix que vous prenez et votre vie. Et rien d'autre.
Tout le reste n'est qu'une manière de fuir la responsabilité que vous avez dans votre vie.
Il est plus facile de voir les autres ou, plus précisément, de voir les erreurs que les autres font. Vous regardez à l'extérieur pour ne pas avoir à regarder à l'intérieur.
Parce que vous avez mal à l'intérieur.
Et c'est pourquoi votre dos vous fait souffrir.
Le jour où vous vous permettrez de regarder à l'intérieur de vous d'une manière directe, mature et responsable, sera le jour où vous cesserez de vous centrer sur ce qui est à l'extérieur de

413

vous, où vous cesserez d'avoir des exigences, et où vous aurez purifié votre culpabilité. Et qui sait, à l'endroit même où votre dos vous fait mal apparaîtront deux ailes qui étaient contraintes et auront alors la permission de vous aider à voler.

Et ce jour-là, je vous attendrai là-haut pour vous montrer le Ciel.

JÉSUS

# 243

# Embarras

C'est dans les grands moments d'embarras que vous trouverez votre plus grande compétence.

C'est dans ce lieu terrible d'embarras complet que vous découvrirez la tolérance, la patience, et l'accessibilité.

Lorsque vous choisissez d'accepter la gêne, vous choisissez aussi d'être tolérant. Vous choisissez d'être patient. Vous savez que cela va durer – même si ce n'est pas pour longtemps – et vous acceptez d'en passer par là.

Et d'apprendre. Et de purifier. Et de vivre. Et d'expérimenter.

Et après avoir connu le drame, après que le sang a été versé, vous saurez que vous avez survécu, et à partir de ce moment-là, votre relation avec la peur sera changée à jamais.

JÉSUS

# Choisir pour soi

N'avez-vous jamais remarqué le pouvoir qu'un choix peut avoir ? Quand une personne fait un choix pour son propre bien, basé sur qui elle est et parce qu'elle souhaite se valoriser ?

Quand quelqu'un choisit pour lui-même, pour la lumière qu'il a, aucun résultat ne peut l'ébranler.

Aucun obstacle ne peut le démotiver. Et comme son choix vient de l'intérieur, des profondeurs de son essence, il a une force irrésistible.

Et il apporte de l'estime de soi. Il crée de l'amour de soi et permet de se construire.

Il crée de l'énergie pour faire encore plus de choix.

Lorsque l'énergie du choix se libère, elle crée une onde qui avance en direction de l'Univers.

Un Univers qui envoie en retour une énergie calme et apaisante en abondance.

Et les autres sont aveuglés par sa lumière. Et le Ciel est enrichi chaque jour qui passe.

Ceci est le pouvoir du choix.

Le pouvoir d'aider l'Univers à grandir.

JÉSUS

# M'appeler

Vos communications sont si conscientes...

Cela signifie que vous avez atteint les niveaux requis pour m'atteindre.

Pour que je puisse toucher votre cœur, votre énergie.

Pour que je puisse remplacer les siècles de schémas cellulaires d'énergie négative que vous avez.

Pour que je puisse vous offrir des ressources pour vous purifier.

Vous avez changé votre tonalité. Vous avez changé votre résonnance.

Vous avez élevé votre vibration.

Et aujourd'hui quand sans effort vous êtes arrivé là-haut, ne croyez pas que c'était votre imagination. Je suis ici pour expliquer ce que je suis venu faire.

Ressentez ma réponse.

Écoutez ma version.

Car les événements de la vie ont plus d'un objectif.

Tout est entremêlé et parfait pour vous permettre d'être inspiré afin d'éliminer tout ce qui ne fait pas partie de vous.

Appelez-moi et je viendrai. Je mettrai de la couleur dans votre vie.

Je lui donnerai du sens. Je viendrai et vous instruirai sur la meilleure façon de vivre dans la matière. Je viendrai et vous apporterai un amour pur et brillant et, dans votre cœur, l'information dont vous avez besoin à ce moment de votre vie.

Appelez-moi et je viendrai et vous remplirai de ma lumière et vous ferai briller comme les étoiles.

Afin que vous n'oubliiez pas d'où vous êtes venu. Pour que vous n'oubliiez pas qui vous avez choisi d'être.

JÉSUS

# La seule façon

En réalité, il n'y a qu'une seule façon de faire les choses.

Il n'y a pas une variété de façons de faire afin que chacun choisisse la sienne. Les différentes façons dont vous agissez révèlent simplement la diversité de la race humaine.

Il n'y a pas deux manières de faire les choses, car les opposés définissent la dualité dans la matière.

Il n'y a qu'une seule façon de faire les choses.

Et toutes les autres sont simplement les chemins que vous prenez pour vous y rendre.

Elles sont des formats d'ici-bas, denses, manquant de cette fréquence élevée qui est demandée aux êtres spirituels potentiels.

Il n'y a qu'une seule façon. Et c'est de ressentir, ressentir, ressentir.

Plus votre sens du ressenti est ouvert, mieux c'est.

Plus vous respectez cette sensation, mieux c'est.

Plus vous réalisez que c'est votre vrai moi, ce moi que les chaînes ne peuvent retenir et que les concepts ne peuvent influencer, mieux c'est.

Plus vous célébrez cette sensibilité extrême, mieux c'est.

Il n'y a pas deux façons de faire les choses.

Il n'y en a qu'une.

Et cette seule façon a tout à voir avec moi.

JÉSUS

# 247

# Mouvement

Quand rien ne va, concentrez-vous sur vous-même.

Quand tout autour de vous tombe en morceaux, rappelez-vous comment le mouvement de l'Univers fait s'écrouler ce qui vous entoure quand il veut que vous alliez à la recherche de vous-même.

C'est un mouvement sans fin. Vous sortez à l'extérieur de votre énergie pour trouver la sécurité chez les autres.

Tout ce qui est à l'extérieur de vous est plus facile.

Tout ce qui est à l'extérieur de vous est confortable.

C'est sans danger.

Il est beaucoup plus difficile de se centrer sur soi-même. Car à l'intérieur de vous, il y a de la tristesse, du chagrin, du ressentiment et de la réprimande. À l'intérieur, il y a l'obscurité. À l'intérieur, il fait froid.

Alors il est compréhensible que vous fuyiez le plus vite possible et que vous vous accrochiez aux autres.

Cependant, en vous attachant aux autres, vous provoquez une réaction de l'Univers.

L'Univers ne peut vous permettre de rester à l'extérieur de vous-même.

Par conséquent, il doit retirer le sentiment de sécurité que vous avez l'habitude de ressentir dans vos relations avec les autres.

Et comment l'Univers fait-il pour retirer ce sentiment de sécurité ?

C'est simple. Il anéantit l'illusion consistant à croire que ces relations sont hautement satisfaisantes.

Et comment l'Univers fait-il pour anéantir votre illusion ?

En vous décevant.

Soudainement, sans raison apparente, les personnes en qui vous avez une entière confiance se fâchent contre vous, ils ruinent tout, ils ne vous prêtent plus assez d'attention, ils tombent malades, ils meurent.

Ce mouvement global de perdre des personnes, ou plus précisément l'illusion d'avoir une relation idyllique avec les autres, n'a qu'un seul objectif.

Vous faire regarder à l'intérieur de vous-même. De vous faire ressentir votre propre énergie.

Cela vous permet de vous regarder. Cela vous permet de créer la personne que vous voudriez être. Dont vous seriez fière.

Incontestablement, tout ce mouvement vous met dans votre propre dimension émotionnelle.

Il vous fait ressentir.

Et en vous faisant ressentir, que ce soit de la douleur ou de la joie, vous serez forcé d'ouvrir votre canal.

Ce sentiment vous forcera à vous élever par ce canal.

Il vous enseignera à venir là-haut pour obtenir la sécurité au Ciel, le seul endroit qui puisse vous fournir ce sentiment de sécurité.

Parmi les êtres de lumières.

Dans votre Moi supérieur.

Et en fin de compte en moi.

JÉSUS

# 248

# Aimez-moi

Aimez-moi.

L'enchantement de la vie réside dans l'amour que vous ressentez pour moi.

Et l'amour que vous ressentez pour moi vous rapproche de mon énergie.

Et vous vous élevez plus haut.

Et vous vous élevez plus pur.

Aimez-moi.

Ressentez seulement cet amour pour moi.

Et vous verrez comment cet amour fera tomber les barrières personnelles, détruira les châteaux, les murs, les blocages, les contradictions.

Il arrachera les attaches et les archétypes restrictifs.

Aimez-moi.

Ressentez. Choisissez de ressentir cet immense amour pour moi, sans vouloir rien en retour, pas même la lumière de ma présence.

Car même le désir que je vous aime ou que je vous montre mon amour est quelque chose qui réside à l'extérieur de vous.

Aimez-moi seulement.

Et permettez à cet amour d'envahir votre vie, votre corps et votre énergie.

Permettez à cet amour d'envahir les autres personnes et la Terre.

Permettez à cet amour de grandir et d'envahir le Ciel.

Et quand vous vous y attendrez le moins, quand vous croirez qu'il n'ira pas plus loin, vous recevrez une surprise.

Je descendrai par le canal d'amour qui émanera de vous.

Et une nuit calme, je viendrai m'étendre à vos côtés et je vous murmurerai des histoires de là-haut, du Ciel, à votre oreille.

Et à partir de cette nuit, votre vie changera.

Et vous n'aurez plus jamais besoin d'être seul une nouvelle fois parce que vous aurez touché l'essence de la vie et acquis votre propre lumière, qui gardera à distance la solitude.

JÉSUS

# Pleurer pour cesser de perdre

Qu'est-ce que pleurer signifie ?

Pleurer, c'est enlever l'énergie négative qui, étant à l'intérieur de vous, vous a conduit à attirer cette situation particulière qui vous a rendu triste.

Et en supprimant cette énergie – basée sur le principe que vous attirez toujours la même énergie que celle que vous émettez – vous cesserez de l'émettre et donc de l'attirer.

Reconnaissez le cycle.

Par exemple, vous avez de l'énergie à l'intérieur de vous, une énergie violente. Vous allez émettre de l'énergie violente. Par conséquent, vous allez attirer la même énergie ou une énergie correspondante. Dans ce cas, vous attirerez de la violence.

Vous avez deux options.

Vous pouvez vous fâcher avec la personne qui vous a fait mal, centrer votre attention sur cette personne à l'extérieur de vous, plutôt que de la centrer à l'intérieur et de vous purifier, et continuer ainsi à ce que cette mauvaise énergie émane de vous.

Et donc, suivant l'ordre naturel des événements, vous continuerez à attirer ce type d'expérience car vous continuerez à émettre ce type d'énergie.

Ou bien vous pouvez réaliser que cette situation vous a rendu triste – vous ne jugez pas la personne qui vous a fait mal et vous vous permettez de pleurer du fait de cette tristesse, supprimant cette énergie de votre poitrine et, ce faisant, celle-ci n'émanera plus de vous.

Et donc, suivant l'ordre naturel des événements, vous n'attirerez plus de violence parce que vous aurez cessé d'en émettre.

Comme vous pouvez le voir, pleurer est le principe de base. Le reste ne fait que s'aligner.

Voici un exemple :
Vous recevez de la violence.
Vous pleurez parce que vous avez reçu de la violence.
Vous retirez cette violence de votre poitrine.
Vous cessez de l'émettre.
Vous cessez de l'attirer.
C'est simple, n'est-ce pas ? Mais difficile à mettre en pratique, je sais.
C'est la raison pour laquelle les êtres humains sont nés avec un ego. Quand l'ego comprend et prend un engagement avec la lumière, il a assez de puissance pour faire ce que j'ai suggéré... et plus encore.
Donc, vous pouvez commencer tout de suite.
Pleurez.
Cela vous fera du bien.
Et je suis là-haut juste au cas où vous auriez besoin de quelque chose.

JÉSUS

# 250

# Renaître

Vous êtes en train de renaître.

À tous les niveaux, sous toutes les formes, dans vos activités quotidiennes les plus insignifiantes, vous êtes en train de renaître à une nouvelle vie.

Vous vous rapprochez progressivement de moi.

Vous devenez peu à peu plus évolué, plus pur et plus subtil. Vous atteignez peu à peu la dimension du Ciel où les fées peuvent voler.

C'est le temps de la renaissance. Il est temps pour les hommes de comprendre leur mission.

De reconnaître que la vraie mission de l'homme, la seule mission possible pour les êtres humains dans l'humanité, est d'être capable d'être unique, distinct et sacré.

C'est d'être capable de se détacher des sept autres milliards de personnes sur la Terre.

Soyez authentique.

Soyez organique.

Soyez spécial.

JÉSUS

# 251

# Le jour de votre essence

Aujourd'hui est le jour de votre essence.

Aujourd'hui est le jour pour jouer avec votre essence, lui donner votre entière attention et la prendre au sérieux.

Au niveau de l'évolution, votre Moi supérieur est votre maître.

Il est celui qui peut vous enseigner. Il est celui qui a votre plan de vie au Ciel, le plan vers lequel vous devez vous tourner quand vous avez des doutes.

Mais quand il s'agit de l'estime de soi, des expériences terrestres et de la réalisation de soi, votre essence est la grande dame.

C'est elle qui sait ce qui vous rendra heureux ici sur Terre, avec les ressources dont vous disposez.

C'est elle qui a votre plan de vie pour votre vie terrestre et qui est responsable de votre exécution de ce plan d'une manière la plus créative qui soit, en créant un nouvel être chaque jour ou, du moins, en le rajeunissant chaque jour.

Et aujourd'hui est une journée consacrée à elle. Faites quelque chose que vous voulez faire depuis longtemps.

Soyez courageux. Ayez l'audace d'aller vers ce qui vous rend heureux.

Allez. Faites-le.

Offrez votre hardiesse à votre essence. Offrez-la-lui.

Montrez-lui à quel point vous l'aimez et lui faites confiance.

Parlez-lui. Demandez-lui ce qu'elle veut que vous portiez comme vêtements aujourd'hui, quelle coupe de cheveux elle aimerait que vous ayez, et ainsi de suite.

Vous constaterez que cette petite balle blanche dans votre poitrine va se mettre à parler. Pour vous dire ce qu'elle veut et pourquoi elle est là.

Prenez un jour pour être avec elle. Donnez-lui la priorité sur tout le reste dans votre vie. Vous allez voir comment vous pouvez fortifier l'un de vos plus grands alliés au Ciel dans son éternelle tâche consistant à vous rendre heureux.

JÉSUS

# <u>252</u>

# Votre amour pour moi

Votre amour pour moi vous sauvera.

L'amour que vous ressentez pour moi, la lumière qui sort de votre cœur, est ce qu'il y a de meilleur en vous.

Et en m'aimant vous faites ressortir le meilleur en vous.

De là, plus vous m'aimez, plus vous vibrez sur cette fréquence extrêmement élevée qu'est l'amour, et plus vous vibrerez haut longtemps, faisant ressortir le meilleur de vous-même au niveau cellulaire.

Et nous savons déjà que plus un être humain donne de sa personne, plus il recevra d'abondance de l'Univers.

Donc, en m'aimant, vous recevrez cet amour de l'Univers.

Et cet amour vous sauvera.

JÉSUS

# 253

# Élever votre vibration

Les émotions primaires ont une fréquence vibratoire très basse.

Par exemple, lorsque vous êtes furieux, vous vibrez sur une fréquence incroyablement basse – et là où il y a vibration basse, il y a beaucoup de densité.

Lorsque vous êtes attaché à quelque chose par exemple, votre vibration est extrêmement basse.

La densité est très haute. Lorsque vous élevez votre vibration, vous vous détachez des gens et des objets, vous confiez tout.

« Ce qui doit être sera. Et ce sera ce qu'il y a de mieux pour tout le monde. Ce qui sera, sera. »

À ce moment, vous élevez votre vibration. Vous relâchez la violence.

Vous vibrez plus haut. Vous brillez plus intensément. Et vous êtes beaucoup plus proche du Ciel.

JÉSUS

# 254

# Aimez-moi, aimez-vous

Aimez-moi en votre for intérieur. Car je suis à l'intérieur de vous. Je suis là dans chaque partie de vous, dans chaque cellule.

Et ce n'est que lorsque vous allez tout au fond de vous-même que vous pouvez entrer en contact profond avec moi.

Et ce n'est que lorsque vous vous aimez éternellement que vous êtes capable de m'aimer éternellement.

Car lorsque vous m'avez perdu, il y a deux mille ans, lorsque j'ai disparu de votre vie, vous ne vous sentiez plus digne de rien – puisque vous n'étiez plus digne de moi. Tel était votre raisonnement, qui dure jusqu'à ce jour.

Mais ce n'était pas mon intention. Je suis sorti de vos vies dans l'espoir que mon absence vous forcerait à regarder à l'intérieur de vous-même et à comprendre que j'étais là.

Et qu'en réalisant que j'étais à l'intérieur de vous, vous m'aimeriez et arriveriez à vous aimer, puisque vous réaliseriez alors que vous étiez digne de ma présence dans votre énergie.

Et aujourd'hui, le choix est encore vôtre. Soit je continue à vous manquer à l'extérieur, et vous vous focalisez sur mon absence, croyant par conséquent que vous n'êtes pas digne de ma présence dans votre vie.

Soit vous comprenez que vous ne me voyez pas afin de pouvoir me ressentir à l'intérieur de vous, et afin de vous aimer grâce à cela.

Un choix doit être fait.

Et vous seul pouvez le faire, personne d'autre.

Je peux seulement clarifier les choses pour vous. Je ne peux pas choisir en votre nom.

J'ai fait mon choix, et c'est celui de vous aimer éternellement, quel que soit ce que vous choisissez.

Et je serai toujours ici.
À vous attendre.
À attendre que vous compreniez.
À attendre que vous choisissiez de m'aimer et de vous aimer.
À attendre que vous vous rendiez à la lumière.
À attendre que vous ressentiez que je suis la lumière.

JÉSUS

# 255

# Attentes

Supprimez toute attente. Concernant toute chose. Concernant tout le monde. Cessez d'attendre que les choses soient d'une certaine façon.

Cessez de vouloir que les personnes soient d'une certaine manière.

Cessez d'inventer des choses dans votre tête ou de créer des illusions.

Cela ne sert qu'à activer votre volonté de contrôle et de manipulation, et votre ego.

Imaginez-vous ne plus avoir d'attente dans votre vie. À partir de ce moment, vous allez sentir que tout ce que la vie vous donne est une bénédiction, puisque vous n'attendez rien en retour. Ainsi, vous aurez de la gratitude pour tout ce que la vie a à vous offrir.

Parce que vous ne pensez plus que la vie a l'obligation de vous donner des choses.

Imaginez-vous ne plus rien attendre des autres.

S'ils vous déçoivent, vous restez calme, car vous n'attendez rien d'eux.

S'ils sont gentils, sincères et aimants, s'ils se révèlent être des amis, des alliés, des complices, étant donné que vous n'attendez rien, vous serez capables de les voir et de les remercier pour tout cela.

Les êtres humains ont beaucoup trop d'attentes et pensent que ce qu'ils reçoivent n'est jamais assez. Ils voudraient plus. Ils croient qu'ils devraient avoir plus.

Et ce désir d'avoir davantage ruine tout. Il rend les gens calculateurs, compétitifs et mesquins.

Et dans cet état, la personne n'a que du ressentiment. Elle n'est reconnaissante pour rien et ne reçoit rien non plus, parce qu'elle croit déjà pour commencer que tout lui est dû.

Et cette personne recevra plus de déception que de joie. Elle aura beaucoup plus de ressentiment que de gratitude.

Et une âme sans gratitude est absolument stagnante.

JÉSUS

## 256

# Avant de vous réveiller

Beaucoup de choses arrivent pendant le sommeil.

Votre âme ne communique pas avec votre cerveau. À la place, elle communique avec votre cœur.

La communication qu'elle a avec votre cœur est directe et claire, libre d'intermédiaires ou de manipulation.

La communication entre le cœur et l'âme est fluide, car le cœur comprend l'âme et, plus important encore, il la ressent. Et l'âme aime être ressentie. Elle aime être comprise et prise au sérieux.

Votre âme porte le plan de votre vie sur Terre. Votre mission.

Elle est entièrement consciente de ce qu'il vous reste à accomplir et si vous avez dévié de votre chemin – ou êtes encore sur la bonne voie.

De toute évidence, la communication avec votre âme est cruciale pour ceux qui souhaitent commencer ou continuer le chemin vers leur évolution.

Cependant, cela n'intéresse ni votre esprit ni votre ego. Votre ego est une force de survie et, en tant que tel, il n'est intéressé que par l'immédiat et son confort. Sa tâche est de vous faire sentir bien et de vous tenir à distance de la douleur.

Cependant, le problème est la façon dont il procède pour faire les choses. La plupart du temps, il essaye de remplir sa mission dans l'instant et, je crois, lâchement.

Il vous force à fuir.

Il vous fait fuir la douleur, même quand elle est prête à sortir violemment de votre poitrine et qu'il n'y a de toute évidence aucun moyen de s'y soustraire.

Il vous fait fuir les émotions, et nous savons que ceux qui fuient leurs émotions finissent par se bloquer et par tomber malades.

Il vous fait fuir la confrontation, faisant de vous un hypocrite et un menteur.

Il vous fait fuir l'inconnu, faisant de vous quelqu'un de complaisant et paresseux.

Il vous fait fuir la sensibilité, faisant de vous quelqu'un de froid et dur.

Il vous fait fuir la spiritualité, vous égarant et vous faisant perdre votre sens de l'orientation.

En bref, il vous fait fuir votre âme, vous rendant triste et inhumain.

Et qu'est-ce que tout cela a à voir avec le sommeil ? Tout.

C'est durant le sommeil que l'ego est le moins actif et que l'âme a la possibilité de se manifester. C'est durant le sommeil que d'importants secrets sur ce que ressent notre âme, sur ce que nous ressentons concernant les choses, les personnes, ce qui nous arrive, et l'état de notre vie, sont révélés.

C'est durant notre sommeil, que nous rêvions ou non, que ce qu'il y a de plus profond en nous a l'opportunité de révéler sa raison d'être.

Donc à partir d'aujourd'hui, avant d'être complètement réveillé, lorsque vous êtes encore somnolent, au moment où vous ne pouvez pas tout à fait ouvrir vos yeux parce qu'ils sont encore lourds, à ce moment, au lieu de sauter du lit pour une autre journée supersonique, arrêtez-vous.

Arrêtez-vous et restez immobile.

Gardez vos yeux fermés pendant deux minutes, juste en ressentant les choses.

Juste pour recevoir ce que la nuit vous a apporté. Cela n'a pas d'importance si vous ne vous souvenez pas du rêve que vous avez fait. Pendant les quelques minutes qui suivent le moment de votre réveil, restez avec cette sensation – une émotion, une fréquence dans votre cœur.

Restez. Ressentez-la. Reconnaissez qu'il s'agit d'une communication provenant de votre âme. C'est ce qu'elle souhaite vous dire aujourd'hui.

Si vous sentez une lourdeur, une sensation étrange, de la peur, de l'embarras, ne fuyez pas ce sentiment. N'activez pas

435

votre ego, votre esprit pour fuir cette communication toujours si subtile.

Restez. Ressentez. Pleurez si vous en avez besoin.

Imaginez que vous ouvrez votre poitrine et que vous enlevez la densité, la noirceur et la lourdeur qui se trouvent à l'intérieur. Respectez ce que vous ressentez. Et maintenant, vous êtes prêts à commencer votre journée. Vous pouvez vaquer à vos occupations avec la certitude que vous avez fait quelque chose pour votre âme, que vous avez fait un pas dans la bonne direction vers votre propre évolution qui inévitablement vous mènera plus près du bonheur.

JÉSUS

# 257

# Mes remerciements

Je voudrais vous remercier pour tout ce que vous avez fait pour la Terre en élevant votre énergie vibratoire.

Je voudrais vous remercier pour tout ce que vous faites pour la Terre, chaque fois que vous vous choisissez, que vous choisissez la lumière. Chaque fois que vous vous éloignez de ce qui ne fait pas partie de vous et qui ne vibre pas en vous. Cela agit comme un champ magnétique interne, élevant sensiblement l'énergie de la Terre.

Je voudrais vous remercier pour le temps que vous prenez pour travailler sur vous-même en consultant mes messages et en faisant vraiment l'effort de comprendre cette nouvelle logique.

Je suis reconnaissant pour votre foi, votre disponibilité et votre dévouement. Pour être allé là ou cela fait mal et pour avoir cru que cela passera vite.

Merci pour l'émotion.

JÉSUS

# 258

# Idée fausse

Les choses ne sont pas toujours comme vous voudriez qu'elles soient. Les autres ne voient pas toujours les choses de la même manière que vous, et ne mettent pas non plus l'énergie que vous aimeriez qu'ils investissent.

Formellement, une personne peut avoir la même opinion que vous sur un sujet.

Je dis formellement, parce que cela a une forme.

Seulement une forme, rien de plus.

Cette personne peut être d'accord avec vous formellement, mais l'énergie qu'elle attribue à la question peut être complètement différente de la vôtre. C'est ce que j'appelle une idée fausse. Vous croyez que quelqu'un a fait quelque chose avec une intention particulière, quand non seulement il avait l'intention de faire quelque chose de tout à fait différent mais croit que vous faites les choses avec l'intention qu'il avait à l'esprit.

Compliqué ? Pas vraiment.

Faites ceci.

Sans tenir compte des accords formels que vous avez passés avec les personnes, sans tenir compte du fait que vous êtes d'accord ou non sur presque tous les points – je dis presque parce que personne n'est jamais en accord sur tout, n'est-ce pas ? Sans tenir compte de tout cela, ressentez l'énergie.

Fermez les yeux, permettez-moi d'entrer et ressentez. Ressentez l'énergie des autres personnes. Ressentez votre énergie. Ressentez chacune de vos énergies par rapport à la question qui se pose.

Et je vous promets qu'une grande synthèse sortira de cette méditation.

Maintenant vous savez quoi faire.

Maintenant vous pouvez avancer.

JÉSUS

# 259

# Un trou dans votre cœur

Je réalise que lorsque deux personnes sont amoureuses, elles souhaitent expérimenter l'émotion profonde du partage.

Elles ont le désir de ressentir l'incroyable sensation d'être vivant, d'avoir le cœur qui déborde d'émotions, de voir la beauté des fleurs, de sentir que la vie est sans conséquence et que seul l'amour importe.

Mais ce n'est pas ainsi que les choses fonctionnent.

Les êtres humains ont un mécanisme du besoin qui fonctionne de cette façon :

Ils ont un trou dans leur cœur. Un trou causé par des siècles de privation.

Un trou provoqué par la mémoire karmique, vie après vie, dans lesquelles les émotions on été refoulées et demandent maintenant qu'on prenne soin d'elles. Un trou provoqué par l'absence de votre Moi supérieur, votre âme qui, au moment de votre naissance, reste là-haut au Ciel, à attendre que vous vous connectiez pour pouvoir entrer et remplir votre cœur.

Un trou qui est aussi provoqué par l'affaiblissement de l'essence, après tant de siècles à regarder à l'extérieur, à crier pour appeler les autres, « aimez-moi, aimez-moi... »

Eh bien, ce cœur est maintenant sombre et froid. Il est affligé et malade. Et il souffre. Et plus il a mal, moins vous allez vers lui et moins vous vous reliez à lui.

Alors qu'arrive-t-il quand quelqu'un tombe amoureux ?

Est-ce que le cœur s'ouvre et déborde d'amour d'une heure à l'autre ? Non. Est-ce qu'un être profite de l'amour qui vit dans son cœur sans tenir compte de la douleur qui s'y trouve ? Non.

Il est simplement extatique parce qu'il a finalement trouvé quelqu'un qui déclenche une émotion tellement puissante en lui qu'elle peut remplir le trou dans son cœur.

Ce n'est pas de l'amour. C'est du besoin.

Le cœur n'aime pas encore.

Le cœur veut juste arrêter d'avoir mal.

Et puisque ce n'est pas de l'amour, cela ne peut pas durer longtemps. Et même si cela dure, ce ne serait probablement pas très épanouissant.

Une fois que le cœur réalise que cette personne qui est censément aimée ne remplit pas le vide, il commencera à avoir des exigences, s'ensuivront des discussions et la confusion s'installera.

Souvenez-vous de ceci :

Personne ne peut remplir le vide dans le cœur de quelqu'un d'autre.

Une personne ne peut recevoir de l'amour, si ce qui émane d'elle est le besoin.

Tout d'abord, vous devez restaurer votre essence. Vous devez aller tout au fond de votre cœur, vous devez travailler sur vos mémoires karmiques – qui viennent d'autres vies – qui provoquent de la douleur.

Ce n'est qu'alors que le véritable amour se montrera.

Et à ce moment, je vous garantis qu'un bel événement aura lieu.

Vous connaîtrez la plus grande émotion de votre vie.

La plus grande émotion de toutes vos différentes vies.

JÉSUS

# 260

# Un toast en votre honneur

Regardez comment l'énergie circule quand les choses qui vous sont destinées commencent à s'approcher.

Regardez comment les choses changent de forme. De toute évidence, vous avez changé votre énergie. Vous avez passé beaucoup de temps à essayer de vous corriger, d'être plus en harmonie avec vous-même et, plus important encore, vous avez changé vos habitudes de fonctionnement.

Changer ses habitudes de fonctionnement. Voici la clé.

Des habitudes vieilles comme le monde, qui s'obstinent à se manifester dans cette vie.

Et ces schémas répétitifs vous suivent partout. Ils se manifestent dans votre comportement et votre attitude.

Des schémas qui vous font avancer sur pilote automatique, sans jamais vous remettre en question, sans jamais savoir pourquoi vous faites les choses, et vous empêchent de ressentir.

Vous avez passé beaucoup de temps dans votre vie à vous en défaire.

Vous avez accepté la transformation.

Et maintenant j'aimerais vous porter un toast.

Je veux célébrer le fait que vous avez réussi.

Vous avez remis les choses en ordre et vous vous êtes rapproché de la lumière.

Inutile de préciser qu'il reste encore un bon bout de chemin à parcourir avant d'arriver.

Mais je vais vous révéler un secret. Aussi longtemps que vous serez ici-bas, il y aura toujours un bon bout de chemin à parcourir avant d'arriver ici.

Mais l'important est que vous ayez déjà commencé votre voyage, et il vous mènera de l'autre côté de l'éternité.

Maintenant, à ce moment précis, observez comment l'énergie bouge en votre faveur.

Recevez les bénédictions du Ciel.

Recevez ce que j'ai à vous offrir.

Ne fuyez pas.

Lorsque l'énergie arrive, ne croyez pas que c'est un hasard. Ne croyez pas qu'elle ne vous est pas destinée, c'est une erreur.

Acceptez que ce soit moi. Acceptez que je vous l'aie envoyée en signe de gratitude pour le temps que vous avez consacré à vous centrer sur vous-même.

Recevez la bénédiction.

Et vous comprendrez tout le bien que vous avez apporté à l'humanité en acceptant de vous élever juste un peu plus haut.

JÉSUS

# 261

# Le temps de recevoir

Jouissez de ce que je vous envoie.
Il n'est pas nécessaire de travailler sur tout.
Tout n'est pas que souffrance. Croyez que lorsque la leçon est bien apprise, de grandes bénédictions suivent sans tarder. Ce que je vous envoie cette fois-ci peut être vraiment coloré. Ce sera bien. Il se peut que cela fasse sourire votre âme une nouvelle fois si vous savez comment en profiter. Si vous cessez de porter des jugements, pensant que vous ne méritez pas cela, que cela ne vous est pas destiné.

« Je veux seulement ce qui m'est destiné. Ce que l'Univers a à m'offrir » vous entends-je dire parfois. Même si vous ne vous écoutez pas, je vous entends.

Eh bien, ceci est pour vous. Je vous l'ai envoyé. Vous l'avez attiré avec votre nouvelle énergie.

Vous avez travaillé, vous êtes allé profondément à l'intérieur de vous-même, et vous vous êtes transformé.

Il est temps pour cette bénédiction d'arriver. Il est temps de recevoir.

Et lorsque vous serez prêt à en profiter, quand vous en jouirez, souvenez-vous que dans chaque fragment de cette expérience il y a une touche du Ciel.

JÉSUS

# 262

# Découvrir la tristesse

Lorsque quelqu'un est très fâché après vous, quand il pense que vous auriez dû faire quelque chose d'une certaine manière, soyez conscient de ceci.

Cette personne souffre. Son cœur lui fait mal, et comme elle n'a pas l'expérience pour savoir comment s'y prendre avec son cœur, elle finit par être extrêmement en colère : « Je peux contrôler cette rage », pense-t-elle.

Mais la rage détruit votre système central, qui se déprogramme et a ensuite besoin de se nourrir d'encore plus de rage.

C'est un cercle sans fin.

Et la douleur reste inexplorée et n'est ni purifiée ni chassée par les larmes.

Le chagrin est mis de côté.

Voulez-vous aider ?

Quand quelqu'un est très fâché après vous, demandez-lui : « Pourquoi es-tu si triste ? »

Et aidez-le à ce qu'il laisse place à sa douleur. À sa tristesse. Et quand il commence à céder à sa douleur, il laissera retomber sa rage, car celle-ci n'était là que pour le protéger et l'empêcher de laisser place à sa douleur – malgré toutes les conséquences que la rage attire. En cédant à sa douleur, cet être commencera à laisser sa violence partir. Et naturellement il n'attirera plus la violence.

Voulez-vous vraiment l'aider ?

Faites ceci.

Quand quelqu'un vous en veut, essayez d'en comprendre les raisons, aidez-le à ce qu'il cède à sa tristesse et prenez-le dans vos bras.

Et restez là à le réconforter.

Et ni l'un ni l'autre ne pourra oublier ce jour. Et vos âmes resteront amies à jamais.

JÉSUS

# 263

## Se relier à soi

Reliez-vous à votre être intérieur.

Bien qu'il y ait encore beaucoup à faire, votre énergie est bien plus raffinée maintenant.

Si vous le souhaitez, vous pouvez maintenant vous relier à votre être intérieur. Votre énergie originelle peut se faire ressentir. Elle peut se montrer, et laissez-moi vous dire qu'à l'heure actuelle, peu de gens dans votre situation sont capables de faire cela.

La plupart portent avec eux tellement de déchets karmiques qu'ils n'ont aucune chance d'apercevoir ne serait-ce qu'une lueur de leur énergie originelle.

Reliez-vous à votre être intérieur.

Et plus vous pratiquez cet exercice consistant à vous relier à votre être intérieur, plus vous activez votre énergie originelle et plus vous serez complet pour gérer vos affaires personnelles et votre vie.

Je sais qu'il est difficile de se centrer sur soi quand on a passé les derniers siècles à se focaliser sur les autres. Mais vous avez parcouru un long chemin pour arriver où vous en êtes. Et maintenant, vous trouver vous-même est la dernière étape de votre voyage.

Et je suis là pour répondre à tous vos besoins, absolument tous vos besoins.

JÉSUS

# 264

# Deux leçons majeures

Je peux comprendre votre besoin d'agir sur ce que vous ressentez.

De permettre à la vie d'être fluide, d'accepter un changement de direction. De vous laisser aller dans la direction où vous porte le vent, guidé par le mouvement du magnétisme de la vie.

Je comprends et j'accepte.

J'accepte et je donne ma bénédiction.

Cependant, vous devez comprendre que même si je vous dis que vous êtes en droit de faire cela – et, en fait, je vous enseigne à vous battre pour ce droit – je dois vous avertir que la vie ne sera pas facile.

Les gens autour de vous veulent de l'assurance.

Ils sont comme vous étiez au début.

Ils veulent une assurance émotionnelle. Ils veulent de la sécurité.

Ils sont plus attachés à vous qu'à eux-mêmes.

Donc ils ne veulent pas que vous changiez. Votre changement anéantirait leurs certitudes et bouleverserait leurs vies.

Ils n'aiment pas le chaos. Ils ne savent pas que pour changer véritablement, il faut être capable d'accepter le chaos, d'accepter de ne plus avoir besoin d'être la même personne hier et aujourd'hui, et qu'il faut se réinventer tous les jours. Ce n'est qu'en acceptant cela que vous pouvez avancer et évoluer.

Les autres ont des plans pour vous.

Des plans qui ne vont pas trop perturber leurs vies. Et votre changement ne fait définitivement pas partie de leurs plans.

Que devez-vous faire ?

Changer, poursuivre votre chemin et déranger ceux qui sont autour de vous ou laisser tout en place et risquer de mourir d'ennui, consumé par la monotonie, avec une essence ordinaire et terne ?

Rappelez-vous ceci : il y a beaucoup d'occasions dans la vie – vraiment beaucoup – où dire oui aux autres revient à dire non à soi.

Et vous êtes venu sur Terre pour faire évoluer votre âme et non celles des autres.

Je sais que vous ne voulez pas que les autres souffrent. Je comprends cela.

Mais considérez qu'eux aussi doivent apprendre. Et s'ils n'apprennent pas de vous, ils devront apprendre de la vie, et les leçons de vie peuvent être enseignées par vos propres actions.

Vous êtes perdu ? Laissez-moi vous expliquer.

Imaginez que nous, là-haut, percevons qu'il est temps pour telle personne ou telle autre de se détacher. Il est temps d'encourager un détachement émotionnel afin que finalement cette personne prête attention à son essence.

Cette personne a besoin d'attirer une expérience de perte émotionnelle afin de pouvoir se détacher.

Et imaginez que vous êtes en train d'apprendre qu'il faut se laisser porter par la vie, permettre aux choses de circuler c'est-à-dire être capable de s'écouter et de donner la priorité à son essence. La scène est prête : cette personne a besoin de se détacher, et vous avez besoin de lâcher prise afin de vous découvrir vous-même.

Naturellement, vous serez ce que cette personne va perdre. Plus vous ressentez le besoin de partir, de ne plus dépendre de personne, de laisser la vie prendre une autre direction, plus cette personne sentira qu'elle est en train de vous perdre et sera désespérée.

En bref, avec seulement deux événements – vous laisser porter par la vie et apprendre à vous respecter – je promeus deux leçons majeures : la réalisation et l'intériorisation pour une personne et le détachement et l'intériorisation pour l'autre. Avez-vous remarqué que le mot intériorisation est toujours présent ?

Donc quand vous croyez que votre besoin personnel de vous laisser davantage porter par la vie cause de la souffrance aux autres, considérez que c'est peut-être ainsi que les choses doivent être. Il se peut que ce soit l'intention du Ciel.

Et considérez que l'action que vous allez mener concerne l'évolution de quelqu'un d'autre. Et nous là-haut avons un nom pour cet entrelacement énergétique : le destin.

JÉSUS

# 265

# Rentrer à la maison

Il est temps de rentrer à la maison.

De retourner dans votre jardin, à vos vieux arômes et vos vieilles saveurs.

Il est temps de laisser les aventures à l'extérieur, d'attacher les chevaux et de retirer l'infanterie.

Rentrez à la maison.

Revenez près de la chaleur de la cheminée, dans le confort d'une maison chauffée. L'âme a besoin de chaleur en ce moment.

L'âme a besoin de faire le plein d'énergie, de prendre des forces afin de faire face et de surmonter les nouveaux défis à venir.

Rentrez à la maison maintenant.

Pour le moment, la tâche a été accomplie. Il est temps de vous reposer.

Déposez vos armes.

Et retournez à la maison dans votre lit chaud, pour que votre essence se repose.

Car c'est en se reposant qu'un guerrier peut se rétablir et recevoir de nouvelles visions d'univers entiers qui n'ont pas encore été découverts.

JÉSUS

# Ne pas vouloir

N'ayez pas envie que la vie soit éternelle.

Jouissez de la vie.

Jouissez de chaque moment que la vie a à vous offrir.

Chaque minute est magiquement scellée par moi afin de vous donner tout ce dont votre énergie a besoin pour se développer.

Chaque moment où vous souhaitez qu'elle dure éternellement, vous niez les nouvelles expériences qui se présentent à vous.

Ne souhaitez pas que les choses se perpétuent. Jouissez simplement de chaque moment.

Et montrez de la gratitude. Soyez reconnaissant d'être vivant afin de pouvoir jouir de votre incarnation.

C'est tout.

Le reste viendra de son plein gré pour rendre votre vie plus colorée.

JÉSUS

# 267

# Juger

Juger, c'est croire que les gens devraient être différents de ce qu'ils sont.

C'est croire qu'ils peuvent être divers, plus acceptables pour vous.

C'est vouloir qu'ils répondent à vos exigences pour que vous n'ayez pas à sortir de votre zone de confort.

Juger, c'est croire que le Ciel a fait une erreur en plaçant cette prétendue antipathique personne devant vous.

C'est nier que vous avez attiré cette personne. C'est refuser la possibilité que vous l'ayez attirée pour acquérir une plus grande compréhension de l'énergie que vous émettez. Et c'est refuser d'accepter que c'est vous qui avez besoin de changer pour cesser d'attirer ce genre de personnes.

Juger, c'est nier la perfection du Ciel, de l'énergie et de l'immensité du temps et de l'espace.

Juger, c'est croire que votre minuscule ego sait tout, y compris ce qui devrait arriver. Et en conséquence, vous renoncez à ce qui arrive vraiment.

De toute évidence, juger est l'une des plus grandes forces qui s'oppose à l'évolution.

Alors pourquoi persistez-vous à juger ?

JÉSUS

# 268

# Musique

Mettez de la musique que vous aimez écouter.
Élevez votre âme jusqu'à moi, et venez danser.
Venez me rencontrer là-haut dans ce contexte magique de lumière et laissez votre essence voler.
Permettez-lui de s'exprimer dans l'immensité du Ciel.
Et grâce à l'amour que vous ressentez pour cette musique, je vais trouver votre cœur là-haut, et j'aurai l'occasion de le sauver de la tristesse, du froid, de la mélancolie et de la violence. Et quand votre cœur retournera sur Terre, il sera rempli de ma présence et la tristesse aura disparu.
Et vous serez capable de voir chaque chose pour ce qu'elle est véritablement, maintenant que vous n'avez plus ce filtre lourd qui jette une ombre sur tout ce que vous regardez.
Et vous serez capable de ressentir la clarté.
Et mon image, mon énergie, et mon amour pour ceux qui, comme vous, n'ont pas peur de venir au Ciel car l'inspiration sera à jamais forgée dans votre cœur.

JÉSUS

# 269

## Perdre vos attentes

Avez-vous remarqué que plus vous vous efforcez d'éviter de créer des attentes à propos des choses – plus vous vous efforcez de bien vous conduire et permettez à la vie d'être fluide – plus votre ego essaie de vous contrer.

Vous essayez de ne pas avoir d'idées préconçues sur les choses. Vous pouvez même considérer – et accepter que vous n'avez aucun contrôle sur l'avenir. Même dans ce cas, votre ego – votre contrôleur interne – s'est juste immobilisé. Il ne bouge plus mais n'est pas inactif.

Être inactif signifierait qu'il resterait comme il est, qu'il resterait ainsi, simplement en ne faisant rien. Comme cela, immobile, attendant que la vie se présente à lui.

Mais il n'est pas calme. Il a arrêté de bouger mais il attend que quelque chose arrive.

Et ce quelque chose doit être très fort pour qu'il reste immobile à ce point.

Eh bien, c'est votre ego qui essaye comme toujours de prendre le contrôle.

Vous renoncez à savoir ce que l'avenir vous réserve, avec l'attitude bienveillante de quelqu'un qui abandonne quelque chose qui est à sa portée – mais l'avenir n'est pas à votre portée. Alors comment pouvez-vous renoncer à quelque chose qui n'est pas à votre portée ?

Mais c'est ainsi que se comporte votre contrôleur. Il fait de grandes tentatives pour livrer ce qui ne lui appartient pas.

Vous renoncez à savoir ce qu'il arrivera dans le futur, pourtant vous restez dans l'anticipation de ce qui arrivera, et vous souhaitez encore contrôler l'importance de cet événement.

Laissez-moi vous dire quelque chose.
Avec cette attitude, rien n'arrivera jamais. Rien du tout.
Il ne sert à rien d'attendre.
Il ne sert à rien de contrôler.
Et laissez-moi vous dire que vous n'atteindrez pas le royaume
du Ciel avec ce genre d'attitude.

JÉSUS

# La fin – et un nouveau commencement

C'est la fin.

La fin des grands espoirs et des grandes illusions.

Cela devait finir. Permettez aux choses qui ne bougent plus, qui n'évoluent plus, de se terminer.

Ce qui n'évolue pas naturellement est ainsi parce que cela ne vous est pas destiné. Et ce qui ne vous est pas destiné, vous devez vous en défaire, lâcher prise.

Lâchez prise.

Certaines choses qui font partie de vous veulent se manifester. Elles s'approchent rapidement et veulent se révéler à vous. Elles veulent se montrer. Elles veulent que vous les acceptiez dans votre vie sans appréhension et sans hésitation.

Pourtant de là-haut elles vous regardent avec toutes vos certitudes, votre résistance, et constatent que vous êtes assailli par la peur du changement et de tout ce qui est nouveau.

Et vous vous accrochez à ce qui est ancien parce que vous ne voyez pas approcher ce qui est nouveau.

Et ce qui est nouveau n'avance pas vers vous parce que vous vous accrochez à ce qui est ancien.

Saisissez-vous l'ironie de ce processus ?

Si vous continuez ainsi, vous allez poursuivre la même petite vie vide de sens que vous avez vécue jusque-là.

Si vous lâchez ces chaînes que vous connaissez bien et ce qui est ancien, vous serez libéré et porté par les vents à des endroits imprévus.

Où vous trouverez ce qui vous est destiné. Où vous trouverez ces choses qui font partie de vous. Et celles-ci sont beaucoup plus grandes que tout ce que votre esprit étriqué pourra jamais imaginer.

Et je peux vous en assurer.

JÉSUS

# 271

# Un nouveau début

Un nouveau début commence.
Un nouveau début qui annonce un nouveau printemps.
Une nouvelle perspective dépourvue de chaînes et de vieilles affaires.
Une nouvelle réalité qui fleurit comme les premiers jours du printemps.
C'est le temps d'un renouveau spirituel, un temps où toute chose renaît, bourgeonne et se développe. Un temps où tout se rassemble de manière durable et imprévue...
sans compromis...
sans fardeau...
mais de manière permanente.
Un temps où les ressources nécessaires pour atteindre les objectifs fixés sont limitées.
Un temps pour les choix. Un temps pour la réflexion.
Un temps pour commencer le voyage. Ce nouveau voyage qui vous mènera vers l'infini.
Où le chemin est fragile mais illuminé.
Où vos pas sont hésitants mais heureux.
Où le temps est le temps et où ce que vous en faites sera toujours en votre faveur.
Un nouveau début commence. N'essayez pas de déterminer ce qu'il est.
Ressentez-le.
N'essayez pas de contrôler la vie.
Ressentez-le.
Ne souhaitez pas arriver au bout. Ne vous précipitez pas.
Ressentez-le.
Avancer sur ce chemin est la seule assurance que vous aurez sur ce parcours turbulent.

JÉSUS

# 272

# Voler

Envolez-vous vers la luminosité, au-delà des étoiles, au-delà des constellations – au-delà de ce que l'esprit peut imaginer.

Envolez-vous au-delà de ce que votre corps peut endurer.

Acceptez le détachement, acceptez la nécessité de lâcher prise.

Envolez-vous au-delà de la luminosité, au-delà du portail de la lumière.

Venez à moi.

Confiez-moi votre cœur. Confiez-moi votre capacité à aimer. Confiez-moi votre force.

Revenez à la maison, et je vous transformerai en ange. Je vous transformerai en être de lumière. Je vous transformerai en avatar.

Et lorsque vous retournerez sur Terre, les choses ne seront plus jamais les mêmes car vous aurez rempli la Terre de tout ce qu'il y a au Ciel.

Car vous aurez rempli la Terre de ma présence.

JÉSUS

# Memento des questions

Notez ci-dessous vos questions et les réponses apportées par le *Livre de la Lumière*. Il est important de toujours écrire la date, la question, et le message correspondant : c'est la seule façon de rendre compte de leur évolution.

Date :
Question :
Réponse :

Date :
Question :
Réponse :

Date :
Question :
Réponse :

Date :
Question :
Réponse :

Date :
Question :
Réponse :

Date :
Question :
Réponse :

Date :
Question :
Réponse :

Date :
Question :
Réponse :

Date :
Question :
Réponse :

Date :
Question :
Réponse :

Date :
Question :
Réponse :

Date :
Question :
Réponse :

Date :
Question :
Réponse :

Date :
Question :
Réponse :

Date :
Question :
Réponse :

Date :
Question :
Réponse :

# Liste des messages

# Les lecteurs peuvent contacter Alexandra Solnado pour recevoir des messages de lumière

Inscrivez-vous sur le site www.alexandrasolnado.net et recevez des messages de Jésus qui vous accompagneront dans votre cheminement spirituel.

Mise en pages PCA
44 400 Rezé

MARQUIS

Québec, Canada

Imprimé au Canada
Dépôt légal : octobre 2015
ISBN : 978-2-7499-2761-9
LAF : 2058